D1134467

LA BOURGEOISE

CECIL SAINT-LAURENT

LA BOURGEOISE

roman

Sélectionné par le CLUB POUR VOUS - HACHETTE

« Une génération est un mode intégral d'existence ou, si l'on veut, une mode qui se fixe indélébile sur l'individu. »

(Ortega y Gasset)

« Il appartient à la psychanalyse non de décrire ce qu'est la femme mais de rechercher comment elle le devient. »

(Freud)

« Nous sommes tous contemporains, nous vivons dans le même temps et dans la même atmosphère, dans le même monde, mais nous contribuons à les former de façon différente. On ne peut coïncider qu'avec les hommes du même âge. Les contemporains ne sont pas tous des hommes du même âge : il est urgent de distinguer en histoire entre la *coétanéité* et la *contemporanéité*... La découverte selon laquelle nous sommes fatalement inscrits à un certain groupe d'âge et à un style de vie est l'une des expériences mélancoliques que tôt ou tard tout homme sensible arrive à faire. »

(Ortega y Gasset)

« Ainsi l'œuvre à faire devrait avoir une triple forme : les hommes, les femmes et les choses. »

(Balzac)

I

Souvent Catherine prenait le métro ou l'autobus, mais elle eut hâte de se trouver auprès de Marielle, de lui raconter. Elle n'aurait pas supporté l'immobilité sur une banquette de métro. Devant elle, autour du flux métallique, brutal, bruyant, dont sa voiture faisait partie, Paris étendait des façades, allongeait des feuillages. Beaucoup de vieux immeubles, récemment ravalés, étaient chair sous l'éclat matinal du soleil. Les feuilles étaient toutes d'un jeune vert ; déjà de lourdes frondaisons s'étageaient, mais parmi les platanes, toujours en retard, un jeune arbre, encore plus tardif, montrait encore des bourgeons.

Petite, elle avait rapporté des rameaux hérissés de bourgeons qu'un jardinier avait émondés ; ils jonchaient une allée du Jardin des Plantes. Elle avait refusé de se séparer de trésors qui lui donnaient sa première émotion esthétique ; elle les avait admirés comme une totalité de formes (coniques), de matières (tendres, duvetées, poisseuses), de couleurs (vert très clair, brun et violet) qui composaient un tout où était la beauté. Quand, dix ans plus tard, son professeur lui avait révélé, selon l'affirmation de Stendhal, que la beauté est promesse de bonheur, Catherine avait saisi et aussitôt chéri cette formule qui résumait ses bourgeons.

En une nuit, les bourgeons venaient de perdre le pouvoir d'être une promesse de bonheur.

Rue du Bac, elle manœuvrait avec une certaine allégresse, tirant vanité du droit de garer sa voiture dans une cour privée. Même, l'un des motifs qui avait emporté sa décision d'accepter un poste de secrétaire à *Style et Loisirs* avait été la faveur de parquer dans cette cour. Aussi, elle avait été sensible à la vétusté de l'immeuble qui abritait la revue, construit au début du XVIIIe et composé de petites pièces basses de plafond, aux boiseries discrètes ; un grand escalier emphatique s'élevait vers les appartements qui donnaient sur la rue, mais les bureaux de *Style et Loisirs*, donnant sur la cour, étaient desservis par un petit escalier fait de bois et de tomettes où se déroulait une rampe de fer forgé dont Catherine, d'emblée, avait goûté les volutes.

Presque chaque matin, elle s'offrait, sinon des moments de bonheur, du moins le plaisir d'élans vers le bonheur, en traversant l'île Saint-Louis où elle habitait, puis en débarquant dans cette cour et en montant cet escalier. Pendant un temps, parce qu'il lui semblait réactionnaire, elle avait caché ce goût pour les lieux protégés du progrès, mais, depuis 68, c'était jeune et révolutionnaire de vanter les eaux impolluées, l'élevage des moutons, les vieux mas, les châteaux en ruine et Catherine se permettait d'être satisfaite en toute tranquillité.

Essoufflée, elle entra dans son bureau ou plutôt dans le bureau de Marielle où elle avait droit, près d'une fenêtre, à une petite table Restauration encombrée de papiers qui assiégeaient une machine à écrire, à un fauteuil Empire disproportionné avec la table, à une falaise de classeurs verts et à un petit vase d'argent que, faute de place, elle avait juché sur le caisson du chauffage central.

— Salut, dit Marielle. Ce matin chez mon fleuriste, c'était les premières pivoines ; regarde comme elle est belle. Un Rubens.

Opulente, alanguie, d'un blanc épais à peine cassé de rose, la fleur trop lourde écrasait le vase au col mince, régnait sur lui comme une femelle victorieuse. Catherine se pencha sur Marielle et l'embrassa puis se pencha sur la fleur.

— Oh, dit Marielle, elle ne sent pas grand-chose.

— Si, un peu...

— En tout cas, plus que cette grande bringue de baccarat que j'avais apportée la semaine dernière.

C'était l'habitude de Marielle d'offrir toutes les semaines des fleurs à son amie. Chaque fois qu'elle avait cherché à analyser le rôle qu'elle jouait dans la revue, Catherine avait senti que la bonne méthode ne consistait pas à scruter ses inclinations professionnelles, mais plutôt ses sentiments pour Marielle. Toutes deux s'étaient connues au lycée, en quatrième où Catherine était dans les premières, ce qui ne l'empêchait nullement d'admirer Marielle, dernière en tout sauf en anglais. Catherine, travailleuse par docilité mais aussi par nature, vénérait la paresse de Marielle. Elle admirait les mensonges de Marielle à ses parents et à ses professeurs alors qu'elle-même ne mentait guère, sauf de temps en temps pour rendre service à son frère ou pour justifier, en rentrant du lycée, des retards dus à son besoin de s'attarder dans les rues avec son amie. Marielle, qui était un leader, arborait souvent des tenues qui donnaient à ricaner aux professeurs et aux élèves ; Catherine l'avait toujours défendue bien qu'elle n'eût jamais été tentée d'imiter les extravagances de son amie qui d'ailleurs ne l'y poussait pas. De même Catherine avait très tôt compris que Marielle en usait librement avec les garçons, ce qui la fascinait sans qu'elle pensât à en prendre de la graine ; Marielle l'aurait d'ailleurs réprouvé, aimant la considérer comme une petite fille qui a besoin d'être protégée.

Elle va me protéger, se disait Catherine. Il faut seulement que j'arrive à bien lui rendre ce qui s'est passé cette nuit entre Marc et moi. Elle tapait les lettres que Marielle avait préparées. Jamais Catherine ne s'était étonnée que, l'année où elle terminait sa licence de philosophie, Marielle qui n'avait même pas son bac lui ait annoncé : « Tu aurais horreur d'enseigner mais à la revue on a besoin d'une secrétaire. Je vais te prendre avec moi, tu seras très bien ! »

Bien que la façade fût dans l'ombre, la pièce était chaude et, des jardins sur lesquels les fenêtres donnaient, une touffeur montait, lumineuse comme celle de l'été, apportant des bruits que Catherine aimait parce qu'ils étaient de la campagne. Il y eut le chant croissant de l'eau dans un arrosoir, puis le grésillement d'une bicyclette en roue libre.

— Ça, dit Marielle, c'est Alavoine. Oui c'est bien lui, ajouta-t-elle en jetant de petits regards par la fenêtre. Il se penche avec majesté pour délivrer son pantalon de ses épingles cyclistes. C'est signe de beau temps.

M. Alavoine, le rédacteur en chef de *Style et Loisirs,* célébrait chaque année la venue des beaux jours en utilisant son antique bicyclette pour se rendre à son bureau. Cet accès durait rarement plus de quelques semaines.

— Figure-toi, dit Catherine après avoir classé le double d'une lettre dans un dossier, que cette nuit...

— Au fait, ça s'est bien passé hier soir ton anniversaire de mariage ? Attends ! Tu me raconteras tout à l'heure, je suis en train de réfléchir...

Plus petite que Catherine, menue, les cheveux très noirs, Marielle montrait des joues rondes et des yeux également trop arrondis aux prunelles pervenche qui lui faisaient une physionomie enfantine contre laquelle elle luttait. Elle avait vingt-neuf ans, un an de plus que Catherine, et souhaitait en posséder quarante pour jouir d'une autorité conforme à son ambition. Elle ne parvenait à l'autorité qu'en desséchant ses expressions, ce qui lui donnait l'air d'un enfant précocement expérimenté.

Ayant ouvert un placard dont le battant dissimulait

une glace, elle s'inspectait. Les quelques jours qu'elle venait de passer à Majorque grâce à un congrès de décorateurs l'avaient hâlée, ce qui lui permettait de brandir des jambes nues et l'avait incitée à arborer une robe démodée, radicalement courte, à l'émerveillement de Catherine qui n'aurait jamais osé enfreindre la mode. A la fin, Marielle rendit son verdict :

— Pour demander mon augmentation à Alavoine, je mettrai mon pantalon aubergine et mon pull gris.

Un pas faisait craquer le vieux parquet du couloir. Marielle rabattit la porte du placard et s'assit derrière sa table au moment où M. Alavoine entrait. C'était un grand être, lourd et roux, dont le visage rose était retranché derrière d'énormes lunettes rondes aux verres épais. Son âge était difficile à préciser, entre quarante et soixante ans. En entrant, il marmonna un bonjour indistinct, sans chercher le regard des deux femmes. Presque sans soulever les pieds, il s'approcha de Marielle qui se leva.

— Dites-moi donc, le papier de Martin Opioux ? Vous ne m'en avez plus reparlé, hein ? Qu'en est-il du papier d'Opioux ?

Opioux, romancier à moitié connu, donnait presque chaque mois à la revue un article traitant d'un sujet qui lui était fourni, assorti d'une documentation. En avril, Catherine avait eu une idée qui avait été jugée sublime par Marielle et « praticable » par Alavoine. Il s'agissait de fournir à Opioux un texte et une iconographie qui lui permissent de bâcler un article d'allure très littéraire autour des rapports qu'à toutes les époques la mode féminine avait entretenus avec le style des édifices et du mobilier, le hennin correspondant à la flèche gothique, comme la crinoline correspond au dôme de l'Opéra, etc.

— Catherine aura fini ce soir de constituer le dossier. Martin Opioux l'aura demain. Il a promis de terminer son travail en deux jours. Il en mettra trois ou quatre. Donc ça va.

— C'est vite dit, grommela Alavoine. Rien ne va tout seul. Et à part ça ?

— Hier soir, après votre départ, j'ai reçu le papier de Brochat et celui de Strauss. Celui de Strauss était trop long. Je lui ai téléphoné. Finalement, il accepte que nous fassions les coupures nous-mêmes.

— Bon. Bien.

Alavoine fit virer son corps maladroit. Il l'ébranla vers la porte et, au moment de la franchir, se ravisa :

— Et les photos du château de Combronde ? Est-ce qu'on les a reçues, les photos du château de Combronde ?

— Leroy doit les apporter ce matin.

Marielle, quand elle s'adressait à Alavoine, adoptait une physionomie compétente, s'exprimait en phrases courtes et maintenait son regard immobile, fixant droit devant elle, ne cherchant les yeux de son interlocuteur que lorsqu'elle voulait le gêner, pour mettre fin à l'entretien. Catherine admirait avec un soupçon d'effroi cette faculté de changer de comportement en changeant d'interlocuteur.

De nouveau le couloir crissa sous les pas d'Alavoine qui s'éloignait vers l'escalier en colimaçon au sommet duquel était juché son bureau.

— Voilà le papier de Strauss, lança Marielle, coupe-moi la valeur de trente lignes. Tu m'écoutes ?

— Il faudrait que je t'explique, mais c'est trop long...

— Toi, tu as envie de pleurer.

Catherine n'eut pas le temps de pleurer parce que, jeune, blond, barbu, assez hirsute, vêtu de jean bleu des pieds à la tête, traînant même son appareil dans un sac taillé dans un vieux blue-jean bordé de vison, Pascal Leroy, le photographe, avait fait irruption et les embrassait toutes les deux.

Dès qu'elle avait eu quelque pouvoir dans la revue, Marielle s'était appliquée à en rajeunir les cadres, préférant les jeunes aux vieux et cherchant à isoler Alavoine, à le priver des collaborateurs auxquels il était habitué. Pascal Leroy avait été substitué au vieux Serge

Meyer, Mlle Donadieu avait été encouragée à prendre sa retraite et remplacée par Yvette Monge, Martin Opioux se substituait peu à peu à l'académicien Gilbert Pilon et le seul vieux qui survécût, Raoul Dutoit, qui « faisait » les salles de ventes, était menacé par l'activité croissante de la petite Jacqueline Nahon qui avait déjà la critique des expositions.

Empoignée, soulevée, troussée, cordialement baisée, Marielle, qui n'osait réprouver ouvertement cet excès de familiarité ni l'admettre comme un droit, avait d'abord gardé les mâchoires serrées et l'œil hostile, puis s'était contrainte à un sourire, sacrifiant à la féminité jusqu'à dédier à Leroy une moue de petite fille, lui tirant presque la langue. Après quoi, s'étant récupérée, elle avait rendu à sa voix et à son regard la sécheresse qu'elle jugeait seule compatible avec son autorité.

— Ça te plaira, coupa Leroy en jetant sur le bureau une large enveloppe d'où s'échappèrent des photographies.

Leroy leur avait imposé ce tutoiement ; il ignorait le *vous,* sauf en présence d'Alavoine. Pour confirmer son autorité recouvrée mais encore contestable, Marielle la déploya contre Catherine.

— Choisis-moi trois photos. Tu me les montreras avant de les porter à Alavoine. Est-ce que tu as fini les coupes dans le papier de Strauss ?

— Tu viens de me le donner !

— Il faut qu'il parte avant midi pour l'imprimerie. Pendant que j'y pense, prends les douze revues qui sont sur le fauteuil et donne-les à Tarzan pour qu'il les dépose à la galerie Fogg.

Au coude du couloir, face à l'escalier intérieur, Yvette la dactylo cohabitait dans une pièce étroite avec le vieux cycliste prénommé Hector mais surnommé depuis toujours Tarzan. La vieille mademoiselle Donadieu avait été la seule à l'appeler Tarzan, les autres lui donnaient du monsieur Tarzan, à l'exception d'Alavoine qui l'appelait Hector. Il s'asseyait toujours à califourchon pour entretenir sa forme de cycliste. Ayant soupesé les revues et consulté sa montre, il éleva toutes sortes d'objections que Catherine n'écouta pas. Elle en avait à Yvette :

— Vous allez me taper ça, je n'ai pas le temps : j'ai un travail fou.

— Oui, madame, mais dites-moi, cette facture, qu'est-ce que j'en fais ? Je l'envoie à François-Ier ?

Yvette, qui portait à peine ses dix-huit ans, avait un visage vif, des yeux d'écureuil, de belles jambes qui dépassaient de jupes toujours sages.

— Tout ce qui est administratif, Yvette, c'est la rue François-Ier, vous devriez le savoir.

Dans le couloir, elle croisa Leroy qui s'en allait à grand fracas et, retrouvant Marielle seule, elle lui annonça en s'asseyant :

— Marc veut qu'on divorce.

— Il était en rogne, vous vous étiez engueulés ?

— Pas du tout.

— Enfin, votre cinquième anniversaire de mariage, vous l'avez fêté, oui ou non ?

— Oui... mais, tu vois, déjà, pendant le dîner, j'ai senti...

Elle gardait dans sa mémoire des images qui n'illustraient de la soirée et de la nuit que ce que celles-ci avaient eu d'imprécis. La table d'anniversaire s'imposait non comme un souvenir mais comme un tableau d'une saveur hyperréaliste, où triomphaient le vieux rose d'un foie gras gaîné d'ambre, les transparences vertes parcourues de perles de la bouteille de champagne au flanc de laquelle l'étiquette en partie décollée par l'humidité du seau pendait comme une algue cramponnée à la surface d'un coquillage. Cette image était entraînée vers son déclin par un assombrissement progressif qui provenait de l'immeuble d'en face, car, dans la pièce, une chandelle de cire rouge était la seule source de lumière et elle avait été placée en retrait pour éviter le souffle de la fenêtre, de sorte que la chute du jour se faisait sentir et que l'ombre dense de l'immeuble tombait sur la table et pénétrait la bouteille qui devenait une grotte sous-marine pendant que la glace s'épaississait comme un rocher et que les cristaux des coupes, exaspérés par la pénombre, étincelaient avec le tranchant de vaguelettes frappées par la lune. Marc avait rapproché la chandelle dont la flamme, empoignée par le courant de l'air, était aussitôt entrée en convulsion ; irrité, il avait brusquement allumé l'électricité qui avait jeté sur ce dîner naufragé la lumière objective d'un projecteur.

Comme Marielle s'impatientait tout à fait, lasse de répéter « Qu'est-ce que tu as senti, nom de Dieu ? », Catherine tenta de traduire :

— Déjà, pendant le dîner, j'étais de trop. Marc m'en voulait d'exister. D'ailleurs il portait son complet habituel et tu sais...

— Tu ne m'as rien laissé ignorer de votre rituel. Pour la soirée anniversaire, chacun apparaît dans une tenue neuve, mais ce n'est pas bien grave que Marc n'ait pas eu le temps de trouver ce qu'il voulait. Est-ce que ta robe lui a plu ?

Catherine flamboyait dans la glace de la cabine d'essayage. « Marchez ! » ordonnait Mme Corel de la voix d'un prophète qui guérit un paralytique. A chaque pas le fourreau orange qui bruissait sur les chevilles s'entrouvrait. Les miroirs étaient sertis par le velours doré qui tapissait la cabine ; celle-ci était le temple d'Eleusis abritant un mystère féminin.

— Est-ce qu'elle lui a plu, oui ou non ?

— Oui, mais le tissu était si fin, il adhérait à ma peau, il était ma peau. Je l'avais dit à Mme Corel qui m'avait répondu que l'idéal c'était de la porter sans rien dessous. Pas de soutien-gorge d'accord, mais rien, pas de slip, c'est absurde.

— Et alors ?

— Alors, quand je l'ai raconté à Marc, il s'est rembruni, m'a traitée de puritaine, le naufrage a commencé.

J'avais choisi un foie gras d'Alsace parce qu'il prétend les préférer à ceux des Landes. Il ne m'en a rien dit. Et rien non plus de la glace, alors que j'avais exigé son parfum favori...

— Catherine, cesse de faire l'enfant. Ce n'est pas à cause de tes culottes et de ta glace que Marc veut divorcer ?

— Cette glace...

La lumière du matin était plus implacable que celle de l'électricité quand, après le départ de Marc, Catherine s'était levée ; non démaquillée, le visage raidi et poisseux, elle s'était arrêtée devant les débris de la fête. Ainsi, après le bombardement, l'inondation ou le cyclone, le soleil apparaît au-dessus des ruines fraîches et les fouille. La belle nappe des grandes occasions étendait sa neige salie sous les coupes ternes. Près du chandelier submergé de cire morte, la bouteille de champagne ne retenait plus qu'une mare croupie et la glace était devenue un étang de vase où une cathédrale s'éboulait. La veille, Catherine courait vers Mme Corel, en tenant l'écrin de la glace sur son cœur et en chantonnant. Sur l'écran noir du glacier Berthillon, elle avait lu la liste des parfums et chaque mot l'avait frappée comme une image. Ces mots-images tissés de consonnes, de voyelles, de rimes, d'odeurs, de saveurs, soutenaient en Catherine, courant vers la chapelle de Mme Corel, une gourmandise lyrique où les couleurs — celles naturelles aux fruits cités, le noir ardoisé de la mûre, le rouge tremblant de la framboise, celles secrétées par les sons — se mariaient pour enluminer une corne d'abondance dont l'orange de la robe allait jaillir.

— Goyave, citron vert, melon, chantonna Catherine... rhubarbe, thé, noix de coco... vanille, fraise et framboise... myrtille et fruit de la Passion... mûre, noisette et papaï...

— Qu'est-ce que tu chabrotes ? demanda Marielle qui avait emprunté ce vocable à Mme Daubigné, la mère de Catherine. Travaille et laisse-moi travailler. Nous causerons quand tu auras éclairci tes idées.

Catherine se pencha sur le papier de Strauss, cherchant un paragraphe à sabrer, mais le flux des fruits poètes continuait de chanter dans sa gorge tout comme il avait persisté devant les miroirs de Mme Corel. Quand, sur l'ordre de celle-ci, elle avait « placé » ses seins sous la pellicule de la robe, elle les avait pris à pleine main comme des fruits, elle s'était sentie fruit tendre et destiné à la gourmandise de Marc. « Dans cette robe, avait chuchoté Mme Corel, votre dîner d'anniversaire sera un triomphe. A propos, méfiez-vous de l'agrafe du dos, chargez-vous de la défaire, même si, ce soir, c'est votre mari qui vous déshabille. »

— Marc m'a déshabillée et m'a portée au lit. J'ai cru que la soirée était sauvée.

Elle comprit qu'elle avait parlé à haute voix en recevant le regard interrogateur de Marielle. Elle rougit, baissa le nez, se réfugia dans la seule image heureuse de la nuit. Ni formes visuelles, ni sons, ni saveurs ne composaient cette image de l'invasion que Catherine avait subie. Elle avait été le fruit où le maître pénétrait, la propriété d'un maître que l'obscurité de la chambre lui cachait ; c'était à l'intérieur de son corps que l'image s'était gonflée et que le jet saccadé s'était répandu, brutal, lumineux, spasmodique, comme, dans la mousse d'une colline de Brévinville, cette source étranglée qui jaillissait par pulsions. Dans *Les Aventures de Gordon Pym,* l'eau à laquelle rêve Poe est un liquide extraordinaire, intermédiaire entre le sang et le lait ; ce liquide elle le sentit couler à travers ses entrailles quand elle eut contenté le désir de son mari.

— Si je comprends bien, soupira Marielle avec impatience, vous avez fait l'amour. Mais pourquoi t'a-t-il parlé de divorcer ? Tu racontes ou tu racontes pas ?

— Au milieu de la nuit, je me suis réveillée. Debout, il fumait une cigarette. Il m'a fait des reproches, il a énuméré ses exigences. Je lui ai dit : « Fais-moi plaisir

Marc, accepte une cure de psychanalyse. » Il m'a répondu : « Catherine, fais-moi plaisir, accepte de divorcer. » Je me suis rendormie.

— Et ce matin ?

— Tu sais bien qu'il part travailler avant moi. Quand je me suis levée, il était parti.

— Bon. Travaille un peu, finis-en au moins avec Strauss et puis nous discuterons en déjeunant.

— Mon Dieu ! j'ai rendez-vous avec Hélène...

— Elle est médecin, elle a de l'expérience, nous nous connaissons bien, nous tiendrons notre conseil de guerre toutes les trois. Pour le moment, boulonne !

Catherine plongea dans le travail qui, toujours, l'apaisait. Elle ne goûtait pas un plaisir de l'intellect, mais celui d'un bûcheron qui coupe du bois et voit s'approcher le terme de son effort. Au bout d'un quart d'heure, Marielle céda à la curiosité :

— Qu'est-ce qu'il te reproche au juste, Marc ?

— D'être une femme neutre. Les femmes frigides, il paraît que c'est une légende, mais les neutres il y en a en pagaille et je fais partie du lot. Ce qui est désespérant pour lui, car il n'a qu'une vie. Il a tenu à me le répéter trois fois qu'il n'avait qu'une vie, lui.

Elle s'était remise à bûcheronner avec une ardeur accrue par la colère qui lui venait contre Marc, car jusqu'à cet instant elle n'avait éprouvé que du chagrin et de l'étonnement. Bientôt, le travail qu'elle s'était fixé toucha à sa fin, elle alluma une cigarette et élargit l'entrebâillement de la fenêtre.

— Il te reproche de l'avoir privé de quoi ? demanda Marielle en fermant son dossier.

— De quelques perversités qui, paraît-il, sont indispensables à sa vie, attendu qu'il n'en a qu'une.

— Il est midi et demi. Où en es-tu du travail ?

— J'ai coupé Strauss et j'ai fini de légender Leroy.

— Alors, ouste-brouste !

C'était à Mme Daubigné que Marielle avait emprunté cette tournure, entre d'autres, ce qui agaçait Catherine et l'incitait à piller à son tour le vocabulaire de sa mère pour ne pas l'abandonner aux rezzous de son amie. Mais Mme Daubigné, qui était parfaitement consciente des idiotismes régionaux dont elle usait, jetait un coup d'œil de condescendance impatiente quand elle surprenait sa fille à la copier, alors qu'elle souriait avec sympathie, flattée, quand c'était Marielle qui lui empruntait une formule. Au lycée, Marielle laissait souvent échapper « Ah si j'avais une mère comme toi ! » Et Mme Daubigné ne manquait pas une occasion de déplorer que Marielle n'eût pas refilé à son amie un peu de son caractère et de son jugement. Or, Marielle, loin de montrer de la complaisance pour les décrets péremptoires de Mme Daubigné, la contredisait souvent sans que, à la surprise de Catherine, sa mère en prît ombrage ; au contraire, cette femme que toute résistance éperonnait considérait celle de Marielle avec intérêt et, dans les cas où celle-ci se rangeait à son avis, s'en montrait heureuse et presque fière. Pourtant, elle disposait de ressources pour blesser ou déconcerter. Catherine, au premier round, s'avouait en général battue ; quant à M. Daubigné, si le sujet de la discussion ne lui tenait pas à cœur, il cédait, sinon il fuyait et agissait à sa guise. « Ton père n'en fait qu'à sa tête », répétait depuis toujours Mme Daubigné et Catherine croyait que celle-ci montrait de l'indulgence pour un mari entêté. Quelqu'un émettait-il la moindre opinion devant elle, Mme Daubigné la contrait, puis, dès que l'interlocuteur s'était rangé à son avis, elle saisissait une nuance de la réponse pour livrer bataille à front renversé contre la thèse qu'elle avait d'abord soutenue ; si au contraire l'interlocuteur s'obstinait, elle poursuivait le combat initial jusqu'à la victoire : ou bien « elle lui rivait son clou » ou, s'étant laissé coincer par un argument écrasant, elle trouvait un certain ton pour jeter le « C'est vite dit » qui mettait fin au match.

En descendant l'escalier derrière Marielle, Catherine imaginait, si le divorce avait lieu, les leçons qu'elle aurait à recevoir de sa mère : « Je te l'avais bien dit qu'on n'épouse pas un homme plus âgé de treize ans ! Et puis, je m'étais tuée à te répéter qu'il fallait te faire faire un gosse tout de suite ! » L'argumentation de Mme Daubigné était linéaire, à ce point prévisible que Catherine croyait l'entendre : « Quand tu as pris un appartement dans le même immeuble que nous, je t'ai dit que cette proximité risquait de déplaire à Marc, c'est toujours un danger pour un jeune ménage, mais comme toujours tu n'as rien voulu entendre. » Or, jusqu'à la signature du bail, Mme Daubigné n'avait soufflé mot, enchantée de garder sa fille à sa portée, et elle n'avait formulé de réserves qu'après coup, pour prendre date à tout hasard. Catherine en enrageait comme si sa mère tenait vraiment le discours qu'elle lui prêtait : « Il fallait que tu guérisses Marc de cette manie d'aller jouer aux échecs dans les bistrots de l'île Saint-Louis ! Pourquoi n'avez-vous pas la télé comme tout le monde ? Et une résidence secondaire ? Ton mari aurait bricolé au lieu de rêvasser et tu n'en serais pas là, ma pauvre petite ! »

Le désastre avait d'autres causes, Catherine en était sûre sans pouvoir le démontrer, car elles étaient cachées au fin fond de Marc. Celui-ci, en une nuit, avait changé pour Catherine comme un paysage de pommiers, de prés, de haies porteuses de mûres qu'on découvre tout à coup pétrolifère ou tellurique. Le pis c'est qu'il a changé pour moi et non pour lui, donc il me cachait sa nature, il était un mensonge que pendant six ans j'ai pris pour argent comptant. Elle en souffrit avec une rage qui la ragaillardit. Marielle la tenait par le bras comme au temps où elles étaient lycéennes et toutes deux descendaient la rue du Bac. Les visages des autres semblaient calmes et heureux ; sur les terrasses étroites des cafés, des filles jeunes, presque toutes des employées travaillant dans le quartier, offraient leurs jambes au soleil.

Boulevard Saint-Germain, elles tombèrent sur Hélène

qui, après avoir rangé sa voiture, se dirigeait vers le bar du Pont-Royal où elles avaient rendez-vous. C'était une brune de grande taille, aux yeux violets, très fendus et à fleur de tête. Catherine calcula qu'elle devait au moins avoir trente-huit ans et l'admira. Elle semblait maigre, mais, pour l'avoir vue nue, Catherine savait qu'autour d'une charpente sèche, masculine par le profil des épaules, son amie disposait de rondeurs. Elle portait une robe longue de soie bigarrée.

— Je profite de mon jour de congé pour la mettre.

— Catherine a des problèmes, dit Marielle. Elle veut vous consulter.

Dans la glace d'une devanture, Catherine aperçut le groupe qu'elles formaient toutes trois, marchant vite, l'une en pantalon, l'autre à peine vêtue par une velléité de robe, alors que celle de la troisième balayait le trottoir, chacune coiffée différemment. Elles paraissaient échappées à la planche en couleurs d'une encyclopédie traitant de l'évolution du costume à travers les siècles, alors qu'elles participaient à la même mode multiforme et que « l'esprit du temps » pouvait se déceler dans le dosage du brutal et du sophistiqué révélé par leur démarche et leur physionomie. Elles se mirent en file, Marielle en tête, pour descendre l'escalier.

Les consommateurs levèrent les yeux pour suivre l'apparition de ces trois formes féminines dont les jambes surgirent d'abord. Ils les regardèrent s'installer avec l'intérêt que des reclus portent à des nouveaux venus. Ils buvaient au bar ou déjeunaient aux tables, dans une pénombre où le murmure des voix était étale. Francis, le barman, qui avait affectueusement accueilli ses trois clientes, lança leurs commandes à Edouard, son coadjuteur :

— Deux grillades bleues et une à point, comme toujours, pour Mme Marielle !

Maintenant qu'elles étaient assises et qu'elles s'apprêtaient à déjeuner, les trois femmes s'intégraient au groupe provisoire formé par les consommateurs qui cessèrent de les observer. Les habitués étaient des éditeurs — nombreux dans ce quartier —, des écrivains, des acteurs aux trois quarts connus dont aucun n'était célèbre mais qui tous pensaient ; quelques hommes d'affaires du boulevard Saint-Germain et des couturiers américains. Les riches touristes descendus dans les hôtels voisins parlaient diverses langues dont les sonorités ne détonaient pas, liant comme une sauce les colloques feutrés des autres tables.

Le long d'un bar il y a toujours le solitaire, rarement jeune et rarement très vieux. Il y a celui qu'on fait attendre et qui attend, l'œil sur sa montre et sur l'escalier, impatient ; celui qui attend uniquement qu'un peu de temps ait coulé pour filer à un rendez-vous ou aller attendre ailleurs ; celui qui aime boire seul ; celui qui s'attarde parce qu'il n'a pas le courage de « rentrer » ; celui qui espère parler avec un autre être, soit le barman, soit l'un des autres clients. Le solitaire qui se trouvait là était vêtu avec une banalité soignée, il était bien rasé et se tenait immobile devant sa tasse de café. Il effectua avec discrétion une légère rotation sur son tabouret pour mieux suivre la conversation des trois nouvelles. Souvent le solitaire, s'il ne peut parler, aime écouter.

La plus grande des trois femmes venait de s'exclamer :

— Catherine, tu connais la nana ?

— Il est sincère, j'en suis sûre. Je l'ai déçue.

— S'il n'y a pas nana sous roche, c'est déjà moins grave.

— Hélène, c'est grave !

— Le mieux, coupa la plus petite, c'est qu'elle fasse semblant d'accepter le divorce. Il essaiera de la récupérer.

— Il y a de l'eau dans le gaz, confia le solitaire à Edouard qui revenait de l'office avec deux steaks. La blonde est partie pour raconter sa vie.

Edouard sourit poliment en hochant la tête sans se compromettre et contourna le bar pour déposer les assiettes sur la table. Francis le rejoignit, apportant le troisième steak.

— Celui-là est pour vous, madame Marielle, une vraie semelle comme vous aimez.

— Francis, vous êtes un ange.

— J'ai toujours dit que Francis était un ange, renchérit Hélène de sa voix bien posée.

— Un ange qui vous en veut un peu, docteur ! Vous m'avez sermonné pour que je fume des filtres. J'ai marché et je vous vois fumer de vraies gauloises même en mangeant.

Hélène éteignit sa cigarette d'un air coupable et toutes trois attaquèrent leur viande.

— Ce divorce, dit Marielle, c'est un moyen de pression pour obtenir de toi ce qu'il veut.

— Mais au fond, Catherine, qu'est-ce qu'il veut au juste ?

— Il paraît que j'aurais dû comprendre combien il avait besoin que je fasse pipi devant lui, que je sorte sans culotte, que je dise certains gros mots en faisant l'amour et que je reçoive des fessées avec délice.

— Tu prendrais peut-être beaucoup de plaisir à être fouettée, Catherine, moi j'adore ça...

— Moi, je fais semblant, jeta Marielle en riant et les Jules sont ravis. Catherine, tu te rappelles Alain ?

— Oui, tu l'as eu juste après ton divorce.

— Avec son air digne il m'attachait sur le lit bras et jambes en croix, m'effleurait du bout d'un martinet qu'il avait acheté chez Hermès et prenait son pied.

— Pas vous ? demanda Hélène avec une pointe d'irritation.

— Moi, intérieurement, je hurlais de rire.

Francis qui, immobile, agitait un shaker était une proie tentante.

— Tantôt elles en oublient de manger, tantôt elles parlent la bouche pleine, elles sont excitées comme des puces, lui confia le solitaire.

Francis acquiesça avec un air réservé et ajouta :

— Ce sont des dames qui viennent souvent.

— Je les ai déjà aperçues. La blonde, celle qui a des malheurs, elle n'est pas mal du tout, elle est bien pleine, bien bâtie et elle a de ces yeux !

— C'est une journaliste.

— Donnez-moi un autre café. Je ne bois plus, j'en suis à mon vingt-septième jour, je...

Il s'était tu parce que sa voix l'empêchait d'entendre.

— Hélène, vous ne connaissez pas Jean-Claude, mais Catherine le connaît. On ne croirait pas ça de lui : quand nous faisons l'amour, il me traite de salope et il faut que je lui réponde que j'en suis une si je veux lui faire plaisir. Petite salope, ça lui botte encore mieux. Et moi ça ne me dérange guère.

— Que vous réagissiez comme ça, Marielle, je comprends très bien, mais telle que j'imagine Catherine...

Leurs voix devinrent un chuchotement.

— Elles ont peur qu'on les entende, dit le solitaire avec un sourire amusé, très masculin.

Francis ne répondit pas, courut servir ses cocktails, puis s'arrêta à la table de ses trois clientes qui retrouvèrent leurs voix pour le féliciter de ses steaks. Comme dessert il leur proposa des fraises qu'elles acceptèrent avec élan.

— Où en étions-nous déjà ? demanda Marielle.

— Catherine est très femelle et ce que vous, Marielle, vous supportez par complaisance, peut lui plaire profondément si elle se laisse aller. Comme moi.

— Qu'au lit la femme soit subordonnée à l'homme, moi, je veux bien, Hélène, trancha Marielle, encore qu'aujourd'hui les positions à la mode placent la femme par-dessus, mais enfin admettons-la cette subordination, mais qu'est-ce qu'elle prouve ? Je suis subordonnée aux gestes de ma manucure et de mon coiffeur, ils ne me dominent pas pour autant.

— Finissez de gueuler comme des ânes toutes les deux. Ce plouc se régale, mettez la sourdine !

Le plouc dut entendre, car il s'accouda sur le bar et

commença de contempler avec application le vase rempli de fleurs artificielles. Il héla Edouard :

— Un petit whisky sans rien, nature.

— Vous faites une entorse au règlement, monsieur Cézariat, observa Francis.

— Pour une fois ! Il faut que j'aie regagné mon imprimerie avant six heures et j'ai trois cents bornes à me taper. Je devrais être parti. Et puis...

Il avait baissé la voix et se penchait vers Francis qui se rapprocha.

— J'écoute ces bonnes femmes, je pense à la mienne... Ce que j'attends de l'alcool, c'est le petit coup de pouce. On a envie d'acheter une maison, on se dit qu'elle est belle, mais qu'elle est en mauvais état, on boit un peu, on se dit qu'elle est en mauvais état mais qu'elle est belle. La rotation des deux adjectifs autour du mais rend la vie plus...

— Vivable ?

— Voilà.

Edouard, qui avait desservi, apporta aux trois femmes des cafés dont un décaféiné pour Marielle.

— Je prends des calmants le soir, expliquait celle-ci, et des excitants le matin. Alors, pour ne pas exagérer, je suis fidèle au déca.

— Je me demande si nous n'avons pas eu tort de prendre un appartement dans la même maison que mes parents.

— Mais non, vous ne les voyez jamais, tes parents !

— Marc est peut-être déçu que je sois clitoridienne.

— Ce qui lui manquait, il te l'a dit lui-même. Autrefois les hommes avaient une femme et couraient les putains, maintenant ils veulent...

— Et puis, quand il veut m'enculer, ce n'est pas ma faute, j'ai trop mal !

— Ce sont des Mme Bovary, ils ont besoin que nous leur fassions du cinéma !

— ... Ils veulent trouver la femme et la putain dans la même personne, nous n'avons pas à nous en plaindre !

— Tu es mariée depuis combien de temps, Hélène ?
— Quatorze ans.
— Et Martin ne t'a jamais parlé de divorce ?
— Les couples pervers sont durables.
— Sois sa petite esclave, décréta Marielle sur le ton qu'on prend pour poser une conclusion à un débat, fais-le par tactique ou, comme Hélène, par plaisir, en tout cas Marc ne t'en demande pas plus et ça n'est pas bien difficile.
— Exactement, dit Hélène.
— Pas difficile, vous êtes bonnes !
— Tu t'habitueras très vite à recevoir des fessées et tu n'en mourras pas de sortir sans culotte.
— Mais il aurait voulu aussi que je l'excite avec d'autres hommes !
— C'est à toi de...
— Oh, ce porc qui nous écoute encore !
Elles levèrent les yeux sur le solitaire qui se pencha sur son verre, le termina. Puis il régla sa note, se congratula avec Francis et, en évitant de jeter un regard à la tablée féminine, il gagna l'escalier.

II

L'après-midi, Catherine se laissa bousculer par le travail. Elle passa dans le petit salon qui jouxtait le bureau où elle mit au point la présentation du numéro suivant avec le maquettiste, puis interviewa un restaurateur d'orgues. Elle perdit une heure à constituer un dossier dans la petite salle des archives située sous l'escalier et revint dans le bureau pour taper les cinq feuillets de documentation destinés à Opioux qu'elle confia à Tarzan pour qu'il les porte le soir même. Après le départ de Marielle, quand le ciel commença de pâlir, elle tomba dans une mélancolie qui avait de l'agrément.

Comme chaque soir, avant de se retirer, elle monta chez Alavoine faire signer le courrier. Il s'exécuta silencieusement, puis, d'un regard, fit signe à Catherine de le suivre sur l'étroite terrasse qui prolongeait son bureau. Un moment, ils demeurèrent silencieux. Ensuite cet homme, aussi peu enclin que possible aux confidences, ennemi de toute conversation un peu personnelle, lui montra de la main le vaste périmètre de champs et de frondaisons que formaient les jardins contigus de l'hôtel Matignon, des Missions étrangères et de plusieurs ambassades. Il y avait quelques traînées roses dans le ciel et les oiseaux, exaspérés par l'approche du soir, s'en donnaient avec une frénésie assourdissante.

Catherine s'était dit souvent qu'elle était bien heureuse et d'habiter l'île Saint-Louis et de travailler face à une campagne secrète. Mais elle supportait mal qu'Alavoine lui en fît tout à coup les honneurs. Non comme un acteur mais comme un bon élève, il s'était mis à déclamer :

— En traçant ces derniers mots le 16 novembre 1841, ma fenêtre qui donne à l'ouest sur le jardin des Missions étrangères est ouverte ; il est six heures du matin, j'aperçois la lumière pâle et élargie ; elle s'abaisse sur la flèche des Invalides à peine révélée par le premier rayon doré...

C'était évidemment une citation, mais Catherine ne tentait pas d'en trouver l'auteur, effrayée par le privilège dont Alavoine la gratifiait en renonçant à se cantonner dans des propos professionnels.

— Ce jardin et les édifices qui le contiennent, poursuivit-il, sont ceux que Chateaubriand contemplait en terminant *Les Mémoires d'Outre-Tombe*. Il y a juste une petite tour Eiffel qui a poussé dont la dentelle n'est pas gênante.

Le gros homme reprit sa physionomie coutumière et l'œil vague, les bras pesants, il rentra dans son bureau où elle le suivit. De la main, il l'invita à s'asseoir, ce qui ne lui était jamais arrivé, puis il lui tendit un papier.

— Cette légende de photo, c'est vous qui l'avez écrite ?

— Oui, monsieur.

— Pourquoi employez-vous l'adjectif *fruste* à propos d'un banc dont la photographie indique clairement qu'il est d'une pierre râpeuse grossièrement taillée ?

— *Fruste* veut bien dire ça : grossier, inculte.

— Ce mot signifie usé par le frottement, patiné par le temps, poli et léger.

— C'est possible, autrefois peut-être, mais aujourd'hui, quand on se sert de cet adjectif...

— ... on s'en sert mal et vous trouvez ça bien. Vous avez sans doute raison et j'ai sans doute tort d'être anachronique. Je vous retarde, ajouta-t-il avec douceur, peut-être avez-vous un rendez-vous ?

— Oui. Avec... avec mon mari.

D'un regard il lui donna congé mais, contrairement à l'habitude, il l'accompagna jusqu'à la porte qu'il ouvrit lui-même.

— J'ai beaucoup de plaisir à savoir que vous allez retrouver votre mari. Je ne vous ai vus qu'une fois ensemble, mais j'en ai été touché. J'imagine que le don que vous lui faites est compensé par le respect et la dévotion qu'il vous montre.

Il l'effraya en se penchant vers elle pour ajouter :

— Quand je vous regarde, j'ai envie d'être la femme de votre mari.

Catherine à peine rentrée chez elle, essoufflée encore, se heurta à ce mari. Comme s'il eût été un étranger en visite, elle lui adressa un bonjour appliqué. Tous deux se demandèrent comment ça allait, puis Marc annonça qu'il avait rencontré Duthieu-Lavige et que celui-ci les avait invités à dîner au *Tastevin*.

— Tu n'avais rien préparé de spécial ?

— Mme Jeannot a acheté des steaks mais ils peuvent attendre.

Elle hésita une seconde, puis décida de se changer. Le gros pantalon de laine bleu marine qu'elle avait mis le matin lui déplut, elle l'enleva pour enfiler une petite jupe de toile jaune. Marc qui attendait en parcourant son journal lui jetait de brefs regards qu'elle recevait avec inquiétude. Elle se posait une question qui la veille ne lui serait jamais venue : en se changeant devant lui, faisait-elle un acte favorable ou contraire à l'érotisme ?

La descente de l'escalier lui parut longue. Sous le porche elle se heurta à son père qui débouchait au petit trot. M. Daubigné se rattachait à une race de quinquagénaires plutôt petits, plutôt trapus qui ont l'œil vif, bonne mine et s'agitent volontiers.

— Je me dépêche, la réunion de l'Amicale s'est éternisée.

— C'était quelle amicale ?
— Les anciens relieurs.

M. Daubigné faisait partie de bien des Amicales qui tenaient régulièrement leurs assises, tantôt après le dîner, tantôt en fin d'après-midi. Mais, plus qu'à l'Amicale de son régiment ou de son oflag, il recourait à celles des relieurs pour justifier ses sorties. La reliure tenait une grande place dans sa vie personnelle. Pendant plusieurs années il était allé prendre des leçons chez un maître artisan, puis il avait converti une petite pièce de débarras en atelier et pris l'habitude le dimanche après-midi de s'y enfermer pendant des heures. Même un profane ne pouvait qu'être frappé par la lenteur avec laquelle avançaient les travaux de reliure et Catherine, encore fillette, avait déjà compris que son père, qui se verrouillait sous prétexte qu'une irruption brusque risquait de lui faire gâcher une peau, savourait un nirvana, lisant et rêvassant seul tout un après-midi. Elle avait repéré derrière la presse le recoin où il cachait le livre dominical en cours et elle avait même constaté que, chaque année, les mêmes semaines, selon un rituel inaltérable, il relisait les mêmes livres, *les Trois Mousquetaires* en janvier, *Vingt ans après* en février, etc. Marc, qu'elle avait mis dans la confidence, avait réussi l'un de ses rares calembours : « Ton père ne relie pas, il relit. »

La rencontre de M. Daubigné leur avait offert un sujet de conversation ; ils débattirent des ruses grâce auxquelles cet hedoniste protégeait ses paradis artificiels et ce thème bien exploité les conduisit jusqu'au restaurant. *Le Tastevin* était plein, mais Duthieu-Lavige avait réussi à conquérir une table où il les attendait.

Me Duthieu-Lavige était un petit rond aux mains potelées et trop soignées. Il n'habitait pas l'île, mais une rue du Marais qui était très proche. Alors qu'il allait de temps en temps chez Catherine et Marc, il ne les avait jamais invités chez lui, les traitant toujours au restaurant ; il était évident qu'il tenait à compartimenter rigoureusement au moins deux vies, sa vie en l'île et celle du continent. De celle-ci il ne laissait échapper que des échos concernant le Palais de Justice.

Réduit à un seul plat, le repas fut expédié, ce qui n'étonna pas Catherine : les deux hommes avaient hâte de jouer aux échecs. Si, dans les bistrots de l'île, Catherine retrouvait des amis dont quelques-uns dataient de son enfance, leur nombre avait été grossi par les joueurs d'échecs que la passion de Marc pour ce jeu avait racolés dans tous les milieux. Duthieu-Lavige jouait en laissant échapper des ronronnements que ponctuaient des soupirs.

Dans l'île, sans que la preuve en eût été administrée, on le tenait pour homosexuel, hypothèse qui ne s'assortissait d'aucune critique. L'île Saint-Louis est un village situé au milieu de Paris ; ses habitants pour la plupart se connaissent, se considèrent comme des compatriotes mais, à l'inverse des villageois traditionnels, ne songent pas à s'observer pour médire les uns des autres. La réputation de Duthieu-Lavige n'était pas due à des ragots ; elle s'était formée tacitement, sans doute sur des impressions que chacun avait reçues isolément, et ne se trahissaient que par le soin qu'on prenait d'éviter, en présence de l'avocat, toute plaisanterie sur les mœurs.

A travers la vitre, Catherine reconnut Gonzague qui traversait lentement la rue ; elle sentit qu'il la voyait et fut dès lors certaine qu'il entrerait. Il entra, lança un bonjour général et s'accouda au comptoir.

Si l'on s'en tenait aux caractéristiques qui, dans les almanachs, distinguent les étages de la vie, Marc, plus vieux que Catherine de treize ans, paraissait même plus âgé qu'il ne l'était ; ses tempes étaient vastement dégarnies, ses cheveux gris devenaient presque blancs autour des oreilles, de profondes rides emprisonnaient son visage et des veines bombées sertissaient de bleu le dos de ses mains. Gonzague, de quelques années plus jeune que Catherine, associait des âges contraires : ce garçon de vingt-cinq ans montrait les joues pulpeuses d'un adolescent, alors que, sur son front, deux rides aussi accentuées que celles de Marc évoquaient la vieillesse. Il y avait aussi dans son physique un mélange de petite pucelle et de grande brute. Les premiers temps qu'elle l'avait connu, Catherine l'avait beaucoup regardé parce qu'il lui rappelait le héros d'*Orange Mécanique*, puis cette ressemblance s'était évanouie et Catherine s'était laissé fasciner par des cils bouclés, des oreilles de soubrette dont les lobes apparaissaient entre les mèches d'une belle chevelure assez sale qui contrastaient avec un menton énergique de condottière mal rasé, un nez dur, une moustache drue.

A la dérobée, grâce à l'intermédiaire d'une glace, Catherine s'attardait à contempler la longue silhouette que moulaient un T.-shirt et un jean étroit où saillaient les hanches et, au sommet de la cuisse gauche, une petite bosse gonflant le tissu récalcitrant. Ce fut dans la glace que son regard rencontra celui de Gonzague qui, feignant de découvrir la présence de Catherine, lui adressa un sourire qu'elle s'amusa à juger « irrésistible » parce qu'il équilibrait la brutalité et la timidité.

Depuis deux ans, les insulaires savaient que Gonzague était épris de Catherine, Catherine savait qu'ils le savaient et qu'ils s'étaient habitués à la durée de cet amour, n'en raillant pas plus l'innocence qu'ils n'en auraient blâmé la consommation. Marc fut le seul dans le café à ne pas remarquer l'élan avec lequel Catherine se leva pour aller retrouver Gonzague le long du comptoir.

Celui-ci l'accueillit avec une gravité hargneuse ; parfois il la détestait et il était même arrivé qu'il lui chuchotât des injures. Les yeux de Catherine pétillaient.

— C'était en cette saison, dit Gonzague, exactement.

Il insista sur la qualité de la lumière qui, filtrée par le feuillage mouvant des arbres, pénétrait obliquement dans la galerie de tableaux, essayant une fois de plus de lui rappeler leur première rencontre au cours d'un vernissage Quai Bourbon.

— Il paraît que Degas, pour peindre une falaise, s'est inspiré d'une tranche de pastèque. Moi, pour te peindre...

Il n'avait pas encore trouvé de quelle matière il s'inspirerait pour rendre la chair de Catherine, il cherchait sans hâte. Il lui montra, accroché au mur, un tableau qu'il avait fait avant de la connaître.

— A cette époque-là je broyais des éclosions d'atomes névrosés, je peignais des délires de cellules à la manière d'Hartung, des pourrissements de lichens comme Nariolov, je m'inspirais des scléroses de Léger et des pédoncules suspects d'Arp. Et puis je t'ai rencontrée. Je veux arriver à rendre avec des couleurs ce que je sens pour toi.

— Catherine, cria Marc, je suis mat et je ne l'ai pas volé !

Elle traversa la salle et à peine se fut-elle rassise auprès de son mari qu'elle s'entendit lui demander :

— Pourquoi ne parlerions-nous pas à Me Duthieu-Lavige de la décision que nous avons prise cette nuit ? Le mieux serait qu'il se charge de notre divorce.

Petite, elle avait déjà le goût du défi parce qu'elle aimait se rendre intéressante. A dix ans, elle était même montée à un poteau télégraphique pour éblouir des romanichels. Maintenant elle jouissait de la surprise de Marc qui se taisait.

L'avocat avait pris un air badin et disert qui lui venait volontiers, au déplaisir des insulaires toujours plus disposés à s'entendre avec un paranoïaque qu'avec un cuistre.

— Je ne sais, ajouta-t-il en agitant une main potelée, ce que penserait mon bâtonnier d'une consultation donnée au bistrot, qu'en un profond mystère cet horrible secret demeure enseveli comme dirait Racine et de quoi s'agit-il ? comme dirait le Maréchal Foch. D'abord, êtes-vous bien d'accord pour divorcer ?

— Oui, dit Catherine.

Elle jeta un regard à Marc.

— Oui, dit-il.

L'avocat maintenant débitait un discours qu'il savait par cœur. La loi française ne permet malheureusement pas d'invoquer le consentement mutuel. Ça viendra bientôt certainement, mais un jugement de divorce reste une condamnation, pour le moment, qui sanctionne une faute. La procédure la plus simple suppose que le mari quitte le domicile conjugal.

— N'exagérons pas, protesta Marc.

— Il y a de la place à l'hôtel de Byzance, dit Catherine gaiement. Et c'est tout à côté...

Il fut ensuite question de sommation de réintégrer le domicile conjugal, de refus, de pension, de conciliation, de jugement. Ce n'est pas vrai, se disait Catherine.

A peine rentrée, elle pria Marc de faire sa valise et de déguerpir : puisqu'il avait annoncé qu'il se retirait à l'hôtel, il exécuterait sur-le-champ son projet. Elle l'imposa en admirant le calme de sa voix autant que la justesse de son raisonnement. Marc n'obtint qu'un sursis d'une nuit et à condition de passer celle-ci par terre sur des coussins.

Le lendemain matin, elle l'entendit se lever et régner sur la salle de bains encore une fois. Il commença des allées et venues : il faisait sa valise.

Elle était étonnée, non émue. Tout se passe comme si nous divorcions. Comme si nous nous séparions pour toujours. Elle ne pensait pas à supprimer le « comme si ». Pour elle, cela ressemblait à une rupture, elle ne se posait pas la question de savoir si c'en était une.

Toute la semaine, elle travailla beaucoup, mangea beaucoup, ce qui ne la surprit pas, le chagrin lui ayant toujours donné de l'activité et de l'appétit. Sa principale contrariété fut de devoir éluder les questions de Marielle qui, ne demandant qu'à lui donner de bonnes idées pour ramener son mari et curieuse d'être informée de leur efficacité, ne laissait pas passer un jour sans interrogatoire. Or, Catherine ne savait comment lui expliquer pourquoi elle avait déclenché le divorce de son propre chef — parce qu'elle ne savait comment se l'expliquer à elle-même. Donc elle préférait le brouillard.

Mais, à travers ce brouillard, il lui arrivait de recevoir de brusques lueurs, surtout le soir quand elle lisait en écoutant vaguement de la musique. Elle découvrit ainsi qu'en provoquant un coup de théâtre aux dangereuses conséquences devant l'avocat, elle n'avait pas agi contre son caractère, comme elle l'avait cru, mais en conformité intime avec lui, d'où le soulagement et la satisfaction avec lesquels elle avait mis Marc au pied du mur. L'éducation et l'habitude avaient verni son véritable caractère au point de le rendre indéchiffrable, comme il arrive pour un palimpseste, mais c'était un fait que, parmi ses souvenirs, ceux qu'elle endossait pleinement concernaient des actes où elle s'était comportée contrairement à sa modération quotidienne. Exemples : à sept ans, pour assouvir un mystérieux désir qui la lancinait depuis des mois, elle fait pipi dans la sciure de la salle de gymnastique, est surprise par la surveillante générale ; celle-ci la menace, si elle recommence, de lui imposer de conjuguer cent fois *être indécente* (à la négative pour le futur) et de convoquer sa mère pour lui dénoncer le crime ; Catherine rentre à la maison, sans délibérer passe la nuit à conjuguer, se dénonce à sa mère qui la gifle et la punit, apporte son pensum à la surveillante qui la traite d'idiote, et se trouve merveilleusement en accord et en paix avec elle-même. Elle n'avait pas délibéré davantage et elle avait goûté la même plénitude en en usant envers Marc comme envers la surveillante, et envers l'avocat comme envers sa mère. J'ai été moi.

En écoutant « Madame Butterfly », elle subit une illumination qui complétait la première : peut-être Marc ne mentait-il pas depuis six ans comme elle lui en faisait silencieusement l'incessant reproche et avait-il découvert, à l'instant où il la découvrait à Catherine, sa vraie nature.

Parce qu'elle avait besoin d'estimer la sincérité de Marc et surtout de considérer le temps qu'elle avait passé auprès de lui autrement que comme un leurre, cette supposition la soulagea, puis, à la réflexion, lui donna un *tourni* (expression de sa mère) dû à la perplexité où elle se trouva pour considérer son entourage où chacun recelait peut-être un caractère secret. Ses parents, ses amis, même Marielle, les familiers de son bureau jusqu'à Tarzan et Alavoine devenaient des ombres qui, alors que Catherine croyait les bien connaître, n'auraient livré que leurs surfaces.

Mais, à force de se demander ce que pouvaient bien masquer ces surfaces, elle conclut que le plus souvent aucune nature n'était enfouie derrière l'apparence ; elle s'en persuada facilement pour son père, qui lui semblait si exhaustivement un bourgeois de Labiche qu'aucun autre emploi ne pouvait lui convenir, et pour sa mère qui, elle, avait de si rudes aspérités ce caractère que celui-ci ne pouvait qu'être d'une pièce. En outre, pour la première fois, grâce à son drame conjugal, elle se sentait supérieure à sa mère et tenait pour un avantage délectable le droit de dédaigner la vie lisse et banale de cette mère qui lui en avait toujours trop imposé.

Seul Alavoine, parce qu'il avait cessé de se comporter comme il en avait l'habitude, lui donnait à soupçonner des traits secrets. Il la troubla en osant trahir l'impersonnalité de leurs relations jusqu'à lui offrir un cadeau. Avec les hésitations qui étaient dans sa manière, il lui offrit un disque de Couperin « La leçon des Ténèbres ». Méfiante, elle se demanda aussitôt s'il ne tentait pas de la consoler, ce qui aurait donné à penser qu'il était au courant de sa situation. Elle fut plus perplexe que gênée et plus gênée que reconnaissante en l'écoutant lui raconter que l'office des ténèbres était à l'origine un chant grégorien lié aux trois journées saintes qui précèdent Pâques et que son nom provenait d'une extinction progressive de lumières symbolisant l'abandon de Jésus par ses disciples, encore que certains auteurs pussent soutenir que l'expression remontait à l'époque où la cérémonie avait lieu à l'aube et que la levée du jour, etc. Elle remercia beaucoup, mais il l'interrompit :

— La voix du contre-ténor Alfred Deller est vraiment une voix céleste parce qu'elle est insexuée. Elle vous touchera.

Rentrée chez elle, Catherine fut touchée par l'une des lamentations où elle crut lire, qu'elle se pliât aux rêves de Marc ou qu'elle les refusât, le dessein malheureux de son avenir : « Et egressus est a filia Sion omnis decor ejus » dont elle vérifia la traduction sur la pochette du disque : « Et sa dignité a fui la fille de Sion. »

Elle s'aperçut bientôt qu'elle écoutait avec soulagement toutes rumeurs qui donnaient à croire que telle ou telle jeune femme était malheureuse. Christine la ravit en lui confiant qu'elle souffrait des infidélités de son mari ; elle songea à appeler Louise Emery dont le divorce venait d'être prononcé ; il ne lui déplaisait pas trop que la voix d'Hélène, au téléphone, trahît de la lassitude et que Marielle fût sans nouvelles de son Jules et elle apprit avec entrain que Mme Hallain, divorcée depuis dix ans, en souffrait encore un peu. Elle se méprisait de cette bassesse et s'en inquiétait aussi : si elle avait besoin du malheur des autres comme d'un baume, c'est qu'elle se résignait au malheur, attitude qui répugnait à sa bonne santé profonde.

Habituée à se passer de Marc pendant la journée, elle souffrait de son absence le soir, mais se demandait si c'était Marc qui lui manquait ou si, ayant toujours vécu soit avec ses parents soit avec lui, la solitude la prenait de court. Il lui arriva même de soupçonner que, si la littérature et les conversations ne l'avaient pas persuadée des cruautés de la solitude et de la force d'âme indispensable à qui l'affronte, elle se serait tout bonnement réjouie, certains soirs, de choisir ses disques sans consultation préalable avec l'autre auditeur ; de manger ce qui lui plaisait, ou de ne pas manger du tout ; de se parler à haute voix, de chanter malgré sa voix fausse ; de mettre à sa guise les doigts dans son nez ; de grignoter tout en lisant au lit, et même de grignoter des biscuits Lu trempés dans l'eau, addition de fadeurs dont nul n'aurait supporté le spectacle ; après avoir éteint, de régner en diagonale sur son lit tout en ronronnant : « Ah ce qu'on est bien toute seule ! »

D'autres soirs, le hasard d'un aiguillage la livrait aux larmes. Elle retrouvait sous le frigidaire le fou d'un jeu d'échecs ancien dont la disparition avait fait de la peine à Marc, elle imaginait la surprise qu'elle lui aurait faite, la joie de son mari, et elle se retrouvait sanglotante. A certains moments, son angoisse démarrait sans prélude, sans le moindre avertissement, atteignant toute son intensité en moins d'une seconde, comparable à l'église Saint-Louis-en-l'Ile, où, quelquefois, comme Catherine en longeait la façade, la gravité sonore d'un orgue éclatait tout à coup. La phase angoissée se matérialisait par des pressions sur le larynx, la modulation monotone d'une migraine, des périodes de battements précipités du cœur, un dessèchement de la bouche. Pendant cette crise, elle se considérait comme dépourvue d'avenir et même de passé puisque celui-ci avait été empoisonné par les reproches de Marc.

Sous la menace de l'angoisse, elle fila, un soir, au Pont-Royal pour se confier à Francis. Ce souverain, depuis trente ans, assistait à la comédie humaine qui tantôt déferlait, tantôt s'épuisait le long de son bar ; il démêlerait les intentions profondes de Marc et éclairerait Catherine. Celle-ci aurait souhaité s'attarder, mais l'arrivée du solitaire qui les avait trop écoutées pendant leur déjeuner la chassa, honteuse de ce qu'il savait d'elle. Sa confusion lui fut un dérivatif qui lui permit de s'endormir.

Il lui arrivait non pas de sentir s'approcher *sa* crise (car, comme les malades, elle s'appropriait son mal) mais, ne l'ayant pas éprouvée depuis quelques jours, d'en redouter l'assaut. Alors elle luttait, dansait seule sur un disque des Beatles, ou dévorant une tartine de beurre d'anchois suractivé à la moutarde, ou téléphonant interminablement à Marielle. Le meilleur antidote était la musique de « Madame Butterfly » qui était associée à la découverte de la possible bonne foi de Marc ; à mesure que la voix de la cantatrice se déployait, un ciel s'éclaircissait sur lequel Marc, lavé de tout soupçon, apparaissait, digne de confiance. Mais Catherine, craignant que la vertu de ce remède s'érodât à l'usage, recourait peu à « Madame Butterfly ».

Un peu avant minuit, redoutant le retour de son épreuve, il lui arriva de passer une robe et de descendre en toute hâte dans la rue avec l'illusion qu'en un autre lieu elle échapperait à la menace. Elle marcha le long de la Seine en s'absorbant dans l'admiration de Notre-Dame que l'éclat des projecteurs soutenait, blanche, transparente, entre terre, eau et ciel. Cette émotion esthétique qui n'était pas feinte la jeta dans une exaltation qui l'attendrit, l'affaiblit ; elle éclata en sanglots, sans cesser de marcher d'un pas rapide, comme si elle était pressée. A travers le vent qui écrasait ses larmes et battait sa bouche, elle criait : « Mais je l'aime ! » et, achevant intérieurement sa phrase : « je n'aimerai jamais que lui ! » Puis : « Marc, ne me laisse pas ! » Quand il lui sembla reconnaître dans une longue silhouette celle de Gonzague, s'avançant vers elle, en traînant les pieds, un carton à dessin sous le bras, elle passa une main sur son visage, renifla, redoutant que malgré l'obscurité il remarquât qu'elle avait pleuré.

— Salut, dit Gonzague. J'ai montré quelques huiles sur papier à un collectionneur italien. Regarde. C'est peint pour être vu à la lumière électrique.

Il l'avait prise par le coude et poussée sous un réverbère.

— L'année dernière, je n'ai fait que des objets.

Dans l'entrebâillement du carton elle vit défiler la boîte bourrée de livres et d'estampes d'un bouquiniste des quais, la chambre froide d'une boucherie, un rabot posé sur une planche, un presse-fruit étreignant une orange.

— C'est bien, dit Catherine. Ça lui a plu ?

— Oui, mais il a déploré que la facture varie d'un tableau à l'autre, ce qui va de soi puisque chacun correspond à une manière de rêver de toi. La boîte des quais par exemple, je m'imaginais que j'étais en voyage avec toi. J'ai inventé des reflets de la Seine sur le dos des livres parce qu'un fleuve c'est bientôt la mer, c'est le mouvement à tes côtés, le départ.

Gonzague à travers sa peinture ne pouvait lui communiquer que son amour, et Catherine en était irritée mais fière. Si une femme se croit dédaignée par qui elle aime, il est banal qu'elle accepte avec soulagement sinon avec joie toute marque d'intérêt masculin.

Il la raccompagna jusqu'à sa porte devant laquelle ils s'arrêtèrent. Gonzague montra un croissant de lune dont une nuée avait effacé une pointe et éclata de rire.

— Elle est ébréchée, cette conne !

Tout en continuant de rire, il confia qu'il avait un peu goûté au H en compagnie de son Italien et que fumer inclinait cet homme sombre au rire (ayant raccompagné Gonzague sur le palier, il s'était tordu de rire quand l'ascenseur était apparu).

— C'est contagieux. Tu ne veux pas en essayer ?

— Non.

— Moi, jusqu'à ce que je te connaisse, j'en avais besoin parce que dans l'existence j'étais en exil. Après, j'en ai eu besoin pour t'oublier quelques heures, ne plus être malheureux à cause de tes robes...

Ne trouvant pas le mot, il ajouta :

— Chacune de tes robes a été la projection de toi sur de la matière, tu comprends ? Une atmosphère que tu peignais autour de toi.

Elle remonta chez elle, méprisant Gonzague 1) parce qu'il fumait, 2) parce qu'il se vantait avec emphase de son « exil » 3) parce qu'il est assommant d'être l'objet d'un amour qu'on ne partage pas. Elle ne lui savait même pas gré de l'avoir distraite de son angoisse, car elle ne pouvait converser en sécurité qu'avec des gens qui non seulement ignoraient son tourment mais étaient incapables de le deviner. Or, Gonzague lui donnait l'impression de toujours tenter de déchiffrer sa physionomie.

Devant ceux qui étaient « au courant » ou qui risquaient de repérer anguille sous roche, elle se sentait défigurée, c'est-à-dire privée de sa figure, décomposée, éparse. Or, elle aurait été aidée par des conversations anodines, éprouvant le besoin de parler pour meubler son attente, pour oublier qu'elle était solitaire et malheureuse, sortir de soi par des propos gratuits, ou donner l'hospitalité aux soucis des autres sans craindre pour l'étanchéité de sa vie secrète.

Certains matins, son besoin était tel d'échanger des paroles sans conséquence qu'elle attendait l'arrivée de Mme Jeannot, sa femme de ménage, au lieu de partir dix minutes plus tôt comme d'habitude, et apparaissait avec retard à son bureau. Pour protéger l'innocuité de Mme Jeannot, elle veillait, avec des ruses de criminelle, à multiplier les traces de la présence de Marc, encore qu'elle se demandât si la concierge qui devait s'étonner de ne plus voir passer régulièrement son locataire ne s'en était pas ouvert à Mme Jeannot. Aussi n'était-elle en sécurité qu'avec Yvette, Tarzan — avec qui elle bavardait avec excès des bizarreries d'Alavoine — ou avec des relations lointaines, par exemple la camarade de Sorbonne chez qui elle se fit inviter en excusant son mari en voyage d'affaires.

Marielle lui avait arraché le secret de l'entrevue avec l'avocat et du départ de Marc, mais Catherine opposait à sa curiosité quotidienne la désinvolture d'une étourdie. Sa mère, pour employer le vocabulaire de cette dame, donnait du *tintouin* à Catherine qui, en accord avec Marc, avait annoncé, sans réussir à être convaincante, que son mari faisait retraite à l'hôtel pour « plancher » un examen et subissait des demi-questions et des demiregards. Elle n'avait pas douté, son père étant monté chez elle sous prétexte de lui emprunter quelques « grands classiques », qu'il ne fût expédié aux nouvelles par Mme Daubigné, certitude qui lui avait inspiré une voix méchante pour lui lancer, comme il repartait avec trois kilos de livres :

— Pendant que tu y étais, tu aurais mieux fait d'attendre ta retraite, ça aurait eu l'avantage de t'occuper et tu aurais eu plus de temps pour comprendre !

La physionomie grognonne et faussement détachée de M. Daubigné divertit Catherine qui, dès qu'il eut refermé la porte, sourit. Il repartait bredouille sans avoir réussi à cacher son jeu, pareil à la version que Mme Daubigné avait toujours donnée de lui, le proclamant incapable de ne pas trahir ses arrière-pensées « par un de ces airs francs d'âne qui recule » et « des yeux de chat qui fait dans la cendre ». L'expression « comme un chien battu » lui vint aux lèvres pour qualifier le départ de son père et du coup celui-ci devint à lui tout seul une manière de basse-cour qui lui rappela un puzzle de son enfance, face auquel la bêtise de son frère Nicolas accédait au génie car, aussi égaré que têtu, il juchait la tête du chat sur le poitrail de l'âne que prolongeait la queue en trompette du chien. Cet animal fabuleux s'étant identifié à son pauvre père, le rire de Catherine tourna au fou rire.

Elle avait toujours eu des fous rires mais ceux, plus fréquents, qu'elle éprouvait depuis quelques jours l'inquiétaient comme une manifestation dont elle craignait, à chaque fois, qu'elle se terminât par une crise de nerfs ou du moins de larmes. En quoi elle se trompait encore, car sa bonne humeur persista. Elle s'offrit un dîner au restaurant où un bon vin la persuada que, dans quelques mois, Marc et elle riraient ensemble de leur tragi-comédie. Même, en sortant du cinéma, elle en vint à découvrir que Marc n'était pas le seul homme sur terre et qu'après tout, s'il continuait les hostilités, elle n'aurait qu'à se faire une raison.

S'étant endormie enchantée, elle s'éveilla en sursaut dans un cri :

— Marc !

Et elle sanglota, le nez dans l'oreiller abandonné par son mari. Ce qui ne l'empêcha pas de s'éveiller à l'arrivée de Mme Jeannot, étalée en diagonale, toute fraîche d'esprit et tiède de corps, frissonnante de bien-être, alanguie mais gaillarde, se câlinant elle-même, confiante.

Passer de la béatitude à la prostration, de la confiance à la dépression, de l'enjouement à l'angoisse fatiguait un peu Catherine et déconcertait cette femme qui avait été dressée à sérier ses idées, à les vouloir claires. Par moments, elle se prenait pour une pauvre idiote, à d'autres elle était éblouie par son intelligence. Ayant perdu l'habitude de se contrôler, donc de se censurer, elle permettait à tout ce qui mijotait en elle de surgir à la surface, idées, émotions, ou le plus souvent émotions qui se muaient en idées. Seule le soir, elle ne s'offrait pas seulement la licence de se nourrir à sa guise d'olives, d'anchois, d'œufs de lump, de poivrons, escortés parfois de moutarde, parfois de miel et arrosés tantôt de lait, tantôt de porto, et de festoyer interminablement, vautrée, un roman policier sous le coude, elle plongeait aussi dans des livres d'art, qui, envoyés à la revue et dédaignés par Marielle, s'étaient accumulés au sommet de la bibliothèque ; les contemplant ivre de porto ou de lait et de frémissante solitude, elle se permettait de ressentir et de penser, non comme il convenait, mais à sa guise, découvrant qu'elle se fichait des écoles picturales pour ne considérer que ce qui distinguait, dans une même école, les manières de deux peintres. Face à des reproductions de Hobema et de Ruysdaël, le premier contemporain et élève du second, elle jouit de relever, sous une ressemblance due à la pression de l'esprit du temps, des oppositions de caractère que reflétaient sournoisement leurs paysages : Ruysdaël emboutissait les feuillages au-dessus de troncs lourds dans le carcan d'un horizon pesant alors qu'Hobema lançait ses branches sur le ciel, aérant ses frondaisons, léger comme une brise.

Heureuse de sa trouvaille, elle se sentit l'audace de la communiquer, mais ne trouva pas à qui. Marielle, n'en parlons pas. Catherine avait découvert que son amie opérait dans une revue d'« esthétique » comme elle aurait opéré dans la statistique, le cinéma, les relations publiques ou les voyages organisés et ne se souciait que d'apparaître *in*, se régalant d'employer les termes géniaux de la saison (aussi bien *hurler de rire*, que *c'est pas vrai* à la place de *c'est incroyable*, *practiser* pour *mettre en pratique*, *sauvage* pour *non pollué*) et se prévalant sottement d'une originalité qui était à la portée de tous. Quant à Gonzague, l'amour l'avait rendu gâteux en peinture. Marc ne regardait aucun tableau, il lisait les critiques et les historiens d'art. Qu'elle se permît aussi aisément de juger de l'art et de son entourage lui donnait le vertige et lui inspirait une hypothèse : est-ce que l'évolution du vivant n'était pas due à des moments de trouble où ce qui était velléité prenait tout à coup forme ? Aussitôt après, toute cette ébullition lui apparaissait grotesque. Je suis la reine des connes.

Depuis la nuit où Marc avait énuméré ses exigences elle sautait d'un extrême à l'autre ; tantôt convaincue que son mari était un malade mental, tantôt lui donnant raison, et se reprochant de n'avoir pas su être sa femme, c'est-à-dire toutes les femmes, l'épouse, le copain, la putain, la sorcière. Elle se reprochait d'avoir toujours manqué d'instinct et se rappelait qu'à dix-neuf ans elle était descendue avec Riquet dans la cabine du voilier en se répétant : « Toutes mes amies l'ont fait, il y a un an que j'aurais dû l'avoir fait. » Elle avait dit à Riquet : « Allons-y. » Après, elle lui avait dit : « Voilà une bonne chose de faite. » Pourtant elle avait secrètement rêvé de défloraisons progressivement perverses, dont certaines variantes étaient mâtinées de viols. Mais j'ai toujours cru comme un dogme que les images qui naissaient dans ma tête devaient finir dans ma tête ! Du coup, elle se mit à guetter ses moindres pulsions, à recueillir l'ébauche du plus vague caprice avec la volonté de passer aux actes. Elle répondait aux regards des hommes dans la rue et, sachant très bien que depuis longtemps elle était sensible au fait que Bruno, son masseur, fût un homme, et jeune, et plutôt beau, elle se déshabilla dans la cabine de massage, devant lui, et non au vestiaire. Mais ces audaces, qu'elles fussent rêvées ou vécues, lui infligèrent aussitôt après des accès d'horreur où tout ce qui touchait au sexe appartenait à la tératologie.

Elle dormait aussi irrégulièrement, tantôt comme une sourde, tantôt à travers des insomnies dont elle s'exagérait la durée et la cruauté, ce qui la poussa, copine avec sa pharmacienne, à lui demander des somnifères puissants dont l'obtention exigeait une ordonnance.

Parce qu'elle en avait absorbé une dose copieuse, elle s'éveilla à quatre heures de l'après-midi, un dimanche, et s'en inquiéta : ayant naguère préparé un vague examen de psychopathologie, elle en avait gardé des notions lacunaires qui la mettaient en garde contre la névrose dont une des manifestations était, croyait-elle, la torpeur diurne. Or, ne sachant si elle aimait ou détestait Marc ni si celui-ci souhaitait l'écarter ou au contraire la rapprocher de lui, elle s'estimait prise dans un conflit névrotique. Est-ce qu'il veut me rendre folle ?

Par l'entrebâillement des rideaux glissait un jour crépusculaire, sans magie comme sans cordialité. Elle se leva avec effort, se rappelant que Marielle aurait dû lui téléphoner pour fixer avec elle le restaurant où elles se retrouveraient. Des profondeurs de son sommeil lui revint le souvenir vrai ou faux d'une sonnerie lointaine. Elle alluma la petite lampe, forma le numéro de Marielle mais celle-ci ne répondit pas. Vivre parut à Catherine une besogne trop laborieuse, elle se recoucha. L'air de la chambre ne bougeait pas, ne transmettait aucun bruit ; tissé de bleu et de gris comme la tulipe que Catherine avait juchée solitaire dans un haut vase, il répandait une paresse morose où Catherine décelait, les yeux mi-clos, des regrets et des désirs. Enveloppée dans son drap de la tête aux pieds comme la jeune morte qu'elle avait vu enterrer dans son linceul de lin en Tunisie, elle connut une béatitude triste qui l'entraîna à chercher seule le plaisir. Au moment où elle y accédait, elle se demanda si, de son côté, Marc ne se livrait pas à de semblables égarements ; il y était enclin même auprès d'elle dans leur lit et la solitude n'avait pu qu'affermir cette disposition. A l'image de Marc, dans une chambre d'hôtel qu'à tout hasard elle voyait bête et sinistre, se fabriquant son plaisir, elle éprouva un dégoût qui se refléta sur elle-même. Elle se releva avec précipitation et tira le rideau.

Le ciel, la chaussée, les immeubles étaient dans le même ton que la chambre. C'était exactement le degré sourd de lumière d'une éclipse de soleil. Elle eut peur de hurler et décida de sortir. Elle lava seulement ses doigts pour les débarrasser de l'odeur honteuse. Le refus de son corps la poussait à se vêtir mal d'un vieux pantalon et d'un T.-shirt mité, mais, comme elle avait l'arrière-pensée d'aller aux vêpres, elle passa une robe, et sous celle-ci, comme elle aurait revêtu une cuirasse de chasteté, elle enfila un panty.

Elle chercha Gonzague du coin de l'œil dans les quelques bistrots ouverts, décidée de plus en plus, à mesure qu'elle cherchait, à renoncer aux vêpres pour lui. Au moment où le besoin de le trouver atteignait à un paroxysme vraiment douloureux qui lui donnait des tremblements, elle le vit très occupé à indiquer leur chemin à des touristes et, délivrée, le fuit aussitôt.

Les vêpres étaient commencées. Catherine mêla sa voix au chœur avec satisfaction. Les sons, les odeurs, la pénombre dorée de l'église la réconfortaient aussi complètement que si elle eût été croyante. Dans cette sereine parenthèse, elle puisait une « relaxation » bien supérieure à celle d'un massage.

En sortant, elle fut freinée par les deux hyènes qui pagayaient avec leurs cannes, voûtées au point que leurs torses étaient parallèles au sol. Les taupes, les parques, les hyènes, Marc avait été prodigue en surnoms pour ces deux vieilles qu'il haïssait surtout lorsque, dans un des cafés de la rue, elles s'arrêtaient pour dévisager en toute ignorance de cause son échiquier. Elles buvaient toujours des ballons de blanc sec quand elles commentaient l'un de leurs spectacles rituels, mariages ou enterrements, ne manquant ni les uns ni les autres et pleurant volontiers quand c'était réussi. Arrêtées sur le parvis, elles tournèrent vers Catherine leurs grosses faces également globuleuses :

— Madame Catherine, c'était si beau quand vous descendiez les marches dans votre robe blanche !

— On en reparlait l'autre soir en vous voyant trotter avec votre glace et votre champagne, on se disait que c'était peut-être bien votre anniversaire de mariage ? Quatre ans hein ?

— Cinq, répondit Catherine, les mâchoires serrées.

— Ah, ce que votre robe vous allait bien !

— Ce que nous avons pu pleurer ! L'avant-veille on avait enterré M. Soules, c'était zéro comparé à votre mariage.

Sauf quelques couples qui, donnant l'impression d'avoir été retenus contre leur volonté, ou de jaillir d'un train arrivé avec retard, s'enfuient coude au corps, les gens qui sortent d'une église forment une lente masse piétone que plusieurs minutes sont nécessaires pour dissoudre. Catherine fut le plus rapide des fuyards, elle courait presque, les yeux pleins de larmes.

— Le salaud ! Le salaud !...

A peine rentrée chez elle, encore essoufflée, elle se lança à la recherche de la photo de mariage où elle resplendissait de liesse auprès d'un Marc renfrogné. Il avait désapprouvé le mariage en robe blanche et fleurs d'oranger, usage qu'il jugeait grotesque et antipathique et il aurait convaincu Catherine, dont la franchise réprouvait l'exhibition symbolique d'une virginité sacrifiée depuis longtemps, si, de l'âge où elle était une petite fille, ne lui était resté le mythe bruissant et vaporeux de la robe de mariée chéri avec trop d'émerveillement pour être largué. La photo retrouvée, Catherine la regarda bien, puis la déchira en quatre morceaux ; Marc était un salaud qui déjà ce jour-là avait gâché sa joie, et depuis n'avait cessé de la torturer. Elle savait que cette accusation était fausse, que Marc avait été, pendant des années, un bien gentil mari, et l'injustice de son reproche attisait sa colère contre Marc.

Cette colère tomba d'un seul coup comme certains vents et Catherine encalminée crut de nouveau devenir folle, assise devant les morceaux de la photo qui jonchaient la moquette. Elle avait besoin, pour reprendre pied, d'entendre une voix. Chez Marielle, la sonnerie du téléphone s'éternisa en vain. Hélène ne répondit pas plus, sans doute partie pour la campagne. Sous prétexte de la remercier, Catherine appela Christine ; elle obtint le signal « occupé », réitéra et se heurta de nouveau à l'absence. Alavoine proclamait qu'il n'avait pas le téléphone, mais, l'année précédente, malade pendant une semaine, il avait confié son numéro à Catherine en lui faisant jurer de ne le communiquer « à aucun ». Elle le retrouva dans son carnet et posa son doigt sur le clavier en sachant qu'elle s'offrait une énormité. Elle ne disposait d'aucun prétexte professionnel et les relations qu'elle entretenait avec son patron ne justifiaient nullement un appel à l'aide, du style j'ai un coup de dépression remontez-moi un peu s'il vous plaît, ni même un bonjour anodin suivi de considérations sur la tristesse baudelairienne du temps. Donc c'est énorme, ce que je fais.

L'appareil sonna un moment avant que le déclic se produisît et que résonnât la voix monocorde d'Alavoine :

— Cet appel est probablement le produit d'une erreur,

mais si c'est moi que vous cherchez, sachez que je n'y suis pour personne. Veuillez m'en excuser.

Le dernier mot fut même abrégé par le déclic final après lequel le « son » se rétablit, égal à lui-même, étale, version utile du souffle de la mer prisonnier au fond d'un coquillage, de la rumeur béante d'une grande ville, du bourdonnement que la fièvre entretient contre les tympans.

Catherine garda un moment l'appareil contre son oreille. A petites foulées, un rire la gagnait, où il entrait du soulagement : tu voulais entendre une voix, ma fille tu as été servie, et sans risque, car il ne saura jamais qui a eu l'audace de le troubler. La tendresse entrait aussi dans sa joie et elle l'imaginait s'éloignant lourdement de l'appareil muselé, drapé dans une robe de chambre molletonnée (pourquoi molletonnée ?) et chaussé de vieilles mules de cuir patiné, car toujours il portait de beaux souliers d'un autre âge. Elle le voyait, sa quiétude retrouvée, assis devant un livre amical près d'une tasse de thé escortée de douceurs (elle le supposait gourmand), ou traquant des fautes de français dans la copie qu'il avait voracement emportée le vendredi soir.

D'une humeur de rose, elle se doucha, heureuse de se débarrasser de ses vêtements et surtout du panty sous lequel elle avait transpiré. L'île était, malgré l'absence de soleil, étouffante. Comme elle se séchait en imaginant avec appétit le dîner qu'elle projetait en compagnie de son livre, la sonnerie du téléphone la secoua. Elle ne se décida à répondre qu'après une hésitation et, renfrognée, reconnut Marc.

— Non je n'ai pas répondu ! Tout à l'heure, j'étais sortie, ce matin je dormais, il m'en reste le droit, non ?

Ne pas prendre un ton de mégère. Elle s'en donnait l'ordre sans grand succès. Elle refusa le dîner que son mari proposait, puis céda à la condition que le dîner eût lieu à la maison.

Boudeuse, elle sortit les steaks et le fromage du réfrigérateur, ouvrit une boîte de petits pois, dressa un couvert hâtif, se décida à passer une robe de chambre, alluma une cigarette, s'allongea sur son lit en désordre. Elle avait envie de se caresser et surtout de faire l'amour, mais n'aie pas peur, Marc, je ne te violerai pas et, puisque je suis neutre à tes yeux, je chercherai un amateur à qui je convienne !

Elle le détesta, se reprocha de lui avoir permis de venir, puis, une heure après, comme il tardait, s'affola, persuadée que, s'il était venu, la discussion aurait enfin eu lieu qui leur permettrait de voir clair. Il apparut enfin, intimidé, avec des fleurs.

Il en fut de cette soirée comme de leurs dernières rencontres.

Tantôt Marc s'installa dans le flou, tantôt il montra une tendresse chaleureuse. Tantôt il leur ouvrit un avenir, tantôt il se renferma dans une attente taciturne. Il s'écriait :

— Ah tu verras ! Notre dernier anniversaire de mariage, nous ne risquons pas de le confondre jamais avec un autre.

Ou :

— C'est chouette, les événements, Catherine. Si tu leur fais confiance comme moi, on est sauvé !

Puis, le visage vieilli, les yeux trop rapides, il se perdait dans des phrases au conditionnel passé d'où il semblait ressortir qu'il aurait fallu qu'il ou elle prît conscience à temps de...

— Tu comprends ?

Catherine poussait un soupir. Il souriait amoureusement, reprenait au futur :

— Tu verras !

Elle rassembla son courage, posa les questions cruciales. Est-ce que le divorce se poursuivait ? Est-ce qu'ils pouvaient redémarrer ensemble ?

Il écartait ces problèmes avec la mine impartiale

d'un médecin qu'un client veut égarer sur des symptômes secondaires.

— C'est plus compliqué ! Il faut jouer serré.

— Je voudrais savoir ce que tu attends de moi.

— Il faut se méfier des paroles, énonça-t-il sentencieusement, ne pas forcer les événements.

Elle se demandait si Marc ne baignait pas dans la même incertitude qu'elle. Ou bien peut-être n'osait-il pas détailler des rêves qui lui donnaient de la honte ou qui la révolteraient. Ou encore il était un beau salaud qui noyait sa désertion dans la fumée. Au moment où elle adhérait à la dernière hypothèse, transporté par l'air de son cher « je ne regrette rien », il s'empara de Catherine et dansa avec elle en l'embrassant sur la bouche, dans le cou avec un emportement joyeux. Si j'ai une névrose, en voici le chef d'orchestre.

— Pourquoi me retires-tu d'une main ce que tu me donnes de l'autre ?

Il ne parut pas comprendre. Quand il la quitta, elle lui rappela qu'elle avait fait croire à ses parents que, s'il était à l'hôtel, c'était pour préparer un examen. Il promit de ne pas gaffer.

Le lendemain, il n'apparut pas et quand il téléphona, le surlendemain, ce fut pour assurer à Catherine qu'il n'avait pas oublié le dîner familial chez les Daubigné. Ils convinrent de se donner rendez-vous au tabac et d'effectuer leur entrée ensemble.

JOURNAL INTIME DE M. DAUBIGNÉ

25 mai

Face à ma femme j'ai la pratique de la méfiance et du contrôle de soi, mais je crus qu'elle savait mes troubles et la réponse mitigée que m'avait faite le Dr Salvy (ou plutôt le fils car j'ai eu la mauvaise idée de prendre le fils quand le père est mort) et, à cause de sa mine atterrée, je criai stupidement « Tu sais ? » alors qu'il était impossible qu'elle sût.

Heureusement Rose n'avait rien remarqué, si observatrice qu'elle se croie, et elle m'a livré l'objet de son inquiétude : « Marc est à l'hôtel, c'est un désastre. » Je ne voudrais pas que Catherine souffre trop mais après tout pourquoi serais-je le seul à souffrir ?

J'aimais bien avoir un médecin qui ne menaçât pas avec trop d'arrogance de me survivre trop longtemps. Il a poussé l'affaire à l'extrême en mourant avant moi. La condescendance de son fils, qui est à peu près sûr de me survivre, m'achève.

J'imagine le père : il m'aurait dit : mon cher ami, qu'est-ce que vous voulez, moi aussi ça ne va pas, il faut bien se résoudre à l'inévitable, personne n'y a échappé. Le fils a remis des lunettes dont il n'avait nul besoin et m'a indiqué les nouveaux examens auxquels je devrais me soumettre. « Faites-vous d'abord faire ceci, on verra plus clair. » — « Veux-je voir plus clair ? »

Naturellement je ne lui ai pas répondu ça parce que je ne dis jamais ce qui me tient à cœur. Pourquoi ? Je n'en sais rien. C'est trop tard pour me le demander, vu la rapidité des turbulences cellulaires.

Le Dr Salvy m'a donc prescrit d'autres analyses et un prélèvement, et j'ai l'ordonnance dans ma poche. Elle ne la quittera pas. Il me reste le droit de mourir idiot. Je cherche les droits qui me restent.

26 mai

Je note que pas un instant je n'ai songé à me confier à ma femme. Pourtant Rose aurait été troublée et se serait crue tenue à certain ménagement dont j'aurais bénéficié. Depuis que ma mère est malade, elle se conduit parfaitement avec elle. La mort de maman nous apportera à elle et à moi une dignité fugitive. Et encore ! Rose finira par se quereller avec le chef des fossoyeurs sur le nombre des places qui restent libres dans la concession.

Si je m'étais confié à ma femme, elle se serait hâtée de se confier à mes enfants. Rose est ainsi faite que rien ne surpasse pour elle le bonheur d'être messagère d'une mauvaise nouvelle. Or, mes enfants, Dieu-ciel ! Il n'avait pas huit ans que je savais déjà de Nicolas qu'il était une bête. Par vanité paternelle j'ai espéré une bête de proie. Il n'est qu'une bête de trait, mais de la sorte que j'ai connue au temps où nous livrions encore avec des chevaux. Il est le cheval qui tire autant qu'un autre, plus même, mais qui caboche par entêtement stupide et reçoit plus de coups que d'avoine. Etre plaint du bout des cils par ce cheval qui n'a pas assez d'imagination pour concevoir qu'il aura mon âge et qu'il crèvera aussi m'aurait déplu et les égards de Catherine tout autant.

Catherine est plus fine. Elle aurait pu ne pas être nigaude. Nous l'avons aidée à le devenir, sa mère en lui enseignant la religion du comme-il-faut et moi en me taisant. Une fois, elle était toute jeune, elle regardait une petite reproduction en bronze du penseur de Rodin (offerte à mon père par ses employés), elle a dit que le type ressemblait à quelqu'un qui aurait des ennuis avec un sacré problème de mots croisés. Rose lui a sévèrement expliqué qu'on n'avait pas le droit de parler ainsi d'un chef-d'œuvre consacré et, bien qu'intéressé, je me suis tu. Or, il y a un an, dans un recueil de citations, j'en ai trouvé une de Montherlant ou de Valéry où le penseur de Rodin était comparé à un amateur de mots croisés. Bref, Catherine n'était peut-être pas programmée par la nature pour devenir sotte et banale, mais il était fatal qu'elle le devînt puisque sa mère l'a habituée à croire qu'il fallait se conformer à ce qu'on lui disait, à prendre de la graine, et qu'après avoir écouté sa mère elle a écouté aussi docilement des radotages universitaires et maintenant les décrets que Marc porte sur les événements, les livres, les films en accommodant d'un air grave ou sarcastique — c'est selon — les opinions qu'il a reçues du Monde *et de l'*Observateur. *Ce que dit Marc, Catherine le répète en l'agrémentant de quelques idées de Marielle qui sont elles aussi d'appellation contrôlée. Ce couple de cadres correspond si bien à la médiocrité d'une époque que la publicité travaille pour eux, veut leur plaire et nourrir leurs rêves. S'ils divorcent, ce ne sera pas pour les raisons qu'invente ma femme, mais parce que ça se fait. A les imaginer au courant de mes maux, prononçant les phrases et déployant les attentions qui conviennent, je me sens confirmé dans mon droit au silence.*

29 mai

Mais on n'a de droits que ceux qu'on défend, ce qui n'est pas mon fort. Peut-être avais-je peur de ma peur et besoin qu'on la calmât un peu, fût-ce en la partageant ? Plus probablement, je n'ai pas résisté au plaisir d'être intéressant aux yeux de Germaine. Qu'un homme s'explique avec la mort, il est intéressant. Or depuis vingt-trois ans que Germaine me pratique, il n'est aucun de mes prestiges initiaux qui ne soit délité. A dix-huit ans, quand elle était ma secrétaire, elle a cru en ma toute puissance et en ma toute séduction. Je n'ai eu le courage, ni de la quitter ni de quitter ma femme. Je me suis partagé. C'est moi que j'ai quitté. Tout s'est passé comme si j'avais réussi à me perdre de vue.

Germaine pense que je lui donne peu. Je suis sûr qu'elle a tort, mais puisqu'elle le pense c'est vrai pour elle. En fait, les heures que je passe avec elle, parce qu'elles sont réduites et que je les conquiers grâce à une imagination mensongère, me sont précieuses. N'empêche que, si un de mes amis me racontait qu'ayant séduit sa secrétaire vingt-trois ans plus tôt il a accepté qu'elle passe sa vie à grignoter des miettes, je le jugerais mal. On ne découvre ni les sentiments, ni les émotions, ni les passions, ni les situations, on découvre de les vivre. A cause de ce que j'ai vécu, je ne me juge pas mal, mais à cause de ce que Germaine a vécu je conçois qu'elle souffre.

Elle a exigé l'analyse et les prélèvements. J'irai. J'attendrai les résultats. J'éprouve de l'horreur pour ce qui me menace, cette horreur est encore plus terrible que la situation elle-même.

Pourtant j'ai de bons moments. Ce matin, la brise qui gonflait les arbres sur les quais, le glissement de l'eau m'ont donné l'illusion que la sève circulait en moi et que j'étais en bonne santé. Puis j'ai traversé le pont à pied et tout à coup j'ai su que je marchais au soleil de l'infortune.

J'ai retenu cette ligne d'un moraliste : « L'indigne désir de vivre des vieux. » Pourquoi indigne ? Toute une vie, à la fin, devrait me donner droit à une jeunesse. C'est vieux et non jeune qu'on devrait avoir l'excuse de l'âge et de la folie.

Depuis quelques siècles, le même mouvement conduit la société dont je suis issu à l'incroyance. Je suis athée tout banalement, comme Jeanne d'Arc et Gilles de Rais étaient croyants. L'absence de vie éternelle, dans l'état où je suis, n'est pas pratique. Ça ne me facilite pas les choses.

Alexandre Dumas agrémente mon existence, mais ne peut pas m'aider à mourir. J'ai téléphoné à Catherine et je suis monté la voir pour lui emprunter quelques classiques, m'étant avisé que, si la littérature peut être utile, c'est bien à vous aider quand on arrive en vue du passage. Quand je suis redescendu chargé de livres, ma femme m'a considéré avec défiance, me soupçonnant d'avoir pris un prétexte pour interroger Catherine en tête à tête. Rose ne tient plus en place depuis qu'elle a appris que son gendre couchait à l'hôtel. La curiosité la brûlait, mais je n'ai pu que lui dire la vérité : Catherine ne m'avait fait aucune confidence et je l'avais seulement trouvée encore plus distraite et nonchalante que d'habitude.

La pensée contemporaine ne m'avait pas gâté puisqu'elle s'était acharnée à me convaincre que je descendais d'une petite spécialité chimique nommée ADN qui s'était pourvue de bras, de jambes, d'yeux et d'esprit par le jeu aveugle de hasards innombrables, mais les classiques ne m'auront pas servi davantage. Je ne peux pas plus participer au détachement de Montaigne qu'à la frénésie pascalienne et, de La Rochefoucauld à Dostoievski, on me désespère au lieu de me réconforter. Il était fatal que les grandes œuvres ne m'éclairassent pas parce qu'elles sont toutes le fruit d'un dérèglement, d'un affolement, d'un scandale, qui sont précisément les miens et contre lesquels elles ne peuvent donc pas me prémunir.

Le souvenir que Celui que j'aime n'est plus peut seul m'encourager à mourir. Il n'est plus mais je l'ai toujours entre mon pouce, mes autres doigts et ma paume ; ma main veut toujours couler sur Lui, s'arrêtant pour provoquer la base des oreilles, se creusant sur les flancs, s'évasant au bas des reins. Sa bouche est inépuisablement fraîche sur la mienne.

30 mai

Les analyses et les prélèvements sont faits. J'attends.

Je tiens le coup parce que le goût de la vie a baissé en moi avec l'âge. Je n'ai pas peur de ma peur ni besoin qu'on me leurre. Ces deux phrases méritent l'écriteau que Germaine, au temps où elle était ma gaie secrétaire de dix-huit ans, brandissait à chaque fois que je fabulais au téléphone. Son écriteau était une feuille de papier sur laquelle elle avait écrit : « Menteur ».

Pourquoi cacher ma peur ? Pourquoi mentir à son journal ? Il y a plusieurs sortes de journaux intimes et ceux des écrivains sont indirectement destinés au public. Mais le mien est voué à l'invisible. Mon problème — encore non résolu — est de savoir comment assurer la disparition de mon journal en même temps que la mienne. Ma situation est en effet, terminus a quo terminus ad quem, limitée par ce que pensent de moi, chacune de son côté, Rose et Germaine et par l'impossibilité où je suis de montrer aux deux femmes que je vois le plus et qui m'importent seules, qui je suis.

Le laboratoire m'a promis le résultat pour après-demain. Je redoute le désespoir ; il devrait être le privilège des fanatiques, des ambitieux, des aventuriers et, né sceptique et sans ambition, je devrais en être préservé. Or, après-demain, je serai peut-être un désespéré.

Le mot désespéré *est employé par les journalistes pour désigner qui a mis fin à ses jours. Justement je n'en ai pas le droit. L'autre année, quand j'ai appris le suicide d'un écrivain que je n'avais guère lu, Henry de Montherlant, j'ai envié celui-ci d'avoir pu s'offrir le luxe d'agir en désespéré. Ce geste n'est pas dans mes moyens. Etant obligé de laisser ce que je possède à Rose qui, à son âge, n'est pas prête à gagner sa vie, et, à travers elle, à mes enfants, ce qui va de soi puisque moi-même j'ai hérité de mes parents, j'ai pris une assurance sur la vie en faveur de Germaine. Il serait injuste qu'après ma mort Rose bénéficiât de mon assistance et que celle-ci fût refusée à Germaine. Le suicide n'étant couvert par aucune police d'assurance, je serai donc tenu de savourer in extenso mon agonie.*

Cette perspective m'a tant agité que j'ai eu le courage d'aller revoir le Dr Salvy. J'ai profité d'une recommandation qu'il m'avait demandée pour le fils de son concierge, je me suis pointé chez lui avec une lettre que j'aurais parfaitement pu envoyer par la poste. Il m'a reçu et je me suis accroché. Je voulais savoir, si le verdict du laboratoire était implacable, comment la collaboration du patient et du médecin pouvait permettre d'accélérer le train des choses sans qu'il y eût suicide.

Le père m'aurait-il compris ? Le fils m'a affablement foudroyé. Il m'a raconté qu'il avait fait renvoyer le mois précédent une infirmière qui, d'accord avec la famille et même avec un autre médecin, avait interrompu un goutte à goutte destiné à donner à un vieillard une survie d'une vingtaine d'heures.

Il était très fier d'avoir signé un manifeste de médecins contre la libéralisation de l'avortement. De lui-même, il est revenu sur cet exploit en ajoutant que le libellé de ce manifeste ne l'avait pas entièrement satisfait car il aurait souhaité que soit incluse dans le texte l'affirmation du droit des monstres à la vie. Selon lui, même lorsque la naissance d'un monstre est fatale, le processus vital ne doit pas être interrompu, cela par respect de la vie, car celle-ci existe aussi pure dans des organismes anormaux, et de la science, car sans monstre la tératologie péricliterait. Il était enchanté parce qu'à son hôpital ils ont eu pendant l'année plusieurs cas d'anoxies néo-natales et que, dans tous les cas, les enfants ont pu être sauvés. Or, a-t-il bien voulu m'expliquer, cette anoxie consiste en une interruption du fonctionnement du cerveau qui a pour conséquence que l'enfant reste toute sa vie gâteux.

L'œil chaleureux, il a cherché à me faire imaginer l'ardeur avec laquelle travaillent les réanimateurs qui pendant des heures, des jours, luttent pour arracher à la mort ces petits êtres qu'ils condamnent par leurs efforts à un gâtisme définitif. A ma question : « Songent-ils à ce qui attend ces bébés et leurs parents ? », il a répondu que je lui semblais incapable de comprendre que les réanimateurs étaient des techniciens qui avaient le goût du travail bien fait et que leur travail consistait à maintenir la vie sans se préoccuper d'aucune contingence. Cette mission était l'essentiel du serment d'Hippocrate. Il m'a laissé entendre pour conclure que, serais-je affligé d'une maladie mortelle et fût-elle douloureuse à l'extrême, il se ferait un devoir et, semblait-il, un honneur et un plaisir de me faire savourer mon agonie le plus grand nombre de jours et d'heures possibles.

J'avais déjà eu une conversation analogue à propos de ma mère avec un médecin de la clinique. Celui-ci ne m'avait pas caché que, non seulement il ferait tout pour prolonger la fin de ma mère, mais encore que, si elle souffrait, je ne devais pas compter sur lui pour obtenir trop de morphine. Il m'avait raconté avec indignation qu'un garçon de quinze ans qui mourait d'un cancer avait reçu tant de morphine que, pendant ses deux derniers mois, il avait fallu le désintoxiquer. On avait donc cru devoir ajouter l'épreuve de la désintoxication aux douleurs de la maladie pendant les dernières semaines de ce martyr. Car, si j'ai bien compris, il importait à l'honneur de la médecine que cet enfant mourût désintoxiqué.

Nous vivons l'une des époques les plus effrayantes de l'histoire. Aujourd'hui, le malade ne peut douter de son sort ni du zèle aveugle qui obligera les techniciens du maintien de la vie à lui faire goûter sa mort jusqu'à la dernière goutte.

31 mai

Depuis quelques années, mes sept heures de sommeil m'imposent plus de durée que mes dix-sept heures de veille. L'infini de mes nuits m'épuise. Je m'endors toujours vite parce que j'ai peur que Rose me parle encore et que, pour me protéger, je feins de dormir ; je ne sais si Pascal a raison quand il prête aux gestes de la foi le pouvoir d'engendrer la foi, mais, à force de feindre, en effet je m'endors. C'est pour m'éveiller au bout d'une heure, allongé auprès du sommeil puissant de Rose. L'arrêt à cette station dure une heure et demie. Ensuite je m'engage dans un sommeil d'une autre matière ou plutôt fait d'un mélange de matières ; tantôt il est écrasant, tantôt transparent et plusieurs fois je remonte à la surface pendant des minutes d'une durée inappréciable où j'entr'ouvre les yeux sans que les rêves lâchent prise. Suit une autre insomnie d'une demi-heure qui aboutit à une autre demi-heure de sommeil, à une autre demi-heure de veille. Enfin sommeil profond interrompu par le réveil.

Depuis que le Dr Salvy m'a ordonné les analyses, ces voyages nocturnes m'éreintent. La nuit, je ne parviens pas à distraire mes monstres. Jamais je ne hais autant Rose que la nuit. Quand on craint d'être condamné à mort, il est difficile de partager la couche d'un geôlier en chemise à fleurs qui ronfle triomphalement.

La nuit dernière, j'ai eu le courage de me lever en sachant bien qu'elle viendrait me relancer car, si profondément qu'elle dorme, elle sent aussitôt mon absence. En effet, elle a fait son apparition dans le salon. « Tu vadrouilles en pleine nuit maintenant ? » — « J'ai des insomnies, ce n'est pas nouveau. La nouveauté, c'est que je me lève. Sans doute aurais-je dû t'en demander la permission. Souhaites-tu que je t'éveille plusieurs fois par nuit pour solliciter ton autorisation de me lever ? » Elle a soutenu que mes allées et venues contrariaient son sommeil. Je lui ai rappelé que j'avais envisagé plusieurs fois de dormir sur le divan du salon et qu'elle s'y était opposée. Ce petit match que je crois avoir remporté m'a fait du bien. Dès ma deuxième insomnie, je me suis hâté de me relever. Cette fois, elle n'a pas bougé. J'ai été déçu d'être privé d'une querelle qui aurait diverti mon angoisse. Je suis resté planté devant un miroir, me regardant. Je ressemblais aux vieilles gens dont, quand j'étais petit, l'apparition me frappait dans l'escalier de M. Barronnier, le patron de mon père, lors de la visite que nous lui rendions pour le 1er Janvier. Il habitait un appartement grand comme une église, l'escalier était plus large que celui d'une bouche de métro et dépourvu d'ascenseur. A partir du deuxième, chaque palier comportait un siège bien astiqué et tendu de velours. Je passais devant des vieillards assis et immobiles qui regardaient droit devant eux, en respirant, comme je regarde le miroir.

1er juin

Et demain, le dîner de famille ! Le sort abuse de ma patience parce qu'il la croit inépuisable.

III

Ce dîner était une corvée bénigne. On était content quand il finissait, mais on ne souffrait pas vraiment tant qu'il durait. Ces gens que, seul, un lien familial réunissait ne se sentaient pas si malheureux ensemble et la notion de corvée venait plutôt de l'obligation où ils étaient douze fois par an de sacrifier à la tradition.

M. et Mme Daubigné rassemblaient ces soirs-là Catherine, Marc, leur fils Nicolas, d'un an plus jeune que Catherine, et parfois la fiancée de Nicolas qui changeait souvent sans jamais réussir à rassembler les suffrages, sauf Paule, l'année précédente, qui avait convenu puis disparu aussitôt. Nicolas, après avoir renoncé à passer son bac, avait infructueusement tâté d'une école technique puis s'était déclaré photographe de presse, avait vécu quelques mois sur la certitude que sa carrière était faite à *Match* et, depuis un an, la sagesse ou la nécessité l'avait réduit à obtenir de son père une place de représentant dans la maison d'eaux minérales.

Les parents de Catherine dînant tôt, le rendez-vous avait été pris pour sept heures et demie. Quand elle entra dans le tabac, Marc n'était pas encore là mais elle tomba sur Gonzague. Il osa lui prendre la main et même caresser celle-ci.

— Alors, Marc et toi, vous vous séparez ?

— C'est lui qui a dit ça ?

Elle corrigea :

— Comment as-tu inventé ça ?

— Tilly loge à l'hôtel de Byzance.

Tilly, dont l'île ignorait toujours si son nom était un nom de famille ou le diminutif d'un mystérieux prénom, était une jolie fille de dix-sept ans (de quinze, peut-être) qui depuis quelques mois passait pour la petite amie de Gonzague.

— Ce que tu es con ! s'exclama Catherine, en admirant le naturel avec lequel elle mentait. Marc a pris une chambre à l'hôtel pour être tranquille. Il prépare un examen.

— Je t'observe.

— Dis-toi bien que, si je quittais Marc, ce ne serait pas pour te prendre, toi.

Encore en colère, elle le regardait et le trouvait charmant, mais elle aperçut Marc et se hâta de crier qu'il lui fallait se sauver en vitesse. Elle craignit, sans savoir pourquoi, de voir Marc et Gonzague ensemble.

Ce soir-là, la fiancée de Nicolas s'appelait Sabine, ce qui exaspéra Catherine qui avait toujours rêvé de posséder ce prénom, ayant supplié sans résultat ses parents, le jour de ses treize ans, de l'appeler désormais Sabine, et signant ainsi les rares articles qu'elle donnait à *Style et Loisirs*.

Contrairement à la précédente qui portait le blue-jean avec blouson de cuir, Sabine était fanfreluchante et plutôt endimanchée. Quant à Nicolas, sa barbe avait épaissi et il avait pris un parler épais et débraillé. Nicolas n'avait jamais beaucoup compté pour sa sœur, sinon parce qu'il était un garçon et qu'elle avait été satisfaite d'être élevée avec un garçon. Mais chaque détail blessait Catherine parce qu'elle craignait qu'il ne confirmât Marc dans la certitude qu'elle était indigne de lui. En temps ordinaire, elle était plutôt fière de sa famille, mais, depuis qu'elle avait adopté le regard qu'elle prêtait à Marc, elle avait honte de la lourde aisance de Nicolas, des petits gestes de la fiancée, des tentatives d'érudition de son père. Celui-ci ne résistait jamais au plaisir de glisser une citation latine. Il était très fier d'avoir fait du grec bien qu'il l'eût totalement oublié, y compris l'alphabet, et qu'un seul vers de *l'Odyssée* lui restât en mémoire, qui ne pouvait lui revenir que lorsqu'il avait bu un verre de trop. Il faisait surtout souffrir Catherine en conduisant la conversation vers les mêmes sujets à chaque dîner, trouvant moyen d'évoquer le temps où il était prisonnier, les ruses grâce auxquelles il avait été rapatrié, de railler la Légion d'honneur alors qu'il s'était donné beaucoup de mal pour l'obtenir et qu'il la portait sous la forme d'un ruban dont l'extrême minceur était censée démontrer son dédain et sa modestie.

Catherine considéra même sa mère avec sévérité, lui faisant grief d'une santé robuste, d'os solides et d'une manière de charger quand elle regagnait la cuisine pour rapporter un plat. Parfois, et à demi pour plaisanter, elle disait « mon gendre » en s'adressant à Marc et cette formule du théâtre de Labiche martyrisait Catherine. Celle-ci n'était pas moins sensible au fait que sa mère et elle faisaient le service alors que, dans le vaste et très sale appartement où la mère de Marc vieillissait, une bonne servait qui n'était ni portugaise ni espagnole, qui était vraie et appartenait à la famille depuis vingt ans.

Jamais Catherine n'avait été aussi sensible à ce qui distinguait les Daubigné, volontiers négociants ou petits industriels, des Esmelain qui depuis plus d'un siècle fournissaient à la France un tribut de hauts fonctionnaires dont la noblesse bourgeoise était plus exigeante que la vraie.

Chez Mme Esmelain, une cuisinière préparait un mauvais dîner, alors que chez les Daubigné le dîner était excellent mais portait ostensiblement la tare d'avoir été préparé par la mère de Catherine qui ne dédaignait pas qu'on l'en félicitât. Même Catherine avait honte du confort qui régnait chez ses parents quand elle le comparait au déclin hautain du séjour où Mme Esmelain finissait de régner. M. Daubigné était sorti de Centrale avant de bifurquer dans la vente des eaux minérales, mais Centrale visiblement n'était pas une école pour la famille de Marc, et les bifurcations professionnelles n'étaient considérées avec faveur que si elles consistaient à passer de l'Inspection dans la Banque, de la Carrière dans la Publicité, du Conseil d'Etat dans les Assurances, passages à haute altitude qui ne pouvaient évidemment pas être comparés à l'avatar d'un centralien travaillant au roulement de la S.N.C.F. et débouchant dans les bouteilles. Et, pour Catherine, son père était pénible quand il affectait de mépriser son ruban de chevalier de la Légion d'honneur, alors que, sans en parler, comme si cet ornement allait de soi, on portait dans la famille de Marc les rosettes en vrac, à l'occasion sur canapé. Bref, pendant ce dîner, Catherine souffrit, n'ayant pu retenir son mari par les sens, de ne pouvoir l'égaler socialement.

L'état de la grand-mère (la mère de M. Daubigné) fut abordé sans retenue. Même les quelques pudeurs de vocabulaire auxquelles on recourut lui parurent d'une abominable vulgarité et la firent rougir, et surtout l'entêtement avec lequel son père, après l'emploi du mot *tumeur* — déplacé à table —, crut poli d'utiliser *maligne* au lieu de cancéreuse. Autre douleur : Catherine, sans éprouver un goût effréné pour sa grand-mère, lui voulait plutôt du bien et avait du chagrin à savoir que la vieille dame, sans le moindre doute, allait mourir. Surtout elle était étonnée que son père ne fût pas plus bouleversé par la conversation qu'il venait d'avoir avec le médecin. M. Daubigné prenait en somme la mort de sa mère comme une chose très triste qui allait de soi à la façon des intempéries et des impôts. Une autre souffrance encore : Marc ayant décidé de divorcer, elle jugeait inconvenant que les secrets familiaux fussent répandus devant lui. Or, on en était venu à débattre d'un problème de politique familiale intérieure qui consistait à savoir si l'on devait approuver des interventions qui prolongeraient la vie de la grand-mère, donc ses souffrances, sans garantir un rabiot supérieur à quelques mois. Non seulement la présence de Marc était superflue, mais celle de la fiancée de Nicolas. Celle-ci fut pourtant catégorique :

— Ne pas tout faire, déclara-t-elle, c'est une façon hypocrite de pratiquer l'euthanasie.

— Dans une certaine mesure, dit Nicolas, l'euthanasie...

— L'euthanasie, coupa Marc, peut être considérée soit d'un point de vue religieux, soit d'un point de vue juridique, soit d'un point de vue...

— Je vais vous dire une bonne chose, asséna M. Daubigné en donnant de l'épaisseur à sa voix pour la faire triompher, l'euthanasie comme l'existence de Dieu, l'avortement, la peine de mort, la pollution, l'automobile, la torture, l'égalité sexuelle, la vivisection, est un sujet qui a le pouvoir de rendre imbéciles et entêtés des gens intelligents et ouverts.

A peine eut-elle le temps de trouver balourd le propos de son père et d'en avoir honte à cause de Marc que celui-ci éclatait de rire :

— Mais c'est très astucieux ce que vous dites. Vous avez drôlement raison.

— Mon cher ami, lança M. Daubigné avec l'autorité que confère le succès, de temps en temps vous voulez bien m'assurer que ce que j'avance n'est point trop sot et je vous en sais gré, mais à chaque fois vous me faites cette concession avec un air surpris qui me donne à penser.

Ayant marqué le coup, selon une expression de sa femme qu'il aimait à employer, il revint à son propos :

— Il serait intéressant de poursuivre l'énumération des sujets à éviter : l'éducation sexuelle, les juifs et, pour être juste, j'ajouterai l'emploi du latin à l'église, encore que pour ma part je puisse difficilement résister à soulever ce sujet et écouter mes contradicteurs avec la sérénité désirable.

— Vous n'êtes quand même pas partisan qu'on continue à jargonner du latin à l'église ? demanda la fiancée.

— Je me débrouillerai d'une manière ou d'une autre, cria M. Daubigné, dont la voix lorsqu'il se fâchait faiblissait et s'aiguisait comme celle d'une femme, mais il y aura du latin à l'enterrement de ma mère.

— Si tu en as envie, tu dois pouvoir obtenir ça, observa Nicolas dans un esprit de conciliation.

— Ce n'est pas si facile, coupa Mme Daubigné. Dans notre paroisse, ça soulèverait d'énormes difficultés. De toute façon, ajouta-t-elle en soupirant avec force, ce n'est pas ton père qui s'en occupera, ça retombera sur moi, j'en ai l'habitude.

— Au fond, ma mère n'a pas fait de latin et s'en fiche. Elle pourra s'en passer, mais pour moi j'y tiens.

— Pourquoi tenez-vous au latin ? demanda Marc.

— Pompidou a eu droit au latin, pourquoi m'en priverais-je ? Certes, j'éprouverais des sérieuses difficultés s'il me fallait traduire un texte latin de cinquième. Mais je m'en rappelle assez pour saisir des mots par-ci par-là et même des lambeaux de phrases, ce qui fait qu'à l'église j'écoute avec délectation des sonorités qui ne me sont point tout à fait étrangères puisque de temps à autre je saisis qu'il s'agit de pain, de ténèbres, de pâtres, d'anges ou de vanité et que néanmoins j'échappe au découragement que la connaissance littérale d'un texte qui est banal et ennuyeux ne manquerait de me donner.

— Vous êtes croyant ou pas ?

— Mon mari est libre penseur, s'écria fièrement Mme Daubigné, et moi, ajouta-t-elle, je ne suis pas très pratiquante.

— Je suis intégriste, mademoiselle, et vous saurez qu'il est rare qu'un intégriste soit croyant. C'est justement parce que je ne suis pas croyant que j'ai besoin des apparats, de l'encens, du latin, bref d'une liturgie, c'est-à-dire d'une mise en scène. Cette mise en scène me donne accès au sacré et me laisse l'illusion que je n'assiste pas à une ennuyeuse comédie, mais à la célébration d'un mystère traditionnel.

— C'est bien possible, trancha la fiancée, mais enfin vous conviendrez d'une chose : on ne parle pas latin en Chine. Alors ?

La question déconcerta M. Daubigné, ce qui gêna Nicolas parce qu'il se sentait responsable de la fiancée. Il lança une conclusion admissible par tous :

— Au fond, pour le latin comme pour d'autres choses, c'est à chacun selon son goût.

— Quant à vous, Marc, enchaîna Mme Daubigné, je suppose que, dans l'examen que vous préparez, le latin n'a guère de rôle.

Catherine, depuis le début du dîner, attendait l'instant où sa mère attaquerait pour en savoir davantage.

— En Sciences Politiques, répondit mollement Marc, on recourt à quelques formules latines mais les passages en langue anglaise se multiplient. Et l'on en vient à traduire, en note, le latin mais non l'anglais.

— C'est un signe des temps, dit M. Daubigné.

— Il y a six ans, vous aviez déjà préparé un examen ce me semble ?

Marc répondit que, de même que l'armée offrait aux officiers la possibilité de faire l'Ecole de Guerre pour améliorer leurs compétences et leur carrière, de même la banque offrait aux moins de quarante-cinq ans le moyen de devenir des cadres supérieurs. Il parla du centre d'études supérieures bancaires, de l'A.P.B., du C.P.A. ; précisa qu'il avait tenté le coup mais que son mariage l'avait détourné d'un labeur qui lui dévorait ses rares heures de liberté. Et puis brusquement l'idée lui était venue de préparer un nouveau concours, celui de l'agrégation de Sciences Politiques.

— Au fait, observa Marc, il est vraiment l'heure, si je veux potasser un tant soit peu, que je regagne mon havre.

Nicolas et la fiancée assurèrent que pour eux aussi l'heure était venue. Entre Catherine et ses parents, dès qu'ils furent tous les trois, un silence s'établit auquel mit fin Mme Daubigné en rappelant à son mari qu'il avait préparé dans son atelier de reliures de la colle ou quelque chose de ce genre et qu'avant de se coucher il devrait peut-être s'en occuper. A peine furent-elles seules que Mme Daubigné décréta :

— Tu as grossi et Marc a mauvaise mine.

Catherine passa un doigt sous sa jupe, inquiète d'avoir grossi. Elle tenta de protester, Mme Daubigné ajouta :

— On ne commence pas à préparer un examen au mois de mai. Garde tes secrets, ma fille, d'ailleurs je te connais, tu as toujours été comme ça, tu ne racontes que ce que tu veux perdre.

Catherine hésita entre une énergique dénégation ou une demi-confidence et se laissa aller à celle-ci :

— Je ne pense pas que ce soit grave. Il y a de petites salades entre lui et moi.

— Il t'a trompée ?

— Non, je ne crois pas.

— Et toi ?

— Moi non.

— Vous vous ennuyez ensemble ?

— Pas moi.

Mme Daubigné était à la fois contente d'avoir en un round très bref fait avouer à sa fille qu'il y avait un problème sérieux entre elle et son mari et déçue de n'avoir pu en saisir la nature. Elle se laissa déconcerter quand Catherine passa aux questions :

— Ça t'est arrivé de le tromper ?

— Qui ?

— Papa.

Mme Daubigné se tut puis, retrouvant son habituelle vigueur, elle asséna :

— S'il y a une chose qui me dégoûte, c'est les conversations de femmes. Entre une mère et une fille c'est encore plus dégoûtant.

— Alors, pourquoi me posais-tu des questions ?
— Tu veux savoir si j'ai trompé ton père ?
— Je te demandais ça parce que ça pourrait me permettre de mieux comprendre certaines choses qui me concernent en ce moment.

Mme Daubigné s'empara du plateau sur lequel étaient posées les tasses de café, le porta dans la cuisine en faisant trembler l'appartement, revint aussi vivement et, avant de s'asseoir, déclara avec des circonlocutions qui ne lui étaient pas habituelles :

— J'aurais parfaitement le droit de te dire que je n'ai jamais trompé ton père, car vraiment, si ça m'est arrivé une fois, c'est bien le bout du monde, et ça ne comptait pas.
— Ça t'est arrivé quand ?
— Tu devais avoir huit ans. Nous étions allés à la Bourboule pour la gorge de ton frère. Sans ton père. Toi, à l'époque, tu n'y as rien compris évidemment, mais, bien que ton père fût encore un peu jeune pour le démon de midi, il était tombé fou de sa secrétaire. Une gamine pas vilaine et assez vulgaire.
— Et tu le savais ?
— Ça se sait tout de suite.
— Telle que je te connais, tu as dû lui faire une vie terrible.
— En tout cas, nous sommes partis en vacances sans lui et le médecin de Nicolas que j'avais vaguement mis au courant de la situation pour obtenir une ordonnance de somnifères s'est beaucoup intéressé à moi. Je ne croyais guère dans ses sentiments, mais il est toujours agréable à une jeune femme d'être désirée, surtout quand son mari en désire une autre. Et voilà.
— Et papa l'a su ?
— C'est bien la dernière chose que j'aurais été lui raconter.
— Et la secrétaire ?

Avec ce style paysan dont il était difficile de savoir si elle le tenait de sa nature ou l'affectait, Mme Daubigné planta ses avant-bras sur la table, épaissit ses mâchoires et affirma :

— Elle voulait se faire épouser. Ton père en avait peut-être envie, mais il n'aurait jamais osé prononcer le mot divorce devant moi.

Catherine baissa les yeux. C'était la première fois que sa mère et elle pénétraient dans le labyrinthe des confidences et la question qu'elle allait poser lui semblait encore plus audacieuse que les autres.

— Après ça, pendant les années qui ont suivi, et même maintenant, je peux te demander comment ça s'est passé entre vous... du point de vue...

— Au lit ?

— Oui.

Sans doute prise par le vertige de l'insolite, Mme Daubigné ne rechigna pas :

— Progressivement, sans histoire, nous avons cessé de pratiquer ces relations. Moi, ça ne me manque absolument pas. Je m'en passe à ce point que je n'y pense jamais. Quant à ton père, je suppose qu'à travers toutes ses sorties dans les Amicales il trouve de temps en temps le moyen de courir les gourgandines. Grand bien lui fasse !

De l'époque où elle était étudiante, Catherine avait gardé l'habitude, voulant réfléchir, de marcher de long en large. Ce fut en marchant qu'elle demanda :

— Mais parmi les amies de ton âge, Mme Riberolle par exemple ou Mme Raviar, est-ce que tu as l'impression que leurs relations avec leurs maris...

— Tu te figures que nous traitons de sottises pareilles ? Nous avons toutes les trois de bons ménages solides. Nous jouons au bridge. Nous nous racontons nos vacances. Elles me parlent de leurs petits-enfants, car elles en ont, elles !

S'interrompant net, Mme Daubigné demanda :

— Catherine, tu n'as pas d'arrière-pensée ?

— Tu veux dire quoi, maman ?

— Tu tiens bon ? Tu ne rêves pas de faire une bêtise...

— Mais laquelle ?

— Dans ta situation, on ne sait jamais.

Le demi-sourire de Catherine inquiéta tout à fait sa mère et lui arracha un élan imprévisible :

— J'ai toujours eu les nerfs plus solides que toi, s'écria-t-elle, et pourtant !

Elle appuya ses mains au bord de la table et se souleva. La physionomie de cette femme était si peu disposée à refléter une émotion profonde qu'elle exprima d'abord la colère :

— A Brévinville, j'ai crocheté le secrétaire de ton père, je lui ai pris son revolver qui était chargé ! Et je suis revenue à Paris ! Je vous ai laissés tout seuls Nicolas et toi, malgré votre âge !

— Je ne me rappelle pas...

— C'étaient les vacances de Pâques, poursuivit Mme Daubigné d'une voix enrouée. Ton père était resté auprès d'elle. Je voulais me tuer ici, dans l'entrée, pour qu'il me trouve en rentrant de sa nuit. Puis je l'ai haïe, elle, et j'ai couru m'embusquer pour les guetter. Ils marchaient si près l'un de l'autre que j'ai craint d'atteindre ton père. Ils ont pris la voiture et je les ai suivis en taxi.

— Qu'est-ce que tu as dit au chauffeur ?

— Que je suivais ma petite sœur qui sortait avec un homme marié. La voiture s'est arrêtée devant la maison. S'ils étaient montés tous les deux chez nous, je les aurais tués. Elle est restée dans la voiture. Il est entré seul. C'était sur lui que j'avais envie de tirer. J'ai pensé à vous. Peut-être que je sentais que j'avais perdu la tête et que je cherchais une dérobade. Je suis rentrée à Brévinville.

— Et le secrétaire crocheté, qu'est-ce qu'il a dit, papa ?

— La nuit suivante, je vous ai réveillés en disant qu'il y avait un homme dans le jardin.

— Ça, je me rappelle, je l'ai vu par l'entrebâillement des volets, il était très grand avec une barbe !

— Et puis j'ai fait semblant de forcer le secrétaire pour nous défendre.

— Il n'y avait personne dans le jardin ?

Catherine se rappelait qu'après cette alerte subie avec terreur mais curiosité, elle n'avait pu se rendormir et que le lendemain, droguée par le manque de sommeil, elle avait erré dans son jardin qui avait cessé d'être protecteur et amical puisqu'il avait abrité la déambulation nocturne de l'ogre ; elle psalmodiait « Jardin, pourquoi m'as-tu fait ça à moi qui était ton aimée ? » en regardant sur un ciel d'orage glisser une mouette blanche comme les pommiers en fleurs. Qu'un même blanc vêtît un plumage et une floraison prouvait que la couleur mentait — comme le jardin.

— Si je t'ai raconté ces sottises dont j'ai honte aujourd'hui, c'est pour que tu réfléchisses avant de te laisser aller, Catherine !

— Pourquoi en as-tu honte ?

— Parce que cette histoire ne me ressemble pas !

— Elle révèle peut-être ta vraie nature.

— Ne raconte ça à personne, tu me promets, et surtout pas à Marielle ! D'autant que ce qui m'irrite le plus c'est que je n'arrive pas à comprendre comment j'ai pu être folle de ton père.

Catherine avait honte aussi. Elle regrettait que sa mère lui ait fait l'aveu d'une faiblesse. Petite, elle avait envié Marielle de posséder une mère douce et faible qui pleurait dans ses bras, mais elle était fière d'affronter, elle, une mère cuirassée. Que cette citadelle eût fondu pendant un instant la déconcertait péniblement. Quand elle était gênée, Catherine bâillait. Elle sourit pour se faire pardonner cette marque d'irrespect et invoqua sa fatigue.

— Es-tu sûre, Catherine, que tu n'as pas envie de me raconter ?

— Tu ne comprendrais pas.

JOURNAL INTIME DE M. DAUBIGNÉ

5 juin

La bonne nouvelle est arrivée à temps. Je me demande, si le verdict avait été ce que je redoutais, où j'aurais trouvé assez d'empire sur moi pour faire bonne figure pendant le dîner de famille. Cette épreuve n'est pas encore pour aujourd'hui. Le Dr Salvy a été réduit à m'ordonner un petit régime bénin et l'absorption de quelques spécialités. Il m'a serré la main amicalement. Je réintègre son vivier.

Explosion de joie de Germaine. Jamais elle n'avait cru au pire parce que j'avais un trop beau visage, etc. D'un air distrait, elle m'a demandé ensuite si Rose avait été heureuse d'apprendre le résultat des analyses. Piège. Je lui avais assuré qu'elle était la seule à qui j'avais confié mes inquiétudes. Je lui en ai renouvelé l'assurance. Pourtant sa physionomie s'est fermée. Elle a pris son temps pour se décider à poser sa question. Elle tenait à savoir ce qui se serait passé si l'on m'avait découvert une maladie grave et si j'avais été obligé de m'aliter. De fil en aiguille, elle en arriva à ce qui lui importe : avec qui, dans les bras de qui, mourrai-je ?

Pour la première fois, Germaine pousse, exige. Sur le chapitre de ma mort, elle est intraitable. Elle se la veut pour elle toute seule. Elle ne se contente pas de promesses. Il faudrait que j'annonce à Rose que je ne mourrai pas dans sa compagnie.

Depuis vingt-trois ans que nous nous pratiquons quotidiennement, Germaine, tout en se plaignant et en s'indignant souvent, ne m'a jamais mis au pied du mur. C'est la première fois que je reçois un ultimatum. A noter que Rose, non plus, n'a jamais poussé, ne m'a pas exaspéré. Donc je n'ai pas trouvé le sursaut qui m'aurait donné l'élan de la quitter. De sa part, cela peut passer pour une malice suprême. Germaine, en ne m'exaspérant pas, a commis une erreur suprême : je ne l'ai pas épousée. Aujourd'hui elle se révolte et ce n'est pas pour obtenir de vivre avec moi mais que je meure avec elle.

Je hais Rose, ce qui est sans doute une façon de l'estimer. Je plains trop Germaine pour la haïr jamais. Or, Germaine n'est peut-être pas plus à plaindre que Rose. Mais je n'ai rien pu contre la souffrance sociale que Germaine endure, sinon m'affliger et discourir. Je préférerais la vie de Germaine à celle de Rose à qui je ne donne que des leurres, mais la pression sociale est aussi forte que stupide et une femme de quarante et un ans qui n'a jamais été mariée, qui est la maîtresse d'un homme marié, se voit dans le regard des autres comme une irrégulière. La difficulté pour une femme de vivre irrégulière tient à ce qu'elle a besoin de l'approbation des autres. Je ferais volontiers des vœux pour le M.L.F. s'il pouvait imposer ses vues sinon à tous, du moins à Germaine qui se délivrerait d'une gêne qui gâte son existence même dans nos moments brillants, par exemple quand je concentre tout mon pouvoir-fric pour l'emmener dans un très bel hôtel à Cannes ou à Taormine. Je la crois quand elle constate que, la vie d'une irrégulière lui plairait-elle, il lui est impossible de la mener sans en souffrir dans le milieu où elle navigue. Elle s'imagine très satisfaite de son sort dans la peau d'une irrégulière qui fréquenterait des artistes, des écrivains, une aristocratie indifférente aux conven-

tions de la petite bourgeoisie, mais dans son immeuble, à son bureau, auprès de sa famille, elle est freinée constamment par la morosité du regard social. Elle en vient à penser que, pour avoir le droit d'être une irrégulière, on a le devoir d'être exceptionnelle. Après avoir lu un article annonçant un livre d'Edmonde Charles-Roux sur Coco Chanel, elle m'a dit : « Jeanne d'Arc, George Sand, Cleo de Merode, Coco Chanel, Simone de Beauvoir avaient le droit d'être des irrégulières, pas moi », et c'est aussitôt après qu'elle a exigé que, pour mourir, je lui appartienne. Ravir son amant à la femme légitime au moment où il traverse l'épreuve ultime lui semble par l'extraordinaire de l'entreprise un privilège assez rare pour justifier l'irrégularité d'une union. Au lieu de se voir comme la voient les autres, elle s'identifie avec les héroïnes romantiques qu'elle aime, celles qui fuient en emportant sous leur bras la tête coupée de leurs amants.

Le dîner de famille a eu lieu, aussi inutile et aussi ennuyeux que les précédents. Je bouillais quand je me rappelais la flèche finale de Germaine qui a soupiré que je devais être bien heureux de rassembler toute ma famille autour de moi ! Nicolas était escorté d'une bourrique qui passe les précédentes en niaiserie et en culot. Rose n'avait d'yeux que pour Marc. Elle avait attendu ce dîner avec gourmandise, espérant satisfaire sa curiosité. Elle imagine déjà Catherine divorcée. Evidemment, je ne peux pas croire que Marc couche à l'hôtel parce qu'il prépare un examen. Je suppose qu'il a trouvé ce prétexte pour être un peu tranquille et un peu seul. Naturellement, Rose voit dans cet événement la vérification de ses prévisions. Je crois, moi, que Marc a besoin de solitude, ce qui le fait remonter dans mon estime. C'est un snob qui suit aveuglément le règlement de sa coterie et vote pour Krivine et Mitterrand tout en faisant des vœux pour Giscard, mais ce besoin de solitude prouve qu'il a tout de même une nature. Il a eu le tort de ne pas se prévoir un violon d'Ingres libérateur comme la reliure et il est obligé d'inventer un examen peu plausible dont il ne pourra guère user plus de quelques semaines ou quelques mois.

Dès le début du dîner, je me suis demandé si je les persécuterais ou non avec mes souvenirs de guerre. Il est vrai que j'éprouve un certain plaisir à les raconter, d'autant que je les ai arrangés au cours des années et qu'ils sont parvenus à une forme qui me convient. Comme je les connais par cœur, ils me procurent l'avantage d'être tranquille pendant que je les récite et de penser à autre chose. Ce qu'aucune de ces brutes ne remarque, c'est que mes récits ne tendent jamais à me mettre en valeur, bien au contraire. Je prive mes actes de tout prestige en m'en moquant moi-même et en entraînant les autres à s'en moquer. Et les autres oublient que c'est moi qui leur fournis des armes contre moi et s'en servent naïvement et croient me prendre en flagrant délit de ridicule alors que c'est moi qui leur offre ce régal. Cela ne me déplaît pas parce que j'aime subir les injustices et éprouver du ressentiment, ce qui m'a permis de supporter Rose. Mais je me garde de leur raconter les souvenirs qui me tiennent à cœur, par exemple la mort, à côté de moi, de Romier à une date, le 18 juin, qui a fait de moi un ennemi personnel de celui qui ce jour-là se prélassait devant un micro.

La nouvelle bourrique de Nicolas m'a pris à part pour me tancer : « Si à tort ou à raison vous êtes pour le latin à l'église et que vous ne faites pas enterrer votre mère en latin, c'est que vous n'aimez pas votre mère. » C'est du Rose tout craché : elle fait des cadeaux aux gens sans se préoccuper de ce qu'ils aiment mais de ce qu'elle aime. Elle m'a gâché nos rares voyages à l'étranger en passant frauduleusement des devises et des produits ; ce trafic excitait son plaisir alors qu'il m'empoisonnait, ce que je ne dissimulais pas. Le voyage fini, ce qui me mettait hors de moi, c'était la prétention de Rose d'avoir droit à mes remerciements et à mes félicitations, toute faraude de m'avoir fait gagner

X francs, incapable de voir que je préférais, à X francs, mon repos. Occupées d'elles-mêmes, Rose et la bourrique sont incapables d'imaginer l'autre. Rose aura passé sa vie auprès de quelqu'un qu'elle a pris pour moi.

Pendant ce dîner, en revanche, Marc m'a moins déplu que d'habitude. Je lui ai trouvé du naturel. Mais si j'en crois Rose qui se vante d'avoir « confessé » Catherine après le dîner, je risque de le perdre assez vite. C'est bien ma chance.

IV

— Catherine, tu as eu combien d'hommes avant moi ?

Les lumières s'éteignaient dans la salle ; le serveur poussait sa serpillière sur le carrelage jusqu'entre les pieds des derniers clients.

— Jonathan souhaite qu'on s'en aille, observa Catherine.

Dans la rue, un vent bien aiguisé incitait à marcher vite. Catherine invita Marc à venir prendre chez eux le dernier verre. Ils se retrouvèrent assis auprès de la table ronde, comme naguère, et Marc répéta :

— Tu en as eu combien ?

Elle remua imperceptiblement les lèvres, puis récapitula en comptant sur ses doigts.

— Avec Riquet, il y en a eu cinq... non six.

Elle leva les yeux sur lui.

— C'est plus que tu ne croyais ?

— Est-ce que tu m'as trompé ?

— Jamais depuis notre mariage.

— Et avant ?

— Quand je t'ai connu, il y avait Riquet. J'ai eu du mal à le détacher de moi. Ça m'a pris deux ou trois mois.

— Riquet, vous étiez ensemble, il ne compte pas. Mais à part lui ?

— Une fois. Un mois avant notre mariage. Dans un train, la nuit. C'était absurde. Toutes les filles, ou la plupart, ont des souvenirs de ce genre-là.

— Tu en as d'autres, de ce genre ?

— Oui, j'ai un autre souvenir qui me surprend. Trois mois avant que nous nous connaissions. Avec un de mes professeurs.

Il n'avait pas touché à son verre ; sa cigarette se consumait dans le cendrier. Il attendait les mains posées à plat sur les genoux.

— Marc, je tombe de sommeil...

C'était vrai, mais, surtout, elle avait envie de souffler, de réfléchir avant de poursuivre la confidence de souvenirs inconfortables. Elles se compara à ces personnages de Corneille qui interrompent l'action pour monologuer et considérer, en l'état où ils sont, et ce qu'ils hasardent et ce qu'ils poursuivent. Au lycée, elle avait beaucoup aimé Corneille, puis s'était désintéressée de lui quand elle avait constaté qu'il n'avait pas cours parmi les gens qu'elle fréquentait.

— Tu as ressenti avec d'autres hommes des impressions fortes et tu as eu tort de croire que le mariage les interdisait.

— Que dois-je faire ?

— Pour commencer, me raconter en détail les souvenirs que tu m'avais cachés.

— Tu ne me posais pas de questions. Tu croyais que je commençais ma vie en te rencontrant.

Elle éclata d'un rire tranchant et frais qui exaspéra l'attention de Marc.

— Ce mec dans le train...

— Pas ce soir, Marc !

— Le professeur, si tu préfères.

— Marc, je tombe de sommeil.

— Bonne nuit, alors !

Elle se détourna et écouta claquer la porte. A peine couchée, elle constata qu'elle était aussi agitée qu'endormie. Elle se releva pour absorber un somnifère qui multiplia sa fatigue sans calmer son agitation. Pour la première fois, elle avait l'impression de comprendre ce que Marc attendait.

Elle devenait un espace où les idées se mouvaient à grande vitesse, se relayant ou s'associant avec une précision acrobatique. Elle avait déjà savouré cet inquiétant plaisir lorsque, à une veille d'examen, il lui était arrivé d'absorber des amphétamines. Elle lisait, sous ses paupières fermées, un récit de l'événement-wagon-lit où les passages faits pour passionner Marc étaient en lettres italiques.

Ce train roule entre Paris et Nîmes où Marc a invité Catherine pour Pâques. Les voyages en chemin de fer ont toujours plu à Catherine ; elle apprécie particulièrement les wagons-lits et elle goûte le sien en regrettant seulement de ne pas partager ce plaisir avec Marc. Le wagon-restaurant est peu animé, elle s'assoit à une table déserte, mais, aussitôt après, un jeune homme se lève et vient prendre place à côté d'elle. Il lui confie d'une voix éraillée et moqueuse, avec une parfaite autorité, qu'il est satisfait de dîner auprès d'une jolie nénette.

Ce garçon est petit, très trapu, chevelu. Son visage a de la finesse mais les expressions de sa physionomie, toutes dures et cyniques, l'alourdissent. Elle a remarqué qu'il a de jolis yeux, et d'affreux ongles carrés, sales, mal coupés. Il somme Catherine de reconnaître que rien ne peut être plus excitant pour une bourgeoise que *se donner à un truand de rencontre.*

Il évoque le temps qu'il a passé en maison de correction, sa récente arrestation suivie d'une mise en liberté provisoire. Le serveur leur a fait deux additions séparées qu'il pose sur la table. Faute de monnaie, elle sort de son sac un billet de cent francs et le truand, comme si la chose allait de soi, pousse son addition sur le billet. Sans oser protester, Catherine, furieuse d'avoir contre son gré invité à dîner ce voyou, et plus inquiète encore que furieuse, se lève. Le garçon se lève et s'écarte. Il traverse derrière elle le wagon-restaurant.

Elle hâte le pas, poussant les portes, trébuchant dans les soufflets, impatiente de retrouver l'abri du wagon-lit qui est heureusement proche. Quand elle y pénètre, le couloir est désert. A enjambées maladroites, elle parvient jusqu'à sa cabine, met la main sur la poignée de la porte et se sent enlacée. Elle jette d'abord un cri, puis des protestations, ne réussit qu'à faire face à l'ennemi qui continue de la tenir dans ses bras en lui assurant qu'ils ne peuvent pas se quitter comme ça.

Elle ne peut éviter les baisers *autoritaires et profonds du garçon qui lui relève la jupe*. Elle meurt de *honte* à la pensée que le conducteur du wagon-lit ou un voyageur peut à chaque seconde les surprendre.

Au bout d'un raisonnement qui est le produit de son éducation, elle juge préférable que la scène inconvenante ait lieu à l'abri des regards, dans le secret de la cabine. De sa main libre, elle en ouvre la porte. A peine entré, il la referme, puis, comme Catherine tente d'argumenter, commence de la déshabiller. Elle cesse de se défendre. Pendant qu'à son tour il se dévêt, elle enfouit son visage dans ses bras et, les yeux fermés, honteuse et consentante, savoure *l'attente du sacrilège.*

Il a un corps d'un blanc gris qui n'est hâlé qu'aux bras et autour du cou. Plusieurs sacrilèges se perpétuent puisque l'acte qui se déroule profane non seulement *son union avec Marc mais le respect qu'elle a d'elle-même.* Elle tente d'échapper, y réussit presque, ce qui lui vaut, outre des injures *méprisantes*, des claques retentissantes qui durent, atteignant tout son corps jusqu'à la fin d'une possession qui a tourné *au viol.* Je subis un viol, se dit-elle.

Après s'être rhabillé à une vitesse étourdissante, le petit truand, sans même refermer la porte derrière lui, disparaît comme un songe. Quelques heures plus tard, quand sur le quai de la gare de Nîmes Catherine est tombée *dans les bras de Marc*, elle n'a même pas été effleurée par le projet de lui confier sur-le-champ ou plus tard l'aventure dont elle a été *victime.* Depuis lors, combien de fois l'a-t-elle évoquée pour elle-même ? Il est impossible de savoir combien de fois on a mobilisé un souvenir. En tout cas, elle ne l'a pas chassé de sa mémoire. Maintenant, elle découvre que malgré la honte qu'elle en garde ou à cause d'elle et bien que ce souvenir la fasse souffrir, elle ne regrette pas que l'événement ait eu lieu.

Elle bondit de son lit, ouvrit la lumière, trouva une feuille de papier, commença d'écrire, écrivit très tard et s'endormit sans vouloir imaginer l'heure qu'il pouvait être.

Elle fut éveillée au téléphone par une voix qui ne lui était pas inconnue. Elle ne put l'identifier, comme il arrive souvent quand on entend pour la première fois au bout du fil quelqu'un avec qui on est habitué à un contact direct. Mal éveillée, frissonnante de fatigue, les paupières douloureuses, Catherine déconcertée par la voix fut au bord de la nausée. La voix déclara qu'elle était celle de Me Duthieu-Lavige.

Celui-ci fut obligé de répéter ses explications. Il en ressortait que Marc étant allé chez lui signer son refus de réintégrer le domicile conjugal, Catherine devait maintenant expédier sa requête en divorce.

— Il faudrait que cette semaine vous passiez à mon cabinet. Vous la lirez. Vous verrez si les termes vous conviennent. Naturellement, les griefs que vous y énumérez contre votre mari sont fictifs. Il faut inventer un peu pour maquiller le consentement mutuel, vous comprenez ?

— Vous êtes sûr que Marc est allé signer cette chose chez l'huissier ?

— J'ai reçu la pièce. Elle est dans le dossier. Je vous la montrerai. Alors, quel jour pourrions-nous nous voir ?

Puisque Marc, sans le lui avouer, s'était hâté de commettre le premier acte de belligérance, elle rivaliserait de vitesse avec lui. Elle obtint un rendez-vous pour l'après-midi même et raccrocha.

La rue était mouillée par une pluie froide. Catherine, qui avait oublié de remonter sa vitre, dut essuyer son siège. Par distraction, elle brûla un feu rouge et, en se rangeant dans la cour, elle érafla légèrement son aile. Provisoirement, il avait été entendu entre elle et Marc que celui-ci lui laissait l'usage de la voiture, quitte à la lui demander à chaque fois qu'il en aurait besoin. Elle décida de la lui rendre.

Le bureau était bondé. Tarzan, qui les jours de pluie troquait sa casquette contre un vieux chapeau imperméable de terre-neuvas, protestait contre le poids du colis qu'on lui avait confié, assurant qu'il n'était compatible ni avec le règlement syndical ni avec l'équilibre de sa bicyclette. Strauss critiquait la mise en pages de son dernier papier dont la lecture était rendue déplaisante par cinq tournes éparpillées sur trente pages. Assis dans le fauteuil de Catherine, Pilon l'académicien racontait l'article qu'il avait envie d'écrire sur la forêt de Fontainebleau et Marielle, tout en se querellant au téléphone, réussissait à répondre à tout le monde, ce qui fit presque sourire Catherine qui savait quel plaisir de vanité son amie tirait de ces petites scènes où elle se donnait l'illusion d'être une grande patronne de presse dans un film américain.

En cinq minutes, Marielle réussit à liquider ses visiteurs, y compris l'académicien. Elle fit signe à Catherine de s'asseoir.

— J'ai à te parler.

— Si j'ai oublié quelque chose ou si je l'ai raté, je t'en prie, ne me fais pas une scène aujourd'hui. Je suis à bout.

— En effet, tu as une sale gueule, mais je n'ai pas l'intention de te persécuter.

— Tant mieux !

— Tu te rappelles que j'allais demander à Alavoine une augmentation ? J'ai eu raison de ne pas le faire.

Il est en train de se passer dans la revue des événements énormes.

Elle baissa la voix :

— François-Ier m'a téléphoné avant-hier.

La revue appartenait à un groupe dont le siège se trouvait rue François-Ier et le nom du roi s'était substitué aux initiales de la société (C.P.G.A.).

— Je te passe les détails, poursuit Marielle. Bref, ils voulaient me voir. J'ai d'abord été reçue par Mme Hallain, très aimable. Puis, comme une mère supérieure sondant la vocation d'une novice, la voilà qui me demande si j'ai vraiment le goût de mon métier et si, au cas où je me marierais, je ne me hâterais pas de tout plaquer. Je lui ai dit la vérité : je ne peux pas m'imaginer autrement que passionnée par un travail. Elle m'a alors assuré que cette réponse confirmait l'opinion qu'elle s'était faite de moi et m'a introduite dans le saint des saints. M. Riésinger m'attendait debout derrière son bureau. Avec lui, pas de pluie et de beau temps. Il m'a annoncé que, d'autres responsabilités devant être confiées à M. Alavoine, il se demandait si, au lieu de faire appel à un nouveau rédacteur en chef, le plus simple ne serait pas que j'occupe les fonctions laissées vacantes. Pendant une première étape, le nom d'Alavoine resterait sur le générique et j'occuperais les fonctions sans avoir le titre. Je ne pourrai pas déjeuner avec toi comme convenu, ils m'ont invitée chez Francis, place de l'Alma.

— Et Alavoine ?

— Il passait déjà rue François-Ier pour s'occuper des albums touristiques, je crois qu'on le limitera à ce service-là. Je ne sais s'il est au courant, mais ça ne saurait tarder, car Mme Hallain a précisé que j'occuperais son bureau dès le mois prochain.

— Tu vas me laisser toute seule ?

— On se verra autant. Et je te ferai augmenter puisque tu occuperas une partie de mes anciennes fonctions. D'ailleurs, ces histoires de bureau c'est du provisoire.

Nous sommes destinées à nous installer avec les autres rue François-Ier.

— Dans ce building !

— Ça ne se fera pas avant un an. Et ne parle de cette histoire à personne. Surtout pas à Alavoine.

Deux coups timides, et le petit visage potelé d'Yvette apparut. La moindre émotion creusait deux fossettes dans les joues de la jeune fille.

— Excusez-moi, madame Esmelain, mais je descends de chez M. Alavoine qui m'a dit qu'il vous attendait.

— Allez, vas-y ! dit Marielle.

Dans le couloir, Catherine sentit qu'Yvette s'attardait et cherchait son regard comme si elle avait quelque chose à lui dire. Yvette se décida brusquement :

— Ce matin, je suis arrivée la première ; je suis montée comme d'habitude déposer son courrier sur le bureau de monsieur Alavoine et je l'ai trouvé endormi sur le canapé. Il avait passé la nuit là. Peut-être qu'il est malade ou qu'il lui est arrivé quelque chose. Ça m'a retournée.

Le menton bleui d'Alavoine confirmait la supposition d'Yvette et Catherine troublée n'arriva guère à concentrer son attention. Elle comprit enfin qu'Alavoine s'indignait du titre d'une des rubriques et s'étonnait que Catherine ne partageât pas son émotion.

— Mais, monsieur, vous savez bien que tous les mois nous sortons un dossier à propos d'un élément d'ameublement ou de décoration. Le mois dernier, ça s'appelait le dossier des meubles de jardin ; le mois d'avant, le dossier des lampes, et ce mois-ci...

— Le dossier des chaises !

— Mais puisque ce dossier concerne les chaises...

— Le sens du ridicule vous aurait-il désertée ? Je frémis à la pensée des énormités qui sortiront dans cette revue dès que je n'y serai plus. Bref, trouvez-moi un autre titre qui ne soit ni dossier de chaises, ni pieds de chaises, ni...

— Ah j'ai compris ! Le dossier des chaises en effet !

Et personne ne l'avait remarqué ! Le mieux c'est que je titre : *Le dossier : « chaises »*.

Il approuva, mais, au lieu de mettre fin à l'entretien, il écarta l'un des battants de la porte-fenêtre. Ne sachant si elle devait s'en aller, rester sur place ou le suivre, Catherine attendait.

— Venez voir le beau chat !

Catherine le rejoignit sur la terrasse. Un chat d'un noir touffu était juché assez haut sur le marronnier voisin. Le ciel était bas et uniforme ; il bruinait et les frondaisons mouillées avaient foncé.

— La nuit, dit Alavoine, il y a une vie sauvage dans ces jardins.

Alavoine évitait si constamment de regarder ses interlocuteurs dans les yeux que Catherine frémit quand elle reçut son regard en plein visage.

— Il y a longtemps, poursuivit-il en baissant la voix, que je me demande si dans ces herbes et ces buissons il y a ou non des serpents.

— Des serpents ! En plein Paris ?

Il s'approcha d'elle. Elle n'osa pas reculer.

— J'en ai acheté.

— Qu'est-ce que vous avez acheté ?

— J'ai acheté des serpents quai de la Mégisserie. Des orvets. Cette nuit, je les ai projetés dans le jardin.

Catherine avait battu en retraite dans le bureau. Machinalement, elle tapotait ses cheveux que la pluie avait mouillés.

— Il y en a un qui m'a échappé. Je me demande s'il est resté ici.

— Ici ! cria Catherine en inspectant le tapis autour de ses pieds.

Alavoine en se rasseyant lui sourit :

— Ce n'est pas méchant du tout un orvet. C'est comme un lézard, seulement ça n'a pas de pattes. Les mammifères sont horrifiés par les êtres qui n'ont pas de pattes, sauf s'ils vivent dans l'eau. Qui a tapé l'interview de Maurice Raye ?

— Yvette, monsieur.

— Admirez vous-même !

Catherine parcourut du regard le paragraphe qu'Alavoine avait coché. Maurice Raye évoquait, à l'époque des débuts de David, la crise qui s'était ouverte entre deux manières de peindre selon que la couleur ou le trait fût privilégié. Un coup de crayon indigné soulignait le début de la phrase suivante : « La compétition de la peinture et du destin... »

— Alors qu'est-ce que vous en dites ?

La révolte lui donna la voix d'un homosexuel. Catherine prit le parti de faire semblant de comprendre. Sans trop se compromettre, elle secoua la tête.

— Dans un texte clair, serré, rigoureux, qu'Yvette ait pu lire *destin* au lieu de *dessin*, cela prouve que même une primaire comme elle a été submergée par le pathos de la critique moderne qui met des structures et des métaphysiques partout.

Catherine approuva :

— En effet, destin au lieu de dessin...

— Voilà où nous ont menés les Malraux ! Ces charlatans noient leur ignorance et leur insensibilité sous le destin et une dizaine de mots aussi vides. Que le mal ait atteint jusqu'à Yvette, voulez-vous savoir ce que ça prouve ?

— Oui, monsieur.

— Ça prouve que les temps sont révolus !

Il se leva, agita ses lunettes et déclama en souriant :

— Meurs, tu ferais pour vivre un long et vain effort.

— C'est de Corneille, dit Catherine.

— Ah tout de même !

Il la congédia avec le sourire bienveillant qu'on adresse à un enfant précoce.

Elle traversa le bureau en veillant à ne pas mettre le pied sur un serpent et descendit l'escalier, perplexe. Elle trouva Tarzan et Yvette qui débattaient avec Marielle du comportement d'Alavoine.

— Je le connais depuis des bails, exposait Tarzan,

vu qu'il y a plus de quinze ans que je suis ici, ça a fait quinze ans en janvier, et qu'à mon arrivée il était déjà là, on aurait dit depuis toujours. Je n'ai jamais eu à m'en plaindre, ni lui de moi. Pour vous dire, nous nous estimons. Même, au temps où j'apportais ma gamelle pour le midi, il venait causer. Je lui offrais un verre de vin qu'il acceptait.

Yvette parut surprise qu'on pût entreprendre une véritable conversation avec Alavoine.

— De quoi pouviez-vous bien causer ? demanda-t-elle.

— Politique. Pas la politique d'aujourd'hui qui n'est guère intéressante, celle de dans le temps. On avait des souvenirs.

— Mais vous êtes communiste vous, monsieur Tarzan ! observa Marielle.

— J'ai d'abord été S.F.I.O. et puis pivertiste avant d'aller au Parti. M. Roger, lui, est de droite. Ça n'empêche pas que dans notre jeunesse, lui et moi, on a vu les mêmes choses et qu'il y a du plaisir à en causer alors qu'avec les jeunes du Parti qui n'ont rien vu de tout ça, ils sont bien gentils mais il n'y a pas de conversation. Pareil pour le sport, un jeune, je la lui montre cette photo du temps que j'étais coureur cycliste, je suis dans le petit coin à gauche, normal qu'il ne me reconnaisse pas avec quarante ans de moins, mais les deux du devant, un jeune ça ne lui dit rien même si je lui dis leurs noms.

D'un gros portefeuille de marocain, il avait sorti une photo qu'il donna à contempler à son auditoire.

— Tandis que M. Roger, il a tout de suite reconnu Leducq et Antonin Magne. Ce qui prouve bien, ajouta-t-il en remettant la photo dans le portefeuille, que des trucs pas ordinaires comme cette nuit, ça ne ressemble pas à M. Roger. Pour moi, il aura eu un coup de pompe et se sera endormi sur le tas.

— Il est resté pour jeter des serpents dans le jardin d'à côté. Il y en a un qui s'est sauvé et qui est caché dans le bureau.

Perdant sa réserve, Yvette trépigna :

— Moi, je ne veux plus y monter, dans le bureau !

— C'est un orvet, dit honnêtement Catherine.

— Ce n'est pas méchant, un orvet, assura Tarzan, ça mange la vermine, c'est utile à l'agriculture, et M. Roger il aime beaucoup les plantations. Il m'a même dit une fois : moi je porte chance aux arbres. C'est pour le bien du jardin qu'il y a mis des orvets.

Les différences hiérarchiques — cela frappa Catherine — s'étaient effacées entre eux parce qu'Alavoine avait commis un acte insolite. Leur entente s'était formée contre le pouvoir inquiétant de l'anormal. Retrouvant son empire habituel sur les événements quotidiens, Marielle mit fin à la séance. Elle confia à Tarzan un dossier à porter d'urgence à François-Ier et interrompit les entrechats d'Yvette toujours obsédée par l'orvet en lui assurant que les petites bêtes ne mangeaient pas les grosses. Dès qu'elles furent seules, Catherine posa la question qui la démangeait.

— Tu ne crois pas, Marielle, que Alavoine a déjà appris qu'il va changer de poste, perdre son bureau et ses arbres et que... c'est ça qui le travaille ?

— En tout cas, ça ne nous regarde pas.

— Tu es vache. Tu oublies que tu étais entrée ici comme secrétaire et que c'est lui qui t'a fait grimper.

Marielle se leva. Elle avait éclaté d'un rire assez artificiel. Elle ébouriffait les mèches de Catherine en prolongeant son rire qu'elle interrompit net pour déclarer :

— C'est Alavoine qui m'a faite ce que je suis parce que je lui suis utile. Grâce à moi, ce paresseux n'a plus grand-chose à foutre. En outre, si tu veux des détails, sache que pour me proposer de devenir son adjointe, ce qui doublait mes appointements, il m'a invitée à déjeuner au *Decameron*...

— Où est le mal ?

— Nous sommes revenus à pied par la rue du Bac.

Il m'a expliqué qu'il était content de m'avoir fait plaisir et que je serais sûrement contente, moi aussi, de lui faire plaisir en montant prendre un verre avec lui.

— En montant où ?

— Cet hôtel je te l'ai montré ; il n'a pas d'enseigne, les volets sont toujours fermés.

— La maison de rendez-vous ?

— Oui.

— Et alors ?

— Alors il a eu ce qu'il voulait. Tu comprendras que je ne me sente tenue à aucune gratitude envers lui. Nous avons joué chacun notre partie et je ne vais pas pleurer lorsqu'il a perdu la sienne.

Marielle se détendit, posa une fesse sur le bureau de Catherine et sourit comme quelqu'un qui est amusé par un souvenir.

— C'est un drôle d'être : moi, il m'avait mise toute nue et lui il était resté habillé en gardant même son manteau. Il ne tourne pas rond. Bon, maintenant au travail, ce matin on n'a rien fichu !

Jusqu'à l'heure du déjeuner, Catherine fut assez absorbée par son travail pour réussir à chasser le souvenir du coup de téléphone de l'avocat. Mais au trouble qu'elle éprouva en se rappelant que Marielle déjeunait chez *Lipp* avec les gens de François-Ier elle se sut incapable d'assumer la solitude d'un déjeuner et se demanda avec une vraie angoisse comment elle occuperait les deux heures qui la séparaient du moment où les bureaux retrouveraient vie.

Elle suivait la rue du Bac, sans but, sous une pluie infime et tiède. Plutôt que de traîner dans ce quartier qu'elle connaissait trop familièrement, l'idée lui vint, puis le projet, de visiter à pied les alentours de la Madeleine où s'écoulait une grande partie de la vie de Marc. Le métro la déposa à la Madeleine. La même pluie inconsistante l'attendait. Catherine s'arrêta d'abord devant la façade blême et costaude de la banque où travaillait Marc. Puis la pluie tourna à l'ondée, obligeant Catherine à se réfugier sous un porche. Elle attendit sans penser. Elle regardait les visages et les vêtements des passants et écoutait bruisser les voitures sur la chaussée humide.

V

Marc n'aimait pas son métier. Il lui arrivait de déjeuner ou de prendre un verre avec l'un ou l'autre de ses collègues de la banque, mais il évitait ceux qui ne pouvaient se dispenser de ressusciter le bureau, soit par le détour de petits ragots touchant aux tics de travail ou le plus souvent à la vie privée aussi bien des directeurs que des huissiers, soit en reprenant la discussion de problèmes professionnels. Garuel, avec qui il déjeunait, présentait un autre inconvénient : tous les quinze jours à peu près, il infligeait à Marc un repas pendant lequel, à tout propos, il revenait sur la guerre d'Algérie.

Tous deux s'étaient connus pendant leur service militaire dans un régiment de blindés où ils étaient aspirants. Garuel appréciait son frêle galon alors que Marc boudait, n'aimant ni commander ni obéir. A tout prendre, il préférait recevoir les ordres que les donner, l'absence de responsabilité lui laissant l'esprit libre. Or, le temps que ses fonctions lui laissaient pour rêver librement, il en passait une partie à ressasser son échec à l'E.N.A., consacrant le reste aux tourments que lui infligeait Mine. Celle-ci, de Paris, lui écrivait tous les jours pendant un mois, puis se taisait pendant trois semaines, exigeait un rendez-vous téléphonique difficile à obtenir et s'absentait au moment de l'appel, quitte à envoyer le lendemain un télégramme d'amour qui défiait la pudeur des postes. Elle apprenait la comédie au cours Simon, couverte de copains et en butte aux attentions de ceux qui pouvaient prétendre à l'aider dans sa carrière. Les circonstances ne s'y seraient-elles pas prêtées que Mine y aurait suppléé, étant née infidèle. Au fond d'un poste, ligoté par les épines des barbelés, dans sa jeep, assommé par le vent, au mess, lorsqu'il s'attardait le dernier devant la table, Marc avait passé une année à se demander ce qu'il advenait du corps de Mine au moment où il l'évoquait. L'Algérie que Garuel effleurait obstinément avec des phrases qu'il ne finissait pas, n'était pas celle de Marc.

Le restaurant qu'ils pratiquaient était bruyant et rapide comme une cantine. La cérémonie se déroulait vite. Tous deux l'accomplissaient en prenant un café au comptoir du tabac voisin. Il était rare que Garuel, entre deux souvenirs, n'arrivât pas à glisser :

— Ce pauvre X, il faut convenir qu'il y croyait dur comme fer dans son Algérie française, il n'était d'ailleurs pas le seul et peut-être que dans une certaine mesure, au fond, les choses auraient pu...

Marc n'avait pas la charité de l'interrompre pour lui épargner la peine de laisser sa phrase en suspens. Sans y avoir beaucoup réfléchi, il savait que son camarade le recherchait faute d'un autre auditeur : dans une société qui tenait à oublier qu'elle avait fait une guerre en Algérie, Garuel qui ne l'oubliait pas ou ne pouvait pas l'oublier, soit que ses souvenirs le gênassent, soit qu'il les chérît comme ceux de la seule aventure qu'il eût vécue, avait besoin de Marc. En Algérie, leur amitié avait été factice, due à une formation commune qui les avait habitués aux mêmes mots de passe, mais, dès qu'une conversation se prolongeait entre eux, l'ennui apparaissait. Pourtant, c'était toujours avec un élan cordial que Marc apercevait la gueule triste de Garuel. Tous deux se croisaient assez souvent dans les couloirs de la banque ; ils se serraient la main sans s'arrêter en se lançant « bonjour vieux », « ça va vieux ? ». Pour être agréable à Marc, leurs relations auraient dû se borner à ces brefs et chaleureux contacts de camaraderie pure.

L'averse avait cessé. Le ciel s'éclairait, prenant de seconde en seconde une intensité, comme un ciel de théâtre. Il se reflétait avec éclat sur la chaussée encore liquide.

— Il faut que je me taille, dit Marc.

En sortant, il entendit Garuel commander un demi-pression. D'habitude, ils prolongeaient leur tête-à-tête en buvant de la bière au comptoir. Mécontent de lui-même, mécontent des autres, Marc réprouva la qualité de la lumière qui se répandait sur la ville. Le ciel déchiré se répartissait en tranches d'un bleu criard, en masses de nuages bruns et livides entre lesquelles le soleil dardait quelques rayons acérés qui allumaient sur les toits des feux blancs, aveuglants et, selon Marc, vénéneux.

Petit enfant, il haïssait la ville parce qu'il en avait peur. Le moindre morceau de campagne le rassurait. Il avait été pris de peur quand il avait découvert que la ville était dans sa totalité un produit des hommes et d'hommes qui l'avaient faite ainsi avant qu'il naisse, la lui imposant, définitive comme une prison. La chambre où il était né donnait sur une mer de zinc hérissée par des cheminées. Dans l'appartement couraient en se tordant des tuyaux pleins d'eau et de gaz. D'emblée, tout métal lui avait fait horreur. Or, à Paris, le métal emprisonnait jusqu'aux velléités de végétation, se dressant en tuteurs pour cuirasser les arbres des avenues, ondulant en arceaux pour emprisonner les pelouses des jardins publics. D'ailleurs, Marc se méfiait des arbres et des herbes de la ville qui avaient tous été voulus et installés par les hommes, comme tout le reste, d'où son émotion quand le hasard lui permettait de rencontrer entre deux pavés un brin d'herbe ou au bord d'un caniveau une tache de mousse qui étaient nés tout seuls et survivaient malgré ceux qui étaient chargés d'appliquer le plan d'abstraction tyrannique conçue par la société.

Ayant obliqué par la rue des Mathurins, Marc se laissa attirer par les feuillages du square Louis XVI. Ce square lui paraissait moins triste que les autres parce qu'il était consacré à la tristesse, entourant des monuments voués au souvenir de suppliciés. Sa mélancolie était justifiée.

Les jardins publics sont des salles d'attente. Certains adultes essaient de lire, quelques enfants de jouer ; une toute jeune fille récite sa leçon à une compagne qui suit sur le livre. Le vieil homme au regard vide qu'une forte femme en blouse blanche dépose tous les jours sur une chaise et vient récupérer une heure après, incarne pour Marc la vocation de ce lieu qui est consacré à l'écoulement du temps. De même qu'on prend place dans un véhicule pour aller d'un point à un autre dans l'espace, de même on prend place dans un square pour aller d'un point à un autre dans le temps. Tous les hôtes d'un square, ou presque, savent précisément le nombre d'heures ou de minutes dont ils attendent la fuite.

Les pesants rayons de soleil qui frappaient les pelouses soulevaient une buée où l'odeur de la végétation se concentrait, mais Marc ne s'y trompait pas : issue d'herbes et de feuilles domestiquées, cette odeur n'était pas celle de la campagne. S'il était un lieu où Marc mesurait l'erreur qu'il avait commise en se destinant à des métiers prisonniers de la ville, c'était bien en cet enclos où le chœur des moteurs automobiles déchaînés sur le boulevard Haussmann matraquait le chant des oiseaux.

Il n'avait pas encore huit ans que sa mère lui avait déjà imposé son destin professionnel. Elle ne lui avait laissé le choix qu'entre le Conseil d'Etat, la Cour des Comptes, l'Inspection des Finances, la Carrière (diplomatique). Parfois, elle avait admis que Marc « fasse »

Polytechnique et qu'il « sorte » dans les Eaux et Forêts, ce qui lui permettrait d'épouser ensuite un château. Il avait donc été poussé dans un couloir qui conduisait à Sciences Po et aboutissait à l'E.N.A. qui venait d'être fondée. Il s'était laissé canaliser. Il disait : « Quand je serai à l'E.N.A. » Il n'y entra jamais. Il n'y fut pas même admissible. Quand il alla au service de placement des Anciens Elèves de Sciences Po, il aperçut une dernière fois le jardin inaccessible de l'Ecole Nationale d'Administration. On le plaça dans une compagnie d'Assurances; sa mère l'en sortit pour l'introduire dans une banque où l'un de ses frères avait des relations. Cette intervention avait été la dernière de Mme Esmelain dans la vie de son fils.

Bien que Marc se voulût assez à gauche, il avait été sensible au prestige romantique de la Banque, cette vieille aventurière à qui la société du XIXe siècle avait donné le champ libre. Mais entre ce qu'il avait lu, ce qu'il avait entendu dans la bouche de son père et de ses oncles et les tâches auxquelles il fut astreint, l'écart fut pénible. Depuis la guerre, les banques d'affaires étaient devenues des banques de dépôt. Marc avait erré de service en service. Il avait fini par revenir dans le premier qui, si déprimant qu'il fût, lui semblait plus proche de la vie. Il avait même fini par se faire une sorte de spécialité dans l'étude des obtentions de crédit. Ainsi avait-il l'impression de participer aux aventures des entreprises qui, sollicitant des crédits, se trouvaient dans une position assez hasardeuse pour risquer de se les voir refuser. Mais il n'avait aucun pouvoir de décision et se considérait lui-même comme un voyeur résigné.

Il ne s'était jamais relevé de son échec à l'E.N.A. et, si Mai 68 l'avait précipité chaque nuit dans les rues, aidant à couper les arbres et à dépaver les chaussées, c'est qu'il s'était fait de cette émeute l'image d'une insurrection contre l'E.N.A. Il s'en voulait surtout d'avoir à ce point cédé au prestige de cette école que, repoussé par elle, il s'était résigné aussitôt à un sort médiocre, alors que certains de ses camarades moins impressionnables avaient présenté des concours plus faciles et mené des carrières ambitieuses à la limite de l'administration et de la politique. Mais le temps était passé pour Marc de réagir et à quarante et un ans il lui fallait admettre de toujours continuer à faire la même chose avec la perspective d'obtenir le poste de son chef dans dix ans, puis de prendre sa retraite comme sous-directeur ou directeur d'une petite succursale.

Les yeux baissés, Marc suivait l'allée centrale du jardin. Cet ami de la nature anarchique avait besoin de l'ordre ou, ce qui équivaut, de l'illusion de l'ordre. A travers sa vie, il voulait trouver le beau visage de l'unité. Il fallait que, quinze ans plus tôt, son échec à l'E.N.A. eût été non point fortuit mais significatif. Au contraire de ses camarades, pour la plupart obnubilés par leurs études et puceaux, il avait choisi de préférer une passion à un concours. Il avait négligé de préparer son accession à une caste parce qu'il était fait pour d'autres prisons, dont la première avait été construite par Mine. Cette frêle Eurasienne aux muscles ronds, aux fesses très profondément fendues, avait l'art du toucher et regardait à travers des yeux allumés par un égoïsme qui ne lui appartenait pas en propre, qui semblait lui avoir été transmis par une mystérieuse secte femelle. Auprès de cet être qui tenait du chat, du piano, de l'escroc, Marc en sept ans n'avait pas connu l'ennui un instant. En la quittant, il n'avait pas quitté une femme, il avait abdiqué une partie de lui-même comme qui renonce à un sport ou à un art auquel il se croyait voué. En mai 68, parce qu'elle avait l'odeur du quartier en émeute, Catherine en quelques minutes lui avait rendu le pouvoir de subir une passion. Il avait fait tout le travail lui-même et inventé une fille qui l'éblouissait parce qu'elle était un mélange bien dosé de ruse et de témérité, d'instinct et de pudeur, de règles et de déraison. Un discours de de Gaulle avait apaisé l'émeute. Le spectacle de Catherine au milieu de ses parents, puis de Catherine en vacances au bord de la mer, avait exterminé toute illusion, et Marc s'était résigné à pratiquer un métier qu'il n'aimait guère auprès d'une femme qui le décevait mais qu'il s'était habitué à aimer beaucoup. Quelques mois plus tôt, alors qu'elle passait une semaine de vacances toute seule en Tunisie, Catherine n'avait pas répondu à minuit à un appel téléphonique dont ils étaient convenus. Son car avait été retardé par une inondation, mais Marc, pas un instant, n'avait imaginé un contretemps banal. Il l'avait vue morte. Il n'avait pas imaginé non plus qu'elle pût s'être attardée dans le lit d'un autre, ce qui n'aurait pas manqué à l'époque de Mine. La mort de Catherine lui avait été écrasante, intolérable. Au terme d'une nuit passée au téléphone, Marc rassuré s'était inquiété : cet amour profond qu'il venait de découvrir, c'était le gâcher que de le laisser languir sans le porter à ses extrêmes.

En ce moment, les yeux toujours baissés, Marc tentait de parvenir à une vision harmonieuse de sa vie : de même qu'à vingt-cinq ans, il avait méprisé une carrière-parmi-les-autres pour une aventure unique, de même à quarante ans, s'il perdait ses journées dans une banque sans saveur, c'était pour maintenir toute son attention sur la conduite d'une passion.

— Est-ce que je te dérange ? demanda Catherine.

— Mais non...

Il ajouta :

— Pas le moins du monde.

— Si tu as le temps, je m'assierais bien.

Du bout des doigts, ils effacèrent sur les chaises quelques traces de pluie et s'assirent l'un à côté de l'autre, face aux deux lycéennes. Sur leur gauche, le gâteux sortant de son immobilité s'était mis à faire des ronds dans les graviers avec le bout de sa canne.

— Si l'on pouvait additionner, dit brusquement Catherine, tout le temps que perdent les êtres humains à dessiner des ronds par terre, à faire couler du sable d'une main dans l'autre, à former des boulettes de mie de pain, à pianoter sur les tables, je suis sûre que...

Elle rougit aussitôt et balbutia :

— C'est presque par hasard que je t'ai rencontré. Je n'avais pas faim, j'ai préféré faire un tour et j'ai choisi ton quartier, enfin celui où tu es dans la journée.

Elle ajouta qu'elle l'avait vu au moment où il entrait dans le square, n'osant pas avouer qu'elle l'avait suivi rue Tronchet et rue des Mathurins et qu'elle l'avait tendrement regardé marcher ; il marchait lourd et raide comme un vieux et d'un pas sec pourtant, comme certains vieux qui ont des principes, donc émouvant comme un enfant — pour peu qu'on l'aimât.

— Drôle de quartier, dit Marc. Une fois, à l'époque où il y avait encore les autobus à plate-forme, j'avais comme voisin un pompier. Nous étions accoudés à la rambarde et il commentait les édifices devant lesquels nous passions. Sous un seul angle : celui de l'incendie. Je me rappelle que c'était le Grand Palais qui avait excité le plus son émotion à cause de la verrière. Il paraît que, lorsqu'elle vous fond sur la tête, c'est sensationnel. Moi, ce quartier-ci, c'est sous l'angle de la banque que je le considère. De la banque, de la finance, des hauts sommets du droit. Il est limité par la Cour des Comptes, rue Saint-Honoré, le Conseil d'Etat dans son Palais royal, la Madeleine qui ressemble à la Bourse, Saint-Augustin où l'on enterrait les banquiers du siècle dernier et les marquises que les petits épargnants ont relayées pour gonfler nos dépôts. Quand je le parcours, je rencontre presque à chaque pas les proues ou les flancs de banques illustres aussi bien boulevard Haussmann que rue de La Ville l'Evêque. A tel point que j'ai du mal à admettre que la chapelle expiatoire de ce square n'est pas le fruit d'une spéculation bancaire.

— Et toi, demanda-t-elle, tu n'as jamais eu envie d'aller traîner un peu dans le quartier qui est le mien, dans la journée ? Rue du Bac ?

— Je t'imagine. Je te vois trottant avec Marielle vers

un restaurant ou un bistrot, ou poussant jusqu'à la rue de Sèvres pour regarder les magasins.

Une des deux lycéennes s'était penchée pour ramasser par terre, derrière le banc, une multitude de petits objets qui s'étaient échappés de sa serviette ; la flexion de son corps le révélait sous l'auvent de la jupe plissée. Le regard de Marc resta posé sur la jeune fille tant que celle-ci conserva cette position.

— Tu l'as désirée ?

— J'ai éprouvé un plaisir teinté de mélancolie par l'impossibilité de l'assouvissement.

— Pourquoi n'aurais-tu pas voulu ? Parce qu'elle n'a même pas quinze ans ?

— Pendant que je regardais cette petite, j'imaginais que c'était toi qui te penchais pendant qu'un couple d'inconnus te regardait.

— Marc, tu m'es fidèle ?

— Bien sûr.

— Et tu me voudrais infidèle ?

— Mais obéissante.

Il ajouta d'une voix unie, comme si la proposition allait de soi, que Catherine pourrait profiter des toilettes du square pour y retirer des dessous superflus. Catherine se leva, apparemment disposée à obéir, mais encore hésitante. Il insista d'une voix devenue sourde et précipitée, en gardant les yeux baissés. On eût dit qu'il tirait un plaisir étouffé de l'emploi des mots *culotte* et *déculotter* qu'il répéta sans nécessité. Il releva les yeux quand Catherine se rassit.

Il examinait Catherine à qui son air buté donnait un air enrhumé, rosissant son nez ; une rosée pareille à un vernis s'était répandue sur la superficie de ses yeux, se dissipant vite pour reparaître à chaque battement de cils ; sa lèvre inférieure s'était allongée comme celle, pensa Marc, de ces demeurés que l'on aperçoit dans les villages alpins, assis sur un muret, les jambes pendantes et la physionomie hébétée. Quel jeune veau ! se dit-il. Sa conclusion le surprit : je l'aime. Mais au fait, pourquoi ? se demanda-t-il dans la même seconde, tout en classant la question comme inintéressante parce que dépourvue de réponse.

— Catherine, je t'ai demandé de...

— J'ai été éveillée par la voix de notre avocat. J'ai appris que, sans m'en parler, tu avais reçu un huissier, tu avais signé les papiers et, cet après-midi, j'irai en signer. Je t'obéis en divorçant. Ça suffit pour aujourd'hui.

Marc garda le silence un moment, puis déclara que Catherine devait s'en remettre à lui pour la conduite des événements. Il se tut parce qu'elle pleurait.

Il la regarda silencieusement. Enfin il lui saisit la main et, d'une voix qui allait plus vite que sa pensée, qui trébuchait :

— Catherine, ma petite chérie, si tu veux, on arrête ce divorce, on y renonce. Ne va pas chez l'avocat, je lui téléphonerai, ne pleure plus...

Elle fit non avec la tête. Avec entêtement elle répéta son refus. A la fin, elle prononça d'un ton qui, malgré les larmes, était assez ferme :

— Ce qui est dit est dit.

C'était elle maintenant qui était devenue un spectacle pour la collégienne qui, à voix basse, commentait avec sa camarade les larmes adultes qui coulaient. Le soleil qui infligeait à la végétation une touffeur malsaine fut tout à coup effacé ; le ciel se drapa. Une pénombre plus violette qu'obscure enveloppa le jardin d'une clarté métallique qui exagéra les verts. Marc et Catherine subissaient ensemble ce changement de l'atmosphère.

Dans les squares, la contrainte de la vie urbaine se manifeste à certains moments. Il est des heures qui dépeuplent et d'autres qui introduisent de nouveaux hôtes dans la parenthèse. Un peu avant qu'un déclic fît sonner deux heures aux différentes horloges des alentours, un mouvement se produisit. Des fuites, lentes puis pressées, se multiplièrent. Les deux collégiennes avaient donné le signal. Encore qu'il ne fût pas question de mener à aucun travail le vieillard gâteux et décoré, la forte femme en blouse blanche s'en vint le chercher, sans doute parce que dans son programme elle considérait deux heures comme un chiffre rond. Les enfants subsistaient, continuant de courir. Marc et Catherine se levèrent.

— Il faut que tu y sois à quelle heure ? demanda Marc.

— Tu vas être en retard, dit-elle, dépêche-toi.

— Je ne veux pas te laisser, déclara Marc.

Elle avait hâte d'être seule, sans désir et sans moyen d'employer sa solitude. Elle s'impatienta. Ils se quittèrent. En échange d'une fuite docile, Marc avait obtenu un rendez-vous à huit heures au bar des Sirènes, dans l'île Saint-Louis.

A peine seule, Catherine fut confrontée avec le temps. Deux heures et demie étaient à épuiser avant qu'il fût légitime de s'avancer à la rencontre de l'avocat. Il n'était pas question d'aller travailler. Elle décida d'entrer dans le premier cinéma venu et, en le cherchant, de trouver dans un café un téléphone qui lui permît de prévenir Marielle de sa fugue. Le café où elle pénétra et à l'intérieur duquel elle descendit pour parvenir à s'enfermer dans la cabine téléphonique était plein d'êtres humains qui comme dans le square attendaient. Leurs regards étaient vides ; les uns laissaient passer Catherine avec une indifférence effrayante, comme si elle était transparente, les autres la déshabillaient. Elle arriva frémissante dans la cabine. Elle savait qu'elle venait de perdre ce que le mariage lui avait apporté : une assurance dans le comportement quand elle pénétrait dans un lieu où les regards avaient des droits. Le projet du divorce n'avait changé ni son visage ni son comportement et les regards des hommes auraient été semblables un mois plus tôt. Oui, mais je les aurais interprétés autrement. Ce ne sont pas les événements qui importent, mais l'opinion qu'on s'en fait. Après avoir obtenu Marielle et récolté en l'honneur de l'avocat une permission de l'après-midi, Catherine, tout en sachant qu'il était sot d'employer le truchement du téléphone pour tirer des confidences d'une personne avec qui on partage ses journées, ne put s'empêcher de lui demander :

— Ça t'a fait quoi, quand tu as divorcé ?

A vingt ans Marielle s'était mariée pour divorcer dix-huit mois plus tard.

— C'était pas tellement drôle, répondit Marielle, pas tellement pénible non plus. C'était bizarre. Nous étions d'accord tous les deux pour savoir qu'il n'y avait rien de mieux à faire.

— Je voulais dire, dans ton contact avec les gens, est-ce que ça t'a changée ?

— Je m'étais déjà un peu prise au sérieux en me mariant et le divorce m'a donné la certitude que j'étais très intéressante. D'ailleurs, tu m'as beaucoup admirée.

Quand Marielle s'était fiancée, Catherine avait jugé prodigieuse la vitesse avec laquelle la jeune fille avait fait la conquête d'un mari et, par la suite, elle avait accueilli la nouvelle du divorce avec faveur parce qu'elle était agacée qu'un être humain osât exercer une autorité sur Marielle. De même, le matin, elle avait vraiment souffert d'apprendre sans ménagement comment Marielle s'était soumise aux exigences d'Alavoine.

L'image de la nudité de Marielle humiliée par le paletot d'Alavoine lui revenait, la poursuivait. Elle l'associa à celle de Marc imprimant son regard sur les cuisses de la collégienne inclinée et, du coup, prit en telle horreur l'érotisme qu'elle s'écarta des deux premiers cinémas rencontrés sur son passage parce que les photographies qu'ils exposaient heurtaient la pureté. Elle se répétait qu'elle était bête et que ce genre de film était à la mode, donc innocent, mais rien n'y fit et elle finit par plonger dans une salle où était projeté un film manichéen où des apprentis révolutionnaires se purifiaient dans la praxis ; l'incendie de la centrale électrique était assez bien venu et la poursuite en voiture où le pauvre chien est écrasé très réussie, mais Catherine s'impatientait. Elle avait hâte de se trouver en présence de Me Duthieu-Lavige.

Dans le métro, elle bénéficia de correspondances rapides. Elle arriva en avance rue des Nonnains, devant l'immeuble bien banal où habitait l'avocat. Elle en profita pour gravir l'escalier à pied.

Catherine sonna et une vieille femme de chambre en tablier blanc lui ouvrit sans la regarder, l'introduisit dans une antichambre qu'écrasait une tapisserie rustique du XVIIIe, puis dans un salon bien sombre encombré de meubles anciens et médiocres. Aux murs étaient suspendus des étains et des portraits bitumés, apparemment de famille. En face de Catherine, sur une console Louis-Philippe un peu bancale, régnait un bronze qui représentait le triomphe de Bacchus. Le dieu était vautré dans un char pansu, retenant du bout des doigts un sceptre enguirlandé de pampres. Pour tenter de lui plaire, les femmes qui grouillaient autour du char lui emplissaient des coupes, lui tendaient des grappes de raisins et des couronnes de fleurs pendant qu'entre les pattes des lions traîneurs du char folâtraient des amours. Au-dessus du dieu, bien noire encore que jaunie sur les bords, une gravure représentait un avocat en robe descendant les marches du Palais.

La morosité du lieu était ponctuée par le grésillement d'une pendule XIXe dont le cadran était chevauché par Chronos armé de sa faux ; Catherine conçut pour la première fois son divorce comme une entreprise piquante qui élargissait son avenir. L'état de jeune divorcée lui parut aussi délicieux que celui de Célimène. La componction du salon lui donna un brusque goût de l'impertinence et, avant même que le projet s'en fût formé, elle l'exécuta, se dépouillant d'une culotte et d'un collant qu'elle enfouit dans son grand sac de sport. Ainsi elle niait la solennité du salon et celle des formules juridiques que Duthieu-Lavige ne manquerait pas d'assener.

Réservant ses blousons et ses blue-jeans pour ses

virées dans l'île, celui-ci apparut vêtu d'un complet gris fer, d'une chemise blanche et d'une cravate gris souris. Il serra la main de Catherine avec un sourire de circonstance et la fit entrer dans un bureau qui était la réplique du salon. Il commença à parler, un dossier ouvert devant lui où il puisait des feuillets, remettant à chaque fois ses lunettes quand il voulait donner lecture d'un extrait à Catherine. Parfois il poussait la bonne grâce jusqu'à moquer lui-même le jargon de cette procédure.

— Il y a le franglais, murmurait-il avec le sourire d'un homme qui se sait supérieur aux circonstances et daigne se satisfaire lui-même de son esprit, on parle toujours du franglais, mais il n'y a pas de nom pour le mélange de mauvais latin et de mauvais français qui forme le langage judiciaire.

Il avait repris son exposé. Catherine n'écoutait pas. Cher Maître parlez toujours, moi, je suis nue sous ma jupe. Quand après lui avoir fait signer en plusieurs exemplaires un texte dactylographié il la raccompagna à la porte, elle eut envie, et faillit vraiment le faire, de lui demander s'il était vrai qu'il fût homosexuel et qu'un an plus tôt il eût tenté de se suicider en l'honneur d'un jeune écailler du Quai de la Tournelle. Du fond de l'appartement parvenaient les cris d'enfants qui se poursuivaient en tournant sans doute autour d'une table.

Chez l'avocat, où les fenêtres étaient étouffées par des couches de rideaux, Catherine avait eu l'impression que le temps s'assombrissait et elle cilla en retrouvant la rue, tant la clarté du jour la surprit. Il ne restait plus que quelques gros nuages blancs et paisibles dans un ciel dont le bleu était devenu doux et honnête. Ce qui persistait d'humidité donnait une certaine épaisseur à l'air et la chaleur aurait même été lourde sans des sautes de vent dont l'élan augmenta quand Catherine parvint sur le pont Marie. La jupe écossaise était d'une laine très légère qui frissonnait et laissait filtrer les mouvements de l'air. A chaque pas, Catherine ressentait sa secrète nudité. C'était la première fois que cette femme raisonnable, sans qu'un être particulier l'eût émue, avait envie de se donner.

Quai Bourbon, elle fit quelques pas dans l'ombre tiède des platanes, puis se décida à entrer dans un petit café auvergnat où elle était connue. Dans l'île, elle n'avait nul besoin du mariage pour se sentir à l'aise et sûre d'elle ; elle s'y sentait chez elle et en famille, comme tous les autres insulaires pour peu qu'ils eussent deux ou trois années d'ancienneté ; les regards dont elle avait souffert dans le café du IXe arrondissement ne l'auraient pas dérangée dans ce bistrot de village où, accoudée au comptoir, elle téléphonait. En outre, comme le ciel, Catherine avait changé d'humeur et il ne lui déplaisait pas de rencontrer un désir obtus dans le regard du livreur qui buvait du blanc à l'autre extrémité du comptoir. Au bout du fil, Mme Mercédès s'exclamait que Mlle Catherine avait de la chance : grâce à une décommandation, Bruno serait libre dans deux minutes.

Elle gagna l'immeuble du XVIIe qui abritait l'institut Sanus Ludovicus et monta l'escalier à pied, non par choix comme chez Me Duthieu-Lavige, mais faute d'ascenseur. Son escalade précipitée lui rappelait celles de ses douze ans, mais le plaisir que lui donnaient les battements de sa jupe était adulte.

— Mais, madame, ça fait un temps fou qu'on ne vous a vue, s'exclama Mme Mercédès. Qu'est-ce qui vous est arrivé ? Justement ce matin on parlait de vous, etc., etc.

Elle avait dit *madame* et non le traditionnel *mademoiselle.* Jusque-là, bien qu'elle sût Catherine mariée, elle avait respecté une survivance de jeune fille dans ce que l'autorité de Catherine avait de trébuchant, d'acide, de mal proportionné aux circonstances, dans un excès de dignité facilement sur ses gardes, un inachevé, des curiosités de marmotte et toujours une propension aux fous rires haut perchés. Cette double nature de jeune fille et de jeune femme avait pour la première fois cessé d'être reconnue par Mme Mercédès.

Catherine examina son image dans la glace murale, cherchant les signes qui avaient orienté le jugement de l'observatrice. Semblable à beaucoup de ses sœurs, elle avait dès l'adolescence attendu son destin de l'homme ; elle était habituée à s'évaluer dans le regard des autres et à cultiver les apparences qu'elle croyait favorables ; le narcissisme aiguise l'observation et l'analyse. Un appel impatienté du masseur la secoua.

— Le mieux c'est que je me déshabille ici, s'écria-t-elle en entrant dans le box de massage, ça ira plus vite.

Elle cherchait maintenant ce qu'elle était dans le regard de Bruno qui, lui ayant déniché un cintre, se laissait aller à un bavardage apparemment anodin, mais, comme celui de Mme Mercédès, riche peut-être en signes secrets. Il la regardait de ses yeux ronds et dorés, nonchalant comme toujours et l'air grognon.

VI

A presque toute heure, la rue Le Regrattier est déserte. Mais sa solitude n'inquiète pas. Si l'on s'attarde, on voit un amateur d'estampes en apporter une à encadrer ou deux écoliers jaillir d'un portail. L'établissement du bar des Sirènes, un an plus tôt, n'avait pas altéré le calme de la rue. Les Guilbeaud, qui n'étaient pas originaires de l'île, avaient successivement visé et manqué la clientèle des riches snobs le plus souvent étrangers qui depuis une vingtaine d'années s'installaient dans l'île, celle d'une bourgeoisie plus anciennement insulaire, puis celles des touristes, des traîneurs de bistrots, des peintres et des gitans. Le succès n'aurait pu venir que d'un certain dosage de toutes ces clientèles tel qu'il existe à travers l'île dans presque chaque immeuble. Depuis quelques mois, les patrons déconcertés avaient cessé d'imprimer une direction à leur entreprise et, comme un canot abandonné à lui-même se place parfois dans le courant, le bar marchait un peu mieux et, certains jours, le mélange favorable était sur le point de s'équilibrer. Les successives ambitions des patrons étaient décelables dans le décor où les épais velours, les franges de fil d'or, les encadrements de miroir faussement Louis XIV, essayaient de s'entendre avec quelques tableaux des peintres de l'île, une ardoise où des poivrots érudits soutenaient une compétition dans la contrepèterie et des nappes en papier.

Quand Marc poussa la porte du bar, celui-ci était assez obscur et presque silencieux, n'étant peuplé que par Catherine et Mme Guilbeaud qui, bien qu'elles fussent seules, chuchotaient. Catherine, qui était juchée sur un tabouret, trouva pour accueillir Marc un sourire énigmatique qui n'était pas dans sa manière. Marc la considéra avec attention, retint une question, puis commanda un double whisky.

— Je suis claqué.

Debout à côté de Catherine, il se mit à boire à petites gorgées très rapprochées. Mme Guilbeaud avait disparu dans un réduit qui lui servait de cuisine pour préparer son plat du jour, le bar donnant un peu dans la restauration.

En détail, Catherine décrivait l'appartement de Duthieu-Lavige. Marc fut surpris que la physionomie de cet appartement ait plus frappé la jeune femme que les opérations de procédure auxquelles elle avait participé. Il remarqua dans le cendrier plusieurs mégots alors que Catherine d'habitude fumait peu et, dans son verre, du whisky, ce qui à cette heure ne lui était pas habituel.

— Avec un peu de retard, dit-elle, je t'ai obéi.

Elle tint soulevée sa jupe un moment pour que, malgré la pénombre, il vît.

Comme son verre était déjà vide, Marc de temps en temps dérobait une gorgée à celui de Catherine, écoutant gravement celle-ci raconter son après-midi. Les rares questions qu'il posait avaient toujours pour objet de faire analyser par Catherine ce qu'elle avait ressenti pendant les moments culminants. Elle s'exécutait avec complaisance, plus émue par un récit que suivait un auditeur passionné qu'elle ne l'avait été en vivant les événements.

— Et voilà, conclut-elle. Bruno m'a déposée devant le bar.

Pendant le silence qui suivit, la physionomie de

Marc n'exprima plus rien qu'une réflexion poussée. Puis, avec le ton d'un professeur qui commente une copie, il posa en principe la règle du jeu : elle devait trouver son plaisir à obéir comme il trouvait le sien à être obéi. Or, au square Louis XVI, elle avait refusé d'obéir à un ordre et, en l'exécutant ensuite dans le salon de l'avocat, c'était une initiative qu'elle avait prise de même qu'en se dévêtant en présence du masseur.

— Mon après-midi t'intéresse bien !

— Oui, mais nous devons jouer serré.

La porte fut culbutée par un doberman qui remorquait un gros vieillard rose aux cheveux blancs. Le couple qu'ils formaient était fameux dans l'île. L'animal connaissait par cœur le parcours alcoolisé de son maître, diplomate anglais en retraite, et conduisait celui-ci, sans coup férir, dans les cinq bistrots qui jalonnaient les dix minutes accordées au maître pour promener le chien qui était également dressé à tirer sur sa laisse dès qu'une station se prolongeait un peu trop. A la manière dont la porte s'était ouverte, Mme Guilbeaud avait reconnu sir Wardth et, sachant le peu de temps imparti par sa femme à l'ancien ambassadeur pour effectuer son tour de piste crépusculaire sous prétexte de sortir Mercure, elle jaillit de son réduit, jongla avec un verre et une bouteille de Pernod. M. Wardth le but comme d'habitude ; en sortant, l'air encore plus frais et plus rose, il croisa Gonzague qui sans doute se trouvait devant la porte depuis un instant, hésitant, comme à son habitude, à entrer.

— Aujourd'hui, demandait Catherine, si ça m'arrivait, comment prendrais-tu une histoire comme celle que j'ai eue en wagon-lit ?

— D'abord je voudrais la savoir.

Elle tendit à Marc les feuillets qu'elle avait posés sur le tabouret voisin.

— J'ai rédigé le compte rendu cette nuit.

Silencieux, le front appuyé sur la main, il dévora les trois pages, revint en arrière, relut certains morceaux.

C'était tout juste s'il ne cochait pas des passages et ne mettait pas des notes en marge. Le regard de Catherine avait rencontré celui de Gonzague. Un sourire lui vint lentement comme une envie d'éternuer. Gonzague la regardait de tous ses yeux, déconcerté par un sourire que Catherine elle-même sentait insolite.

— Madame Guilbeaud, dit Marc, je voudrais un autre whisky, s'il vous plaît.

Catherine lui montra le dos du dernier feuillet.

— Tu n'as pas lu ce petit rajout que j'ai fait tout en bavardant avec Mme Guilbeaud.

Marc se saisit du feuillet et lut : « A la fin, mon petit truand a été déconcerté parce que, en réponse à chaque claque qu'il me donnait, je lui donnais un baiser. J'appliquais le procédé du professeur. »

— Le professeur ! Vas-y !

Il avait crié. Gonzague qui rêvait devant son verre en tressaillit. Catherine jouissait d'une maîtrise d'elle-même qui la frappa par sa nouveauté. En baissant la voix, elle raconta comment, à l'occasion d'un exposé, un prof de la Sorbonne, qui avait son nom dans le *Who's who,* l'avait invitée à venir travailler chez lui.

— Ça devait être en février, trois mois avant que je te rencontre...

— Vas-y ! J'écoute.

Elle avait été prise au dépourvu par l'agression du professeur et, hostile, scandalisée, ne s'était pas défendue. Une fausse honte l'avait empêchée d'opposer une résistance à la séduction. Il l'avait déshabillée dans le bureau, puis l'avait portée dans le vaste lit conjugal.

— Il parlait. Moi je ne savais pas qu'on pouvait parler pendant. Jamais ça ne m'était arrivé avec Riquet. A un moment, il m'a dit que j'étais une gentille petite fille docile et il m'a obligée à dire que oui et à recevoir une fessée en répondant à chaque coup par un baiser. Après, nous avons fumé une cigarette et il m'a fait un cours sur le masochisme féminin.

Elle rêva :

— Il avait un sexe énorme, je n'aurais jamais cru ça d'un professeur.

— Et avec le truand, l'idée t'est venue de...

— Ce n'était pas une idée. Je n'ai pas pensé au professeur sur le moment.

— C'est quoi le plat du jour ? demanda Gonzague.

Mme Guilbeaud donna de la voix pour informer tout le bar :

— Ce soir, c'est du lapin à la moutarde !

Catherine fut étonnée que Marc proposât d'inviter Gonzague à dîner ; elle n'eut pas le temps de répondre car déjà l'invitation était lancée et Gonzague se hâtait de les rejoindre pendant que Mme Guilbeaud disposait les couverts sur le bar. Assise entre les deux hommes, elle les laissait converser à travers elle. Son exaltation était tombée. Une note de Paul Valéry lui était revenue : c'est un vice de préférer la partie au tout. Elle soupçonnait Marc de ne plus considérer qu'une partie d'elle-même dont il souhaitait qu'elle s'hypertrophiât. Elle mobilisa Pascal qui avait proclamé : « Si l'on m'aime pour mon jugement, pour ma mémoire, m'aime-t-on, moi ? Non, car je peux perdre ces qualités sans me perdre moi-même. » Bref, elle détesta et méprisa Marc qui ne voulait plus l'aimer neutre, qui était prêt à l'aimer perverse. Mais, satisfaite de sa culture, elle se décerna une bonne note qui éclaircit son humeur.

Gonzague était sombre, agité, un peu ivre. Il lançait des slogans :

— Les abstraits sont des cons qui croient que le chef-d'œuvre est un corps simple.

Puis :

— Il faut que les matadors meurent pour que la tauromachie reste un art.

A voix basse, Marc commentait le lapin dont l'écorce de moutarde rendait la chair encore plus fade.

— Tu sais bien que tu détestes le lapin, dit Catherine, pourquoi en manges-tu ?

Elle prit Gonzague à témoin :

— Il déteste la tête de veau et il en commande au restaurant.

— C'est pour m'en convaincre, expliqua Marc.

— Moi, dit un jeune et blond barbu qui buvait une boisson blanche, quand j'étais petit j'ai eu du rhumatisme articulaire. On m'a donné du salicilate et depuis...

— Dans un univers sans germe, sans corruption, nos corps périraient ! criait Gonzague.

L'éloquence de Gonzague était rugissante et le jeune homme déplaçait un doigt prophétique. Il était toujours de cette humeur quand, pour passer une soirée avec Catherine, il était obligé de supporter la présence de Marc. Il ne détestait pas Marc en soi et pouvait jouer amicalement aux échecs avec lui, mais en l'absence de Catherine. C'était le couple qu'il n'admettait pas, tout en s'obligeant à le fréquenter pour voir plus souvent celle qu'il aimait.

— Catherine toi qui as fait de la philosophie, écoute-moi bien. Tu connais Kant et Platon ?

Elle lui sourit avec l'indulgence d'une spécialiste pour un brave petit autodidacte. Il avait pris un air hargneux qui lui donnait une ressemblance avec le truand du wagon-lit. Est-ce la première fois que je m'en aperçois ?

— Kant a inventé une colombe qui penserait à la manière de Platon. Elle pense : je volerais plus haut et plus vite si l'air ne me résistait pas. L'air supprimé, la colombe tombe comme une conne. Dans le vide. C'est avec le vide que depuis plus d'un demi-siècle s'expliquent les cons de l'art abstrait.

— Monsieur Gonzague, téléphone ! Dans la cabine... C'est Tilly.

Catherine le suivit du regard, puis chercha le visage de Marc.

— Décroise tes jambes, dit-il d'un air buté. Je veux qu'en revenant il voie que tu es nue.

Le gémissement de la porte de la cabine annonçait déjà le retour de Gonzague. Ayant rapproché la grosse lampe faussement Louis XIV de sorte qu'un pan de lumière atteignît le corps de Catherine, Marc la regarda avec une expression concentrée comme un fakir de music-hall qui hypnotise son complice. Elle le trouvait ridicule.

Gonzague traversait la salle en scandant à l'avance de sa main droite les nouvelles preuves qu'il avait réunies en faveur de ses thèses. Catherine se souleva légèrement de son tabouret, se rassit en laissant sa jupe se répandre autour d'elle et posa l'un de ses talons sur le barreau supérieur du tabouret.

— Supposons, proclamait Gonzague, que le peintre est un funambule. Son sujet, c'est le fil. Le funambule prouve d'autant mieux sa valeur que le fil est plus mince. Le peintre aussi. Une chaise de Chardin, une chaise de Van Gogh diffèrent autant que Chardin et Van Gogh. Elles ne sont là à la limite que pour permettre au peintre d'exister. Encore faut-il qu'elles soient là, encore faut-il que le peintre s'appuie sur un objet. Sans fil le funambule tombe, sans sujet le peintre...

Le discours s'était arrêté. Gonzague se tint coi pendant un instant, puis tenta de terminer tant bien que mal son propos. Il s'attardait debout, face à Catherine qui avait posé un coude sur le bar pour conserver sa position sans se fatiguer.

— Supposons que le sujet soit une pomme...

— Oui ?

Elle offrit son visage à Marc pour qu'il allumât la cigarette qu'elle tenait entre ses lèvres, le regard brillant, mais brillant vers l'intérieur. Elle avait exécuté une giration du torse qui n'avait pas déplacé ses cuisses. Ça me rappelle un mouvement de gymnastique. Elle envoya une bouffée de fumée dans le visage inexpressif de Marc. Je ne me serais jamais crue capable de ça.

— Le chef-d'œuvre... est le produit d'un jeu de

hasard où les atouts ne sont jamais tous ni du côté de la pomme ni du côté du pinceau.

Les jambes exécutèrent des variations qui pouvaient paraître machinales, se refermant pour s'ouvrir ou se détendre.

— Voilà le fin mot... Voilà : l'art abstrait est une tentative d'angélisme menée par des matérialistes.

Catherine, ayant rassemblé ses jambes, fit de nouveau face au bar et vida son verre. En tout cas, je n'oublierai pas ça. Etre une putain.

S'étant hissé sur son tabouret, Gonzague, dont la voix avait perdu son naturel et même sa sonorité, conclut que l'art était une cote mal taillée. Il évitait de regarder et Marc et Catherine. Il tourna à peine la tête lorsque de l'extrémité du bar le jeune et blond barbu, qui était critique dans une revue de cinéma pour initiés, observa :

— L'obstination avec laquelle tu recours à une double chute, celle de la colombe et celle du funambule pour justifier ton esthétique inclinerait un psychanalyste à croire que tu souffres d'une hantise érotique.

— J'emmerde la psychanalyse.

— C'est vrai qu'elle liquide sommairement les problèmes de la poétique, mais elle a le mérite d'écarter les faux concepts, ceux du beau...

— Vive le beau !

— ... elle a l'avantage d'introduire dans le débat une dimension dialectique.

Catherine avait cherché sur le visage de Marc le signe d'une approbation. Elle voulait des félicitations. Marc restait impénétrable, si grave qu'elle sentit le fou rire la gagner. Gonzague avait pris un air boudeur. Jusqu'à douze ans, elle s'était moquée des garçons à travers son frère Nicolas qu'elle trouvait balourd. Par la suite, il lui était venu un certain respect de la virilité et elle ne suivait jamais Marielle quand celle-ci raillait les phallocrates. Mais les physionomies perplexes de celui qui avait vu et de celui qui avait voulu que l'autre vît lui imposèrent un rire invincible comme un hoquet.

Elle fut sauvée par l'entrée de Tilly qui était une spécialiste des cascades de rires non motivées. Bien qu'elle fît profession d'être une hippie, une marginale, Tilly n'avait jamais pu réussir à voûter ses épaules et à éteindre son regard. Sa peau transparente, ses yeux pervenche, toute sa blondeur puérile, semblaient l'œuvre d'un aquarelliste : « Cette petite est un lavis », disait Gonzague avec condescendance. Tilly, qui tutoyait tout le monde et donnait sa joue à baiser à n'importe qui, adorait qu'on la traitât en enfant, ce qui réveillait chez Catherine, tout en l'agaçant, le besoin de jouer à la poupée. Elle se mit à recoiffer Tilly qui lui abandonnait ses mèches folles avec l'air mi-tendre, mi-hautain d'une petite fille enchantée qu'on s'occupât d'elle mais soucieuse d'en montrer de l'impatience.

VII

— Est-ce que Catherine t'a mise au courant ?

— Ouais, grogna Marielle. J'ai d'abord cru que tes salades n'étaient que de faux prétextes...

— Des prétextes !

Encore qu'il en fît beaucoup, Marc adorait corriger les fautes de français dont il avait appris l'existence dans les chroniques de langage de son quotidien.

— Je n'ai jamais trompé Catherine, ajouta-t-il, en baissant la voix parce que le maître d'hôtel se dirigeait vers eux. Et je n'en ai aucune envie.

— Il est vrai qu'une nuit j'ai voulu te tenter et que j'en ai été pour mes frais. Ça n'aurait pourtant pas été grave, Catherine ne m'en aurait pas plus voulu que moi quand elle s'est tapé mon premier fiancé pendant une surprise-partie.

Le maître d'hôtel leur présenta la carte et la commenta, recommandant les tartes, les glaces et plus particulièrement le gâteau au chocolat.

— Deux cafés, décida Marielle.

— Je n'imaginais pas Catherine à vingt ans comme une fille qui s'envoie en l'air dans les surprises-parties, jeta Marc dès que le maître d'hôtel se fut éloigné.

— Elle avait trop bu, elle qui ne boit jamais. Le lendemain, elle ne se rappelait rien.

— Tu as connu d'autres amants de Catherine ?

— Riquet...

— Celui-là, je sais.

— Elle a dû le tromper deux ou trois fois. Il y a eu le coup de la surprise-partie. Il y a eu un de ses professeurs.

— Elle m'a raconté.

— Ce qui nous a valu un voyage à Londres.

— Londres, je croyais que c'était à cause de Riquet.

— De Riquet ou du professeur, va savoir. Tu sais, avant toi, elle ne prenait pas la pilule.

— Et puis ?

— Je ne m'en rappelle pas d'autre, Catherine ne me fait pas toutes ses confidences. L'histoire du professeur, je n'y ai eu droit qu'à cause des suites.

Le restaurant du *Decameron* commençait de se vider. Marc suivait le va-et-vient d'un œil rêveur.

— Je suppose que, si tu m'as invitée à déjeuner clandestinement, c'est pour me parler de Catherine ?

— Oui, dit Marc avec un élan soudain. J'ai décidé de vivre avec elle ce que j'imaginais.

— Pourquoi divorces-tu ?

— L'état d'homme marié m'atténue.

Il se mit à brosser le tableau d'une législation idéale qui envisagerait le mariage comme une union passagère destinée à se défaire automatiquement tous les ans, sauf si les deux conjoints signaient une demande de prolongation. Le divorce, mot déplaisant, n'existerait plus. La demande de prolongation serait un acte positif bien différent de la routine du mariage établi.

— Compte tenu de la législation actuelle, que comptes-tu faire avec Catherine ?

— Le mieux serait que nous divorcions pour nous remarier un peu plus tard. C'est un problème secondaire.

— Où en êtes-vous ? Est-ce que tu achètes dans les sex-shops des chaînes pour la ligoter ?

Au moment d'énoncer son projet, pris de timidité, il se donna un délai avant d'affirmer :

— Tu es la meilleure amie de Catherine. Tu lui plais complètement.

— Et alors ?

— D'autre part, toi et moi nous nous plaisons. Bref, tous les trois...

— Tu es très pressé de le réaliser, ton phantasme ?

— Oui et j'ai une occasion.

Le lendemain, la mère de Marc donnait l'un de ses dîners rituels. Depuis longtemps, elle souhaitait avoir Marielle qu'elle admirait. Rien de plus facile que de la faire inviter à l'impromptu.

— Après, nous rentrerons tous les trois. Est-ce que tu es libre ?

— Je suis libre.

Marc raccompagna Marielle jusqu'au boulevard Saint-Germain où elle l'arrêta devant une glace.

— Regarde-nous ! s'écria-t-elle avec emphase. Vois un mari qui transforme l'amie de sa femme en la complice de ses machinations. Ils veulent faire de la malheureuse épouse une poupée pervertie !

Elle essaya de rire sans y réussir. Elle n'y avait jamais réussi. Elle avalait de l'air au lieu d'en expulser. Et elle était déplaisante à regarder, car elle montrait ses gencives. Nul ne s'associait à ses accès d'hilarité, sauf par complaisance, parce que le rire n'est contagieux que s'il est l'effet naturel d'un mouvement spontané, mouvement dont elle était rendue incapable par l'excès du contrôle qu'elle exerçait sur elle. Marc qui s'était rembruni se pencha pour l'embrasser :

— Alors, à demain soir...

— Raccompagne encore un peu ta complice, coupa Marielle avec un enjouement contraint. C'est de qui, déjà, *Les Liaisons dangereuses ?* Tu te rappelles pas ? C'est amusant de jouer les liaisons dangereuses sans se rappeler le nom de l'auteur. Ça ne serait pas Vadim ?

— Non. Il l'a adapté. Dis donc, à Catherine tu n'as qu'à raconter que je t'ai téléphoné pour t'inviter demain.

— J'espère qu'elle est déjà arrivée au bureau. Alavoine me donne des frissons dans le dos. Il a un regard de homard. Il me fait vraiment peur, tu sais.

— Je n'aurais pas imaginé que tu puisses avoir peur de quoi que ce soit.

— Ça te décevrait que je sois la petite fille qui a peur du gros bonhomme ?

Elle s'étrangla de rire, puis reprit d'un ton posé :

— C'est vrai que je n'ai jamais peur, mais j'ai des phobies. Catherine sait que, quand je suis assise, je ne peux pas supporter qu'on marche derrière moi, comme si je risquais de recevoir un coup de poignard.

— Il vaut mieux que je te laisse parce que, si Catherine nous aperçoit...

— En ce moment, j'ai la phobie d'Alavoine. C'est idiot parce qu'il ne ferait pas de mal à une mouche. Ne raconte pas ça à Catherine, mon prestige en souffrirait, mais j'ai autant de mal à monter au bureau qu'un soldat à monter à l'assaut sous le feu. Autrefois, j'ai couchaillé avec un psychanalyste qui m'a appris que la formation d'une personnalité avait lieu entre zéro et deux ans et m'a persuadé que ma mère, qui était une angoissée, m'avait imprégnée d'angoisse dans mon berceau. Je te barbe ? Marc, à demain soir...

Dans le couloir de la revue, elle croisa Tarzan qui ne lui annonça aucune catastrophe et, assise dans son bureau, elle se rassura tout à fait quand elle vit Catherine entrer, essoufflée.

Celle-ci portait une jupe neuve en jean qui lui battait les mollets. Ses bras étaient chargés de cartons et de sacs.

— J'ai été prise de la rage d'acheter. Qu'est-ce que tu penses de la jupe ? Et regarde ce petit pull que j'ai trouvé en solde. Combien crois-tu que je l'ai payé ?

Catherine l'aurait volontiers payé le double tant elle avait été prise par la rage, non d'acheter, mais de dépenser. Mais, le payant le double, elle n'aurait satisfait sa fureur de dilapider qu'aux dépens du plaisir glorieux, qui restait vigilant chez elle, de faire une bonne affaire. Marielle la contemplait avec effort, pinçant les yeux comme face à une lumière trop vive.

— En tout cas, tu as oublié de donner à Tarzan l'enveloppe pour l'imprimerie. Va au coin !

— Ce n'est pas grave : il n'y a rien de pressé.

— Tu as entendu ce que je t'ai dit ?

— Je t'en prie, Marielle, ne sois pas idiote.

Elles avaient quinze ans quand Marielle s'était arrogé le droit de punir son amie à sa guise, le plus souvent en l'envoyant au coin.

— Yvette va sûrement venir. J'aurai l'air conne et toi aussi...

Elle rechignait, mi-souriante, mi-boudeuse, mais il ne lui venait pas à l'esprit de refuser. Elle se mit au coin, les mains derrière le dos, en grognant :

— C'est ridicule !

Au bout d'une minute, elle cria :

— Marielle, je m'ennuie !

Puis :

— Marielle, j'ai du travail.

Elle trépigna.

— Je suis sûre qu'Yvette va apporter le courrier !

— Viens...

Catherine se retourna avec le visage un peu rouge d'un enfant puni.

— Ta jupe te va très bien. Tu l'as eue comme ça, sans retouche ?

Marielle avait attiré son amie sur ses genoux. C'était aussi une tradition de leur adolescence qui voulait que Catherine s'assît sur les genoux de Marielle et non l'inverse, bien que la première eût toujours été plus grande et plus lourde. Même les parents de Catherine l'avaient admis et en vacances, quand l'espace manquait dans la voiture, ils concluaient tout naturellement : « Catherine n'a qu'à se mettre sur les genoux de Marielle. »

— Nous avons des relations bien agréables. Quand Alavoine aura décampé, ce sera divin. A propos, Marc m'a téléphoné ; demain je dîne avec vous chez ta belle-mère.

— Pauvre, tu vas te faire suer comme un rat !

Marielle la renversa à demi pour la voir de face et chuchota en souriant :

— Tu crois ?

Catherine avait sauté sur ses jambes en entendant claquer les talons d'Yvette dans le couloir. Elle secouait sa jupe, rajustait ses cheveux quand la jeune fille apparut pour annoncer d'un air sérieux que, grâce aux conseils de Tarzan, le dernier drame était arrangé. Alavoine qui était allé chez un coiffeur pour se faire raser était rentré en colère parce que le coiffeur voulait bien lui couper les cheveux mais non le raser. Heureusement, Tarzan avait sorti le rasoir de sa boîte de plastique, l'avait remonté et en ce moment Alavoine était en train de s'en servir. Marielle, qui pendant le discours d'Yvette avait trahi l'agitation où le seul nom d'Alavoine la mettait, coupa sèchement :

— Catherine, donne l'enveloppe de l'imprimerie à Yvette pour que Tarzan la porte tout de suite.

Dès qu'elles furent seules, Marielle demanda à haute voix si Alavoine n'avait pas dans la tête de se barricader dans son bureau en refusant de le quitter. Elle répéta plusieurs fois :

— Il doit m'en vouloir.

— François-Ier l'a prévenu ?

— Je n'en sais rien. D'ailleurs je vais y passer. Après, j'irai chez le coiffeur. A demain, ma chérie.

Catherine passa un après-midi agréable. La veille, elle s'était fait une liste de menus travaux en retard, de coups de téléphone en rade et elle se donna le plaisir de se mettre à jour en barrant joyeusement sur sa liste au fur et à mesure. Satisfaite d'elle, elle s'autorisa à partir un peu en avance et déboucha dans la rue du Bac en pensant à tout ce qu'elle s'était acheté.

— Je te dérange ?

Gonzague marchait à côté d'elle.

— Veux-tu qu'on se promène un peu ?

— J'ai plein de paquets ! Il faut que je les porte à la maison.

— Je t'offre un taxi. Tu déposes tes paquets chez toi. Après, nous irons dîner.

Quand elle se fut débarrassée de ses paquets, elle remonta dans le taxi qui les mena de l'autre côté du pont Marie, sur la rive droite. D'un commun accord qui était tacite ils ne tenaient pas à traîner dans l'île, risquant de rencontrer Marc. La nuit était douce, une foule de moucherons tournoyaient sous les arbres du quai. Ils dînèrent à la terrasse d'un petit restaurant. Catherine interrogeait Gonzague sur son enfance. Elle remarqua qu'il disait *maman* en parlant de sa mère comme font les filles. Cette mère était polonaise. Elle s'était enfuie quelques années plus tôt pour se remarier en Angleterre. Son père tenait un cinéma à Courbevoie. Lui, il avait vécu deux ans à Bourges où il suivait les cours d'une école des Beaux-Arts. Comme il n'arrivait guère à vendre sa peinture, il gagnait sa vie en illustrant des couvertures pour une maison d'édition.

— Avant, j'avais été animateur dans une maison de la culture en banlieue. En mai 68, je m'en suis donné à cœur joie et ils m'ont repiqué au tournant un peu après.

— Moi aussi, dit Catherine, en 68 je me suis bagarrée. On s'est bien amusé.

Elle demanda :

— Tu as quel âge ?

— Vingt-cinq.

— J'ai trois ans de plus que toi.

Leurs steaks étaient durs, mais il y avait un certain bonheur sur cette terrasse qui était peuplée par les gens du quartier et quelques touristes que la douceur de la nuit mettait de bonne humeur. Et la fraîcheur du vin de Bourgueil était gaie. Il y avait même de la gaieté dans le tournoiement perpétuel des insectes autour des lampes.

Ils s'attardèrent. Peu à peu, la terrasse se vidait. Gonzague avait pris dans la sienne la main de Catherine. Ils partirent les derniers. Ils n'avaient pas envie que la soirée finît. Ils suivirent le quai du côté du fleuve en s'arrêtant souvent pour s'accouder au parapet. Quand ils marchaient, c'était à petits pas, mais Catherine s'arrangeait pour faire claquer la vaste jupe neuve. Ils s'assirent sur un banc entre deux arbres. En face d'eux, au-delà de l'eau, l'île Saint-Louis était allongée. Catherine repéra les lumières de sa rue.

— Si nous vivons ensemble, dit brusquement Gonzague, il vaut mieux que tu laisses l'appartement à Marc et que nous nous installions hors de l'île.

Elle garda le silence, puis elle réussit à rire :

— Tu es fou !

Elle se leva et se laissa retomber sur les genoux de Gonzague. Elle avait étalé la jupe qui avait assez d'ampleur pour recouvrir aussi les jambes du jeune homme.

— Cet après-midi, une de mes amies m'a prise sur ses genoux. Je me suis imaginée sur les tiens.

Indistinct, un vieux couple passa devant eux. Elle chuchota :

— Ils nous ont pris pour des amoureux.

— Qu'est-ce que nous sommes ?

— Nous sommes bien.

Il tenta de l'embrasser, elle détourna son visage.

— Je ne veux pas que tu croies que je t'aime.

— Tu as peur de m'aimer ?

Elle lui donna sa bouche. Puis :

— L'autre nuit, j'ai rêvé de toi.

— Qu'est-ce qui nous arrivait ?

— Je me rappelle que tu étais dans mon rêve, c'est tout.

Ils s'embrassèrent de nouveau, puis Catherine se leva. Quand ils arrivèrent devant le pont Marie, Gonzague la regarda de près comme s'il cherchait une tache ou un insecte.

— Mais tu as l'oreille percée !

Elle avoua qu'à dix ans elle avait subi cette défloraison de l'oreille à cause d'un retour de la mode auquel sa mère avait été sensible.

— C'est tout près...

Il l'entraîna. Ils passèrent devant l'immeuble de l'avocat. Ils enfilèrent une ruelle.

— C'est une boutique, expliqua Gonzague, qui reste ouverte la nuit. Ce n'est pas une boutique, c'est une diablerie. Le Marais est toujours sorcier.

La boutique apparut à Catherine plus innocente que ne l'avait annoncé Gonzague. C'était un lieu boursouflé où les objets pendaient en grappes. Ils étaient d'époques différentes et aussi bien destinés aux touristes qu'aux habitants du Marais, cette autre île assise sur la terre ferme auprès de l'île Saint-Louis. L'alchimiste qui était la maîtresse des lieux possédait des boucles d'oreille, des vraies, dont la tige traverse le lobe. Elle les montra, les haussant tantôt à la hauteur de son oreille, tantôt à la hauteur de celle de Catherine.

— Tu es fou, disait Catherine, parce qu'elle avait peur que ces bijoux coûtassent trop cher.

Le prix n'en étant pas trop élevé, Catherine se laissa tenter par des boucles des années trente. La vieille femme, comme une maquerelle, regarda Gonzague les assujettir aux oreilles de la jeune femme. La tige se glissait prudemment dans la chair. Les doigts de Gonzague tremblaient. Sans se soucier de la spectatrice, Catherine effleura de la main le blue-jean de son compagnon.

Ils retrouvèrent la nuit. Catherine prit un pas rapide, giflant de sa jupe les pantalons de Gonzague qui semblaient courir derrière elle. Ils franchirent le pont sans parler et suivirent le quai jusqu'à la rue Du Bellay.

— J'ai envie de voir l'endroit où tu vis, dit-elle.

Il habitait presque en face de l'immeuble de Catherine, au coin de la rue Saint-Louis-en-l'Ile. La maison était vieille, peu entretenue ; ils gravirent un escalier sans tapis. Gonzague cueillit sa clef sous le paillasson et la remit à sa place après avoir entrouvert la porte.

— Pourquoi ne gardes-tu pas ta clef sur toi ?

— Elle est toujours sous le paillasson.

Ils avaient pénétré dans une vaste pièce délabrée dont le plancher était nu comme celui de l'escalier. Un chevalet, des toiles empilées, des palettes bitumeuses proclamaient que cette pièce était un atelier. Un grand lit défait s'étalait entre deux petites fenêtres.

— Tilly pourrait nettoyer tes carreaux, dit Catherine en montrant les vitres sales dont un reverbère soulignait les mucosités.

— Tilly vient ici. C'est vrai, mais...

— C'est pour elle que tu laisses la clef sous le paillasson ?

— Si tu ne veux plus qu'elle vienne, elle ne viendra plus.

— Dors. Moi, je vais dormir. Je dormirai avec tes boucles d'oreille.

— Et avec Marc ?

— Ça ne te regarde pas.

Elle s'enfuit en sachant qu'il avait remarqué comme elle, quand ils étaient passés devant l'immeuble, que les trois fenêtres de l'appartement étaient éclairées. Dans la glace de l'ascenseur, elle vérifia le nouveau visage que lui faisaient les boucles d'oreille.

VIII

— Vous en faites une tête, jeta Catherine. M. Alavoine aurait-il apporté un crocodile dans son bureau ?

— Il n'y a pas de quoi rire, madame, répliqua Yvette. Je ne sais que faire. Il ne veut pas que j'entre dans son bureau. J'avais frappé comme tous les matins, il m'a répondu de le laisser tranquille. Je lui ai rappelé que j'apportais le courrier, il m'a répondu d'en faire ce qui me plairait.

— Donnez-le moi, j'y vais.

Elle frappa à la porte, attendit, frappa de nouveau.

— Qui est là ?

— Catherine Esmelain.

Par la suite, elle devait se demander combien de temps s'était écoulé entre sa réponse et la détonation. Trois ou quatre secondes, ou dix, peut-être. Catherine eut l'impression que tout l'étage avait explosé. Elle resta pétrifiée, retenant son souffle. Retrouvant l'usage de son corps, elle dévala les marches au bas desquelles Yvette se tassait, tremblante.

Marielle apparut. En traversant la cour, elle avait entendu la détonation. Son regard était autoritaire, Catherine pendant un instant fut rassurée. L'autorité de Marielle se borna à poser une question :

— Où est Tarzan ?

— Il ne tardera pas à revenir, répondit Yvette, il est allé porter une machine à réparer.

Comme Marielle, au lieu de s'engager dans le petit escalier, battait en retraite vers son bureau, Yvette s'écria :

— On ne peut pas attendre qu'il revienne ! Il faut aller voir !

Yvette ne bougeait pas, clouée, blanche. L'effroi des deux femmes donna de la vaillance à Catherine qui s'engagea dans le petit escalier, frappa à la porte pour la forme, entra, s'arrêta saisie ; elle était surprise que la réalité lui offrît le spectacle qu'elle avait craint.

Alavoine était assis dans son fauteuil, la tête posée sur le bureau, les épaules écroulées ; au bout de ses doigts, un gros revolver luisait. Ayant fait un pas en avant, elle vit le sang sur le buvard du sous-main puis dans les cheveux. Elle entendit derrière elle le pas d'Yvette. Les dents serrées, la jeune fille faisait un effort sur elle-même. Dans son trouble, Catherine la tutoya :

— Il y a un médecin dans l'immeuble. Cours le chercher, dépêche-toi.

Ne demandant qu'à fuir, Yvette se jeta dans l'escalier. Par la porte-fenêtre ouverte, le chant des oiseaux pénétrait et emplissait la pièce. Catherine à son tour redescendit. Elle trouva Marielle debout au milieu du bureau et, à une question muette, répondit seulement :

— Oui.

Elle chercha le numéro du commissariat dans le fichier d'adresses, prit le téléphone. Quand il lui fallut exposer les faits, au lieu d'employer le mot revolver, elle employa celui d'arme à feu comme dans un rapport officiel.

— Il est mort ? demanda Marielle.

— C'est le médecin qui le dira.

Les doigts de Marielle tremblaient, elle avait du mal à former le numéro sur le clavier.

— Qui appelles-tu ?

— Je préviens François-Ier.

Une cavalcade attira Catherine dans l'escalier. Elle reconnut la silhouette maigre, brune, du docteur Smadja suivi par Yvette. Elle le précéda jusqu'à l'étage supérieur, s'effaça pour le laisser entrer seul. Elle attendit en pensant qu'elle ne pensait pas.

— Ce n'est pas un suicide SOS, dit Smadja en réapparaissant. Il ne voulait pas se rater.

— Il s'est raté ? s'écria Catherine avec élan.

— Non justement, il s'est parfaitement réussi. Il faut prévenir la police.

— Je crois que les voilà.

Une démarche bruyante ébranlait l'escalier. Catherine, qui avait de nouveau dévalé les marches, se heurta à Pascal Leroy, son appareil de photos sur l'épaule.

— Voici la plus belle ! s'écria-t-il.

Il voulut prendre Catherine dans ses bras, elle le repoussa à coups de poing.

— Quelqu'un est malade. Reviens cet après-midi.

— Non, ma chérie, cet après-midi j'ai...

— Reviens quand tu veux, mais fous le camp !

Les uniformes des policiers apparurent. Catherine, trop lasse pour les accompagner, leur montra le chemin, rentra dans son bureau.

Les heures qui suivirent formèrent un tissu déplaisant mais assez neutre. Il y eut le moment des dépositions ; la crise de nerfs d'Yvette qui finit par vomir dans le couloir ; l'apparition de Mme Hallain qui, désertant pour une fois la rue François-Ier, s'était rendue sur les lieux ; l'enlèvement du « corps » par la police ; le jugement de Tarzan :

— Faut-il qu'ils lui en aient fait voir de toutes les couleurs à ce pauvre M. Roger !

Marc détestait qu'on l'appelât à son bureau, mais Catherine enfreignit la consigne et supplia son mari de venir pendant l'heure du déjeuner l'aider à distraire Marielle. Celle-ci avait retrouvé sa présence d'esprit pour s'enfermer avec Mme Hallain, puis était retombée dans son inertie. Pourtant, à la vue de Marc, elle se reprit et avec une soudaine fermeté, plus sur le ton de l'ordre que de la prière, elle lança :

— Vous êtes les seuls à qui j'ai confié qu'Alavoine allait être éloigné et que je le remplacerais. Je vous demande de la boucler. Il importe que ma nomination apparaisse comme la conséquence de ce décès.

— Et non comme sa cause ?

— C'est pas vrai ! cria Marielle. Tu ne crois pas une chose pareille, Marc ?

Ils déjeunaient tous les trois au restaurant des Ministères dans une vaste et haute salle aux décorations douces et désuètes, peuplée par une centaine de convives dont la rumeur étale était celle d'une chute d'eau. Catherine, qui avait craint de ne pouvoir avaler une bouchée, dévora un navarin. Au milieu du repas, elle se rappela que, l'après-midi, elle avait pris rendez-vous avec Nicolas pour rendre visite à la grand-mère en clinique. Alavoine le matin, la grand-mère l'après-midi, c'était un peu trop !

Dès qu'elle eut disparu vers le téléphone pour décommander son frère, Marc abandonna son air morne, prit la main de Marielle.

— Ce qui s'est passé ne change pas notre projet, n'est-ce pas ?

— Demain, le choc de ce matin aura vieilli. Nous nous serons ennuyés tellement chez ta mère qu'en sortant, Catherine et moi attendrons tout de ton génie.

Naviguant entre les tables, Catherine se rapprochait d'eux. Leurs mains se séparèrent.

— Mes enfants, je me sauve. Nicolas n'a rien voulu savoir. Il ne peut aller voir grand-mère que cet après-midi et il a trop peur d'y aller tout seul. A tout à l'heure.

Avant de s'enfuir, elle embrassa Marielle et toutes les deux se pressèrent l'une contre l'autre comme si elles se faisaient de mutuelles condoléances.

Comme la veille, Marc la raccompagna un peu et poussa même plus loin dans la rue du Bac jusqu'au coin de la rue de Grenelle. Marielle retint les mains de Marc dans les siennes.

— J'ai peur de retrouver le bureau.

Elle ajouta, au moment de quitter Marc, du ton dont elle aurait prononcé une phrase de banale politesse :

— C'est ma joie qui me fait peur. Il me gênait. Je suis tellement soulagée qu'il soit mort ! C'est trop beau !

Les bureaux de la revue avaient repris leur aspect habituel. La machine à écrire d'Yvette crépitait. A Tarzan qui avait tardé à porter la copie à l'imprimerie, Marielle s'entendit déclarer sèchement :

— Le travail doit continuer.

Le téléphone sonna plusieurs fois et Marielle répondit invariablement que, si l'on souhaitait en savoir plus sur « le décès de M. Alavoine », il convenait d'appeler François-Ier.

Pascal Leroy exécuta une entrée assez discrète. Marielle l'autorisa à attendre auprès d'elle le retour de Catherine qui devait trier les négatifs. La présence du jeune barbu, bien que celui-ci modérât sa turbulence, concourait à prouver que le cours des choses se poursuivait inchangé. Dans l'entrebâillement de la fenêtre, bougeait un air tiède ; le temps qui depuis quelques semaines basculait tantôt vers l'été, tantôt vers l'automne, s'était enfin stabilisé dans une innocence printanière. Lorsque dans le bureau d'Yvette la machine à écrire se taisait, Marielle s'emparait de n'importe quel texte et courait le porter à la jeune fille pour entretenir le bruit rassurant.

Le retour de Catherine fut bruyant comme si elle avait oublié le drame matinal. Ce qu'elle voulait oublier, c'était l'heure qu'elle avait passée dans la clinique d'Argenteuil, une clinique impossible à atteindre sans se perdre dix fois, avec une grand-mère gâteuse et mourante.

— Le plus extravagant, c'est qu'il doit y avoir dans son cerveau un centre de la sociabilité qui est demeuré intact. Elle ne savait pas où elle était, ni qui nous étions, Nicolas et moi, mais elle nous débitait avec un art consommé (voilà que je parle comme elle maintenant) des lieux communs parfaitement bien organisés, nous remerciant de notre aimable visite, s'informant de nos santés, déplorant ce vilain temps qui n'était pas un temps de saison mais décidément il n'y avait plus de saison, et cætera, et cætera...

Catherine pouffa :

— Quand nous avons pris congé, elle a appelé Nicolas capitaine. Elle lui a dit textuellement : « A bientôt, capitaine, et rappelez-moi au bon souvenir de votre charmante Adèle. » Quant à moi, elle s'est mise à me considérer comme sa gouvernante et elle m'a priée de reconduire le capitaine en veillant à lui signaler cette marche qui était si dangereuse et que les ouvriers ne se décidaient pas à réparer parce que de nos jours ces gens-là ne voulaient ni ne savaient travailler.

— Il vaut mieux, dit Leroy, finir comme Alavoine que comme ça.

Tout en relatant son après-midi, Catherine avait fait le choix des photos. Maintenant Leroy contestait ce tri pour défendre comme d'habitude ses préférées et, comme d'habitude, Catherine rétorquait que l'accord des photos et du texte était primordial dans une revue comme *Style et Loisirs*.

— Ici tu n'es pas ailleurs. Le texte commande, la photo l'éclaire et les légendes sont le trait d'union.

Elle s'était si bien approprié les formules d'Alavoine qu'elle en avait oublié l'auteur. Puis elle s'appropria le ton de Marielle :

— Et maintenant, cher Pascal Leroy, aie la gentillesse de foutre le camp, j'ai justement mes légendes à faire.

Leroy fut relayé par Gilbert Pilon, l'académicien, qui venait d'apprendre « la douloureuse et stupéfiante nouvelle ». Coupant court à ses commentaires, Marielle, qui avait retrouvé le goût de l'initiative et de l'autorité, lui demanda de rédiger l'article nécrologique qui devait figurer en tête du prochain numéro. Pilon était un petit homme jaune à cheveux blancs, mal rasé, qui portait toujours des cravates dorées nouées comme des cordages. Il s'enflamma :

— Je serai fier d'accomplir ce geste pieux pour lequel il va sans dire que je refuse toute rémunération. Il se trouve que je connais depuis fort longtemps Alavoine et que je suis à même de retracer tant son œuvre que sa silhouette.

— Quelle œuvre ?

— Elle est oubliée mais non négligeable. Avant la guerre, il a publié un recueil de poèmes intitulé *A la nuit d'hui*. La même année, il avait sorti *Contingences partielles,* dont quelques pages avaient déjà paru dans la N.R.F. L'année qui a précédé la guerre, il a donné un petit roman, des plus singuliers. Il avait obtenu de flatteuses critiques et les encouragements de certains de ses aînés, de Cocteau notamment. Puis il s'est tu, ou presque. En trente ans, il n'aura guère publié qu'une contribution à l'étude de l'art baroque qui est passée inaperçue, une suite de courts articles sur la mode dans *Vogue* et une étude originale et robuste sur les poètes latins de la Gaule Cisalpine. Il donna aussi à la *Parisienne* des extraits d'une étude des plus subjectives sur l'*asag,* cet usage de l'amour courtois qui veut que la Dame se montre d'abord nue à son chevalier, puis, au cours d'une deuxième épreuve, que, nue encore, elle l'accueille dans ses bras et lui offre un baiser pourvu qu'il s'estime suffisamment récompensé ainsi. Cet homme a déconcerté le public et les critiques par ses contradictions : d'un classicisme un peu précieux, il était en même temps influencé par le surréalisme et s'était laissé aller, très jeune, à des essais d'écriture automatique sous l'empire de certains stupéfiants d'Amérique du Sud.

— Nous n'aurions jamais soupçonné ça toutes seules, conclut Marielle.

S'étant remise à ses légendes, Catherine faisait confiance à Marielle pour venir à bout rapidement de l'académicien qui en effet se retira un instant avant que Mme Hallain ne réapparût. En une journée, cette lointaine souveraine avait rendu plus de visites à la revue qu'en cinq ans. Allègre et essoufflée, très à l'aise dans son tailleur Chanel juste un peu démodé, elle se laissa présenter Catherine que Marielle essaya de mettre en valeur et exposa la situation :

— Le permis d'inhumer a été signé. Nous avons récupéré le corps qui a été transporté à la maison... mortuaire. Nous avons obtenu les funérailles religieuses. La cérémonie aura lieu samedi, à onze heures du matin, en l'église Saint-Sulpice, aux frais du Groupe bien entendu. Deux insertions dans *Le Monde* et dans *Le Figaro* tiendront lieu de faire-part. Nous avons mis la main sur une cousine à lui qui pourra sans doute nous indiquer où se trouve la concession de sa famille. Sinon le Groupe lui offrira une sépulture provisoire. La version que nous avons donnée à la presse doit demeurer invariable : Roger Alavoine, qui n'avait aucun souci particulier, ni privé ni professionnel, a été victime comme tant d'autres d'un instant de dépression. Ah là là, mes petites filles, quelle journée ! J'ai voulu tout faire moi-même par précaution, je suis vannée-morte ! Et je n'ai que le temps de me changer. Je dîne chez *Lapérouse* avec notre filiale suisse.

Comme projetée par un ressort, Mme Hallain se trouvait déjà près de la porte. Elle baissa la voix pour rappeler à Marielle qui l'avait suivie :

— On se demande déjà qui va succéder à Alavoine. Si l'on vous interroge, vous n'en savez rien. Nous nous entreverrons samedi à l'église, mais je compte sur vous lundi à quinze heures dans mon bureau.

Quand Marielle, après avoir raccompagné sa visiteuse jusqu'au bas de l'escalier, retrouva Catherine, celle-ci, le buste effondré sur la table, riait et pleurait tandis que, frénétiques, ses doigts froissaient les feuillets répandus.

— Je t'en prie, protesta Marielle, pas de crise de nerfs ! Si quelqu'un y aurait droit, c'est moi !

A la pensée qu'elles étaient seules et que rien ne l'obligeait à se priver d'un petit régal, Marielle s'affaissa à son tour, étreignit son amie. Toutes deux mêlèrent leurs larmes. Le rire de Catherine prédominait.

— Je t'en supplie, haleta Marielle, arrête, tais-toi. Tu me fais peur. J'ai peur.

Les deux femmes se redressèrent ensemble. Chacune, déconcertée, contempla le visage défait et ruisselant de l'autre. Par instants, un rire secouait encore Catherine. De son sac, Marielle avait sorti deux Kleenex, elle en tendit un à Catherine et elles se tamponnèrent mutuellement les yeux en corrigeant les légers dégâts dus aux effusions du Rimmel.

— Oh là là ! ça nous a fait du bien !

— Oui, je me sens mieux...

— Après cette journée, il nous fallait ça !

— Tu viens dîner chez moi ce soir ? J'ai ce qu'il faut.

Elles étaient guillerettes quand elles se heurtèrent au groupe solennel formé par Tarzan et Yvette, debout à l'entrée de leur tanière.

— Madame, demanda Yvette, est-ce vrai que M. Alavoine n'avait pas de parent proche ?

— Je crois qu'on est sur la piste d'une de ses cousines, répondit distraitement Marielle.

— On l'a ramené chez lui ? demanda Tarzan.

— Oui, c'est fait.

Yvette avança d'un pas.

— Qui le veillera ? Qui fera la toilette funèbre ?

— Je suppose que le Groupe y a pensé.

— Il n'habite pas loin. Nous pouvons y aller, M. Tarzan et moi.

— Non, coupa Catherine. C'était justement chez lui que nous allions. Ne vous inquiétez pas.

Dehors, Marielle demanda d'un air résigné :

— Tu as son adresse ?

— Oui, j'ai porté plusieurs fois de la copie chez lui, c'est rue Férou, je reconnaîtrai la maison.

Le crépuscule, doux, presque frais, était peuplé d'oiseaux et de moucherons. Les deux femmes marchèrent en silence jusqu'à la place Saint-Sulpice. Là, Marielle se révolta.

— Il doit être défiguré. Moi, je n'aurai pas le courage de le regarder.

— Tu regarderas ailleurs.

— Nous n'allons quand même pas passer toute la nuit avec lui ?

— On verra.

Elles pénétrèrent sous une voûte aux pavés sonores et trouvèrent la concierge dans la cour, assise sur une chaise de paille, son chat dans les genoux.

— A ce qu'il paraît qu'il se serait suicidé mais aussi qu'on l'enterre à l'église, preuve que le Bon Dieu n'a rien trouvé à y redire.

Puis la concierge rassura les deux visiteuses : des voisines prenaient soin du corps d'Alavoine.

— Voulez-vous le voir ? s'enquit-elle.

— Oh non ! jeta Marielle.

Alavoine habitait d'anciennes écuries Louis XIII dont les briques roses aux arcatures de vigne vierge répandaient au fond de cette cour ombreuse une douceur sereine. Les cloches de Saint-Sulpice toutes proches tintaient et, parmi les hirondelles dont le vol peuplait le ciel, certaines effectuaient des piqués stridents qui cambraient les oreilles susceptibles du chat. A Paris, il y a, peu connus et souvent insoupçonnables, beaucoup de ces havres où les siècles se sont écoulés, laissant seulement, par la grâce de la durée, de la quiétude derrière eux. Deux vieilles femmes vêtues de noir apparurent l'une derrière l'autre, portant l'une des fleurs coupées, l'autre, sur un plateau, du vin et des biscuits, procession qui eût été pareille sous Louis XIII.

— Merci, madame, dit Marielle. Au revoir, madame.

Dans la rue, Catherine prit le bras de son amie.

— Elle nous prenait pour deux aventurières.

— La concierge ?

— Oui tu n'as pas entendu : elle nous a raconté que quand un défunt, c'est le mot qu'elle a employé, était sans famille, il y avait des inconnues qui, sous prétexte de le veiller, mettaient l'appartement au pillage.

Elles avaient décidé de gagner l'île Saint-Louis à pied, se tenant toujours par le bras, le nez au vent, de l'impudence dans les yeux. Boulevard Saint-Michel, Marielle observa qu'elles ressemblaient plus maintenant à des dragueuses qu'à des voleuses.

Les derniers bouquinistes sur les quais entassaient leurs estampes dans les boîtes. Un air doux et doré caressait le feuillage des arbres sous lesquels les deux femmes, ralentissant leur marche, s'avancèrent mollement sans plus faire claquer, l'une sa jupe, l'autre son pantalon. Le trajet leur sembla court. Dans l'ascenseur, Catherine donna ses clés à Marielle, obligée qu'elle était d'aller rendre compte à ses parents de sa visite à la grand-mère.

— Sers-toi un whisky, choisis-toi un disque ou mets le couvert, fais ce que tu veux, j'en ai pour cinq minutes.

Les parents de Catherine étaient déjà à table. La grande nappe blanche qui recouvrait celle-ci au temps où la famille était au complet avait fait place à deux petits carrés de plastique.

— C'est fou ce qui s'est passé à la revue ! s'écria Catherine, le patron s'est suicidé !

— C'est qu'il en avait les moyens, dit M. Daubigné. On connaît le motif ?

— Comment as-tu trouvé ta grand-mère ? demandait en même temps Mme Daubigné.

Avec agitation, Catherine relata sa visite.

— Elle croyait que Nicolas était capitaine et qu'il avait une femme ou peut-être une fille qui s'appelait Adèle.

— Adèle, dit M. Daubigné. Avant de m'avoir, ta grand-mère avait fait une fausse couche, mon père s'était persuadé qu'il s'agissait d'une petite fille qu'il avait baptisée, je ne sais pourquoi, Adèle. Quand je l'agaçais, il se plaisait à déplorer l'absence de la petite Adèle qui aurait été la douceur de ses vieux jours.

— Mais ce qui est incroyable, c'est le suicide de M. Alavoine. Figurez-vous que c'est moi qui l'ai trouvé. J'ai entendu la détonation. J'ai ouvert la porte. Sa tête, toute pleine de sang, était posée sur le bureau.

A cette évocation, Catherine frissonna, épouvantée par son récit.

— Qu'est-ce que tu racontes ? s'écria Mme Daubigné. Il n'aurait pas pu se couper la tête tout seul !

— Maman, sa tête était posée sur le bureau, mais ses épaules aussi. Il s'était tiré une balle dans le crâne.

— Quand tu entends une détonation, tu es complètement idiote de te précipiter ! C'est l'imprudence même. Tu n'en fais jamais d'autre. Tâche de ne pas recommencer !

— A-t-il laissé une lettre ?

— Non. Peut-être a-t-il écrit auparavant à un membre de sa famille, encore qu'il ne semble pas avoir de parent proche. Nous sommes allés chez lui, c'étaient des voisines qui s'occupaient du corps. Et du chat.

M. Daubigné se dressa :

— Il avait un chat et il s'est suicidé !

— Comme si un animal était une raison de vivre ! Mon pauvre ami, je crois que le sens de la réalité et toi vous êtes brouillés. Je me rappelle encore l'époque où tu voulais que nous prenions un chat.

— Je me rappelle, dit Catherine. Moi aussi, j'avais envie.

— Ça m'aurait en effet ressemblé d'être l'esclave d'une bête ! D'ailleurs, il y a vingt ans de ça et votre bête, elle serait morte.

Ecartant de la main une objection de son mari, Mme Daubigné demanda d'un air précis :

— Dans quel quartier habitait-il ton M. Alavoine ?

— Rue Férou.

— Ah tiens, rue Férou... C'était là qu'habitait Athos.

— Avec ta manie de déformer les noms, on a peine à te suivre. Quel Athos ?

— Les trois mousquetaires qui étaient quatre, énonça

M. Daubigné, se nommaient : Athos qui habitait rue Férou, D'Artagnan qui habitait rue des Fossoyeurs, Aramis qui habitait rue de Vaugirard, et Porthos. Celui-là, son appartement est toujours resté un mystère pour ses amis à qui Porthos, sans jamais les inviter, s'était borné à déclarer glorieusement, à chaque fois qu'ils passaient ensemble devant un certain immeuble de la rue du Vieux-Colombier : « C'est ici que je demeure. »

Mme Daubigné avait attendu avec une patience impatiente la fin du discours de son mari.

— Le fils d'Antoinette cherche justement quelque chose à proximité de Saint-Germain-des-Prés. Tu voudras bien te renseigner, Catherine, pour savoir si l'appartement est vacant ?

— Bon, d'accord, maman. Je me sauve. J'ai invité Marielle à dîner. Si jamais vous la voyiez, ne lui parlez pas d'Alavoine. Il était question qu'elle le remplace et elle doit se demander si elle n'est pas la cause indirecte de sa mort.

— Marielle est une fille qui a la tête sur les épaules, assura Mme Daubigné en raccompagnant Catherine vers la porte. Elle ne se laissera pas troubler longtemps par de simples suppositions.

Elle baissa la voix pour demander discrètement des nouvelles de Marc au moment de refermer la porte.

— Nous dînons demain chez sa mère.

Dès qu'ils furent seuls, Mme Daubigné posa un regard attentif sur son mari.

— Catherine tient ça de toi. Quand elle veut garder quelque chose pour elle, l'entêtement lui donne de l'habileté et elle sait entraîner la conversation aux antipodes. Moi, si tu veux mon impression, entre Marc et elle, c'est cuit. J'en étais sûre. Je t'ai dit : s'ils n'ont pas d'enfant, ils se sépareront tôt ou tard.

— Tu penses que, sans Catherine et Nicolas, nous aurions divorcé ?

— Peut-être. Ce n'est pas certain... Et avec ça, j'en ai oublié mon ragoût !

De la cuisine elle cria :

— Si Catherine souhaitait revenir à la maison, qu'est-ce que tu en penserais ?

— Crabonio patacleche bounaibé momou.

Le procédé était étudié.

M. Daubigné s'adressa dans la glace de la console un sourire modeste et murmura avec satisfaction : « Voilà un divertissement bien innocent. » Il fallait que la voix fût juste assez forte pour que les sons parviennent jusqu'à Rose mais inintelligibles.

— Qu'est-ce que tu dis ?

— Barbounia télépé chaminouqui, répondit-il.

Il était aux anges.

— Quoi ?

Ayant sauvé son ragoût, elle réapparut.

— Je n'ai rien compris, qu'est-ce que tu disais ?

— Je disais qu'il faudra y réfléchir.

JOURNAL INTIME DE M. DAUBIGNÉ

10 juin

Il y a plus de vingt ans que je rêve de faire chambre séparée avec Rose, sans concevoir sérieusement d'y jamais parvenir. Aussi, la facilité de ma victoire me foudroie-t-elle. Je n'en reviens pas. L'événement s'est décomposé en trois phases. D'abord au cours d'une de mes insomnies, je me suis allongé sur le divan du salon où j'ai fini par m'endormir ; ensuite, au matin, m'éveillant, j'ai trouvé Rose plantée devant le divan, l'air à demi justicier, à demi déconcerté ; enfin, au lieu de me chercher des excuses, j'ai exposé à Rose que, pendant certaines périodes de fatigue, il était bien connu que l'on dormait mieux seul. Pour étayer mon audace, j'ai ajouté que Marie-Claire, *le magazine de Rose, à moins que ce ne fût* Elle, *son autre magazine, avait traité du sujet tout récemment. Profitant de l'apathie de Rose, à qui son sens de la répartie faisait pour une fois défaut, j'ai conclu qu'il fallait mettre des draps au divan où je dormirais dorénavant. Je n'avais pas peur, j'avais envie de rire : elle ressemblait à un cuirassier dont le cheval a été tué sous lui, faisant quelques pas sur le champ de bataille, son grand sabre traînant par terre. Le soir même, les draps étaient mis.*

Je n'ai pas pu faire plaisir à Germaine en lui contant

mes victoires car il y a bien longtemps que je lui ai fait croire que je ne couchais plus avec Rose. Voici ce qui m'épouvante : au lieu de mentir à Germaine, j'aurais pu il y a vingt ans m'établir sur le divan. La preuve en est que cet exploit, alors qu'une si longue habitude aurait dû le rendre encore plus difficile, ne m'a coûté que peu de peine, juste quelques secondes de fermeté.

Quand Rose, il y a vingt ans, a appris que Germaine était ma maîtresse et m'a sommé de rompre cette liaison et même de chasser Germaine du bureau, un accès de fermeté aurait suffi pour que j'obtienne ce que je voulais passionnément. J'ai préféré m'abaisser et m'établir dans le mensonge. Rose a cru que j'avais rompu avec Germaine, alors que je m'étais borné à trouver un autre poste à Germaine à qui j'achetais en même temps un appartement et auprès de laquelle je passais tout le temps libre que la pratique quotidienne du mensonge me permettait de gagner. Quant à Germaine, touchée par les preuves de mon amour qui était indéniable, elle a pris patience dans l'attente de ma liberté future et s'est habituée à la situation tout en ne cessant d'en souffrir.

Je ne me suis pas abaissé, on m'a abaissé, ou plus exactement : je me suis laissé abaisser. Seule l'émotion me donne de l'esprit, or je retiens et dissimule mon émotion donc mon esprit. Celui-ci ne m'a servi qu'à défendre pendant une incroyable durée des positions intenables. J'ai pris plaisir aux succès de ruses grâce auxquelles j'en faisais accroire à l'une et à l'autre, dérobant à chacune la notion de la place que l'autre occupait dans ma vie.

La trame de ma faiblesse était généreuse. Je croyais m'immoler pour épargner de la souffrance à ces deux femmes. J'incarnais une justice distributive qui me poussait à ne jamais rien donner à l'une sans aussitôt compenser avec l'autre. L'origine d'un drame cauchemardesque est souvent innocente. Rose était partie pour Brévinville avec les enfants, à l'occasion des vacances de Pâques, quand j'avais pour la première fois invité Germaine à dîner. J'avais beaucoup de sympathie pour Germaine et il me plaisait hors du bureau de passer une soirée avec elle. En le dissimulant à Rose, je n'avais pas l'impression de mentir, mais de garder pour moi ce qui me regardait. Puis je sus que je mentais et que je préméditais de plus en plus savamment mes mensonges.

Si, courant d'un champ de bataille à un autre, j'ai pu m'installer dans une vie où je n'étais jamais entièrement moi-même, c'est parce que, mon intégrité, je la retrouvais en écrivant mon journal. Celui-ci m'a sauvé au jour le jour tout en m'émasculant. Sans lui, j'aurais été obligé de me cabrer, de trancher. Cet ami ennemi m'a fourni une lâche complaisance pour ma faiblesse.

Quand je le relis, il m'effraie par une platitude qui prouve l'inexistence de mon âme. L'âme déborde le style, l'invente en le forçant, en le surprenant. Si elle existe, elle triomphe. La mienne n'apparaît pas plus dans mon écriture que dans ma vie. Quand j'emploie le mot âme *je me comprends. Je l'emploie à la bonne franquette,* instinct *conviendrait aussi bien.*

Si l'on a de l'âme ou de l'instinct, on n'est pas esclave de la manie de mettre de l'eau dans son vin avec l'espoir perpétuel d'être compris par l'autre. En 40, la seule fois que j'ai tiré à la mitrailleuse, j'ai blessé un Allemand que nous avons retrouvé au milieu d'un champ de blé. Je ne regrettais pas tout à fait de l'avoir touché, mais je m'obstinai à obtenir de ce malheureux, qui avait d'autres soucis en tête, l'assurance qu'il me comprenait et ne m'en voulait pas. De même, j'aurais voulu que Rose m'approuvât d'aimer Germaine et m'encourageât à divorcer. Ou que Germaine admît que mes devoirs envers mes enfants et leur mère m'obligeaient à demeurer auprès d'eux.

Sans le vouloir, comme certaines substances éloignent les mouches ou les vampires, j'éloigne presque irrésistiblement les événements, du moins ceux qui se déploient dans les excès du tragique. Qui plus est : depuis ma naissance. Germaine, le mois dernier, m'a lu des passages d'un livre d'un Dr Leboyer (illustré de photos violentes) où l'auteur décrit les souffrances et l'angoisse du nouveau-né passant de la pénombre et de la quiétude à la lumière et aux bruits. Or, ma mère m'a raconté que j'avais étonné le médecin et la sage-femme par mon indifférence ; on ne parvenait pas à me faire crier, j'avais l'air un petit peu contrarié et surtout résigné ; je me faisais une raison. A treize ans, entre Jersey et la côte, je me suis trouvé à bord d'une vedette qui a sombré et, pas un instant, je n'ai redouté pour moi une fin dramatique dont je savais qu'elle n'était pas dans mon style. A la guerre, itou. Bien sûr, la moyenneté de mon existence ne me met pas à l'abri de la mort, mais celle-ci viendra comme je la voyais venir ces derniers jours, à pas feutrés, avec une politesse qui exclut la hâte et exige le respect de transition où alterneront longuement l'émail blanc des laboratoires et des cliniques et les tapis d'Orient des spécialistes. Bref, par une disposition de mon caractère que j'ai confondue avec une décision du destin, je me suis vu ou cru placé hors de la génération dramatique, brutale, des événements. D'où mon incapacité à les provoquer. Par incrédulité de moi-même, j'ai douté de mon droit à forcer une situation, à prendre position pour une bataille courte et brutale, bref à rompre avec l'une ou avec l'autre.

Toutes les faiblesses des hommes, je les ai connues à travers moi sans qu'il me soit besoin de regarder les autres. Mon journal prétend les refléter toutes et les justifier toutes. Qu'il soit issu de ma profondeur donne son unique valeur à ce journal, mais me condamne en trahissant les limites de cette profondeur. Mon triste délire justificateur, je le comprends parce que j'ai trop besoin de moi pour ne pas avoir besoin de m'estimer : le monde, pour moi, n'existe que par moi. Mais que je le sache aurait dû me donner le courage de l'intransigeance. N'ayant qu'une vie et combien limitée, j'aurais dû la brûler et non la ménager avec des économies de bouts de chandelles et des ruses de valets de comédie. Pour voir Germaine, j'invente, à l'usage de Rose, de longues consultations de l'expert-comptable, des séances nocturnes avec les polyvalents, des réunions d'amicales, une inspection en province si mon absence dure plus de vingt-quatre heures et pour plus d'une semaine une cure thermale, un congrès, un séminaire, un voyage d'affaires à l'étranger. Germaine n'admettrait pas que je m'abaisse à mentir, ce serait avoir honte d'elle. Je lui fais donc croire que je ne fournis aucune explication à ma femme, ce qui m'oblige, quand je dois téléphoner à celle-ci, pour donner de mes nouvelles en confirmant ma fable, à trouver, pour pouvoir m'esquiver, une autre fable à l'usage de Germaine. Je manque d'amour-propre au point de manquer de dignité et ce jeu qui devrait m'anéantir m'amuse souvent, en tout cas me convient toujours parce qu'il me maintient sur la pente de ma nature, à l'écart de la tragédie.

13 juin

Cette nuit, parce qu'il y a un an le tragique m'avait heurté, j'ai renoncé à composer éternellement avec mes désirs.

La journée avait commencé de se dérouler normalement. J'avais déjeuné avec Germaine qui, comme prévu, avait renouvelé ses exigences. Je lui avais vaguement promis de « préparer » Rose à ce que je ne passe pas avec elle les derniers mois de ma vie, mais j'avais précisé qu'il m'était difficile de révéler auprès de qui je les passerais ; ce serait révéler du même coup que depuis plus de vingt ans j'avais poursuivi mes relations avec Germaine et que Rose avait passé le plus clair de son existence dans l'erreur. Comme j'aurais pu le prévoir, c'est vainement que j'ai cherché à attendrir Germaine sur Rose. J'ai retrouvé Germaine après le bureau et nous avons fait l'amour. J'aime bien et je crois qu'elle aime bien, je me demande seulement si elle sent combien nous demeurons en deçà de nos pouvoirs. Le fait de ne pas lui donner tout ce qu'elle attend de moi, de la décevoir d'année en année me limite et sa déception la limite aussi sûrement. Notre chair n'a pas vécu tout ce qu'une chair peut vivre. Quand je suis parti, Germaine m'a retenu comme c'est son habitude au moment où je me disposais à ouvrir la porte. Elle prolonge nos rencontres, d'abord parce qu'elle aime ma présence, ensuite parce qu'elle aime en priver Rose, enfin, quand elle est lancée, par un besoin d'éterniser la parole qui est propre à ceux qui n'offrent à leur intelligence d'autres champs que la conversation. Mais, ce soir, j'aurais dû remarquer dans notre séparation un exceptionnel déchirement.

A la maison, je suis arrivé juste à temps pour avoir droit à cette transparente dinde de Catherine venue raconter sa visite à ma mère et le suicide de son patron, toute fière de posséder du sensationnel à raconter, agitée comme une puce. Il serait juste, chaque fois que je pense du mal de Catherine, que je me rappelle combien elle est l'œuvre de sa mère qui l'a soigneusement dépouillée de toutes ses dispositions singulières. Deux souvenirs encore me sont revenus. Elle avait sept ou huit ans, sa mère remarque que depuis cinq minutes Catherine est en contemplation devant sa main gauche sous laquelle, grâce à sa main droite, elle a glissé un sixième doigt qui s'allonge entre le medium et l'index ; interrogée, elle répond qu'elle veut établir combien de temps il faut pour trouver normal d'avoir six doigts au lieu de cinq. Idée si intéressante que je l'ai mise en pratique le soir même, mais je n'avais pas songé à empêcher Rose de la traiter d'idiote. A la même époque, elle revient du cours où son intelligence a été testée ; verdict écrasant pour elle, car elle n'a rien décelé d'absurde dans un dessin représentant un paysage sur lequel le soleil brillait en même temps que la pluie tombait. Elle a admirablement décrit ces moments de Brévinville où, à la fois, le soleil brille et la pluie tombe, c'était aussi juste que la description d'un tableau par Diderot. Sa mère, n'écoutant rien que les conventions, l'a punie et je n'ai rien dit parce que je croyais que c'était sans importance. J'ai trop souvent cru que c'était sans importance. Mais, après tout, Catherine n'avait pas besoin de se laisser faire ! Cela me va bien à moi qui n'ai pas cessé de me laisser faire, et toujours à moitié, ce qui est le pis !

Après le dîner, je me suis enfermé dans mon cabinet de reliure, j'ai travaillé à mon journal, j'ai lu, j'ai rêvé et, après que Rose eut éteint dans la chambre, j'ai filé au salon et je me suis glissé dans mon divan en me répétant que rien n'était plus délicieux qu'être seul pour s'endormir. Pendant ma première insomnie, j'ai été sollicité par le suicide de cet Alavoine. Depuis un an, je suis plus que sensible à la vue du sang et la description faite par Catherine de ce visage blessé a été à l'origine de mon trouble. Aussitôt, je me suis heurté aux propos navrants que Rose avait tenus sur les animaux et à l'effroi que produisait sur moi le suicide d'un homme qui avait un chat. L'apaisement m'est venu d'une évidence : sans doute cet Alavoine n'aimait-il pas son chat et peut-être celui-ci ne méritait-il pas d'être aimé. Moi-même, ce n'était pas les chats que j'aimais, mais l'un d'entre eux qu'à tort ou à raison je tenais et je tiens pour unique.

Je m'étais recouché, mais sans parvenir à m'endormir parce que j'entendais sa voix claire et déchirante. Du fond de la cour, Il avait perçu les appels de Germaine et les miens, Il répondait, Il nous appelait à son secours.

Quand Il m'a vu, entendu, que je l'ai touché, Il est devenu espoir et même certitude. Il avait toujours été si heureux avec nous, comme nous l'étions avec Lui, que de nous retrouver après une heure de souffrance, d'angoisse, sur la froide solitude des pavés, Lui faisait croire qu'avec nous c'était l'ancien bonheur qui revenait, la douceur de vivre, de nous aimer et parfois de nous taquiner. Plusieurs fois, Il tenta de se détourner du vétérinaire et, n'en ayant plus le pouvoir, de grimper sur Germaine comme si dans ses bras, sur ses genoux, Il aurait été délivré du malheur et pour toujours hors de danger et de nouveau Lui-même et content.

Une illumination m'a arraché à mon lit. Je m'habillai comme on s'habille, j'imagine, pendant un incendie. M'étant souvenu du dernier regard de Germaine comme je refermais la porte, j'avais saisi que cette nuit était le funèbre anniversaire et qu'elle avait cru que je tiendrais à le passer avec elle. Sur un morceau de papier que j'ai laissé sur les draps, j'ai seulement écrit : « Je suis sorti. »

Il aurait été plus long de faire un détour jusqu'au garage, d'attendre le réveil du veilleur, j'ai couru. Je courais extrêmement vite malgré un essoufflement extrême. L'effort rendait mes jambes souffrantes, mais la souffrance que je subissais était peu, comparée à celle qu'Il avait subie il y a un an. Je courais comme le vieux que je suis, le corps rigide jusqu'aux genoux. Je songeais à l'infarctus sans le craindre, le voulant seulement définitif.

Toujours, je frémis en traversant la cour qui a été sa chambre de torture. J'ai levé les yeux et, comme je m'y attendais, l'électricité brillait chez Germaine. Elle est venue à moi les bras ouverts et m'a embrassé en laissant des larmes sur mon visage.

Le jour se levait. Nous parlions de Lui. Germaine prononçait son nom qui me perçait et que je ne peux pas écrire. Ensemble, nous l'admirions, nous le remerciions d'avoir été si bon et si malin, si tendre, si honnête, si doux, si imprévu, d'une belle gravité où fusaient les mouvements de gaieté. Nous nous réconfortions en nous rappelant que sa trop brève vie avait été heureuse. Germaine souvent me déchirait avec les détails de la nuit atroce.

Cette nuit avait été la première, la seule, où le drame m'avait approché. Quand j'avais descendu l'escalier en courant, je portais l'espoir de le trouver vivant, juste un peu secoué comme la première fois qu'il était tombé, puisque ma vie — et il en faisait partie — se déroulait hors du drame.

A neuf heures, nous sommes partis chacun vers notre bureau. J'eus la tentation, à peine assis, de téléphoner à Rose pour la rassurer. J'aime convaincre, mais par expérience je doute de réussir à convaincre, donc je triche. Tricher, ce serait trahir celui dont le souvenir m'a fait lever cette nuit. Ce soir, elle m'interrogera comme un juge. Je refuserai simplement de lui répondre. Désormais je n'ai plus de compte à lui rendre. Cambré par la douleur, mon enthousiasme me monte à la tête. Jamais mon rôle ne doit plus retomber dans le passif.

IX

La matinée fut étouffante. Des mouches exaspérées avaient envahi le bureau. Des coups de téléphone se suivaient qui, tous, rappelaient qu'Alavoine était mort. Marielle qui, pendant la nuit, s'était bourrée de calmants, avait avalé une pilule mauve destinée à l'exciter.

Ayant raccroché d'un air sombre, les mains tremblantes, elle prononça :

— Mme Hallain tient à ce que je m'installe dès lundi dans l'ancien bureau d'Alavoine.

— Ça te fait peur.

— Au lieu de te laisser ici, je vais te prendre avec moi là-haut.

— Je te défendrai contre les fantômes, dit Catherine en se levant.

— Où vas-tu ?

— Hier, j'avais téléphoné à Maurice Raye pour lui soumettre le texte de son interview. Comme je tenais à ce qu'elle parte aujourd'hui pour l'imprimerie, il m'a priée de passer ce matin chez le prince d'Oram où il se trouve. J'y vais.

Elle s'arrêta pour donner à Yvette le courrier qu'elle n'avait pas eu le temps de taper elle-même et fut frappée par la sévérité du maintien de la jeune fille et de Tarzan. Ils parlaient bas et leur réduit était imprégné de recueillement comme une chapelle. Même, ils avaient modifié leurs vêtures : elle portait une jupe noire et un chemisier blanc et lui, sur sa chemise à carreaux, une cravate sombre. C'était la première fois qu'à la revue on lui voyait une cravate.

Un taxi (pris aux frais de la maison) la conduisit au Champ de Mars où demeurait Oram. Intimidée par la gravité du domestique qui lui ouvrit la porte, Catherine entreprit de traverser un immense salon, haut de plafond comme une église, où tous les meubles lui apparurent noirs et incrustés de nacre. Elle bifurqua pour ne fouler que le tapis, redoutant le choc de ses gros talons dont la sonorité des lieux se fût emparée. Le salon était devenu pour elle un de ces ports majestueux et enfumés que peint Claude Lorrain ; elle cabotait entre des vaisseaux de haut bord. L'homme qui, avec une rapide raideur, accourait au-devant d'elle, lui parut ressembler aux photographies du prince. Celui-ci la pilota vers un bassin creusé au fond du port. Dans un rayon de soleil elle reconnut Maurice Raye et, derrière lui, découvrit les vertes guirlandes d'un jardin.

— Nepo, j'en ai pour une seconde, dit Raye au prince, en prenant les feuillets.

Posant sur Catherine son regard de Bouddha, Oram demanda :

— Vous connaissiez bien Roger Alavoine ?

Elle perdit sa timidité pour signaler que, dans le texte de l'interview, la correction qui portait sur le mot *destin* était de la main d'Alavoine et qu'il l'avait faite quelques heures avant de mourir.

— C'est à propos de cette interview que je l'ai vu pour la dernière fois.

La sonnerie du téléphone coupa court, attirant le prince vers les régions centrales du salon.

— Bonjour, Lise... Merci, je le dirai à Ombeline... C'est convenu... Il a refusé ! Je ne vous crois pas :

un Schnauzer montre toujours un enthousiasme belliqueux pour les pommes... Attendez, Lise ! Les aviez-vous pelées ?... Quelle horreur ! Jamais un Schnauzer n'approchera d'une pomme non pelée... Pelez et vous verrez. Quant aux pelures donnez-les donc à vos cygnes... Vous ne saviez pas ? Tout cygne est fou des pelures de pommes, surtout si c'est des Calville. Ça, ne me demandez pas pourquoi, je n'en sais rien.

Montrant à Catherine le bas d'un feuillet, Maurice Raye observa :

— Si cela ne trouble pas votre mise en pages, coupez-moi donc ces trois lignes où je me répète.

Il enchaîna à l'adresse du prince qui réapparaissait :

— Ce qui a manqué à Roger Alavoine, c'est une collection. Cet homme était fait pour collectionner n'importe quoi. Il y avait parfois songé. Au temps où ce n'était pas encore la mode, il parlait de collectionner les entrées de métro, ce qui était bien dans son caractère. Une telle collection était trop encombrante, donc il lui était impossible de l'entreprendre.

— Il n'a pas su choisir. S'il avait choisi...

Une très vieille et très grosse dame en pantalon avait débouché au milieu d'eux.

— J'ai jardiné tout dimanche, mes os sont rompus. Comment va Ombeline ?

— Elle est joyeuse puisqu'elle vous attend, Aurore.

— C'est affreux, cette histoire que nous a faite Roger !

— Nous en parlions justement, dit Raye.

Oram poussa Catherine en avant ; elle comprit qu'elle était présentée à Mme d'Albassoudun dont le nom et le titre lui étaient connus grâce à des magazines. La duchesse Aurore, comme l'appelait Proust, avait été une des dernières à voir celui-ci vivant. Catherine avait appris de Marc — et non de sa famille à elle, où le problème n'avait jamais été soulevé — que les ducs, contrairement aux autres nobles, ont droit au Monsieur et au Madame, mais elle se sentit un peu domestique en articulant « Madame la duchesse ».

— Cette jeune fille, expliqua Oram, travaillait auprès de Roger.

Comme Mme Mercédès, il ne voulait pas que Catherine fût mariée.

— Quand j'ai lu ça ce matin dans *Figaro,* je n'en ai pas cru mes lunettes. Cinq minutes après, Jean d'Ormesson m'a appelée, mais il n'en savait guère plus. J'ai fait un saut rue Férou où j'ai trouvé ce pauvre Roger avec des dames du voisinage. Elles l'avaient très bien arrangé. Il n'était pas du tout défiguré comme je l'avais craint. Il avait même le petit air goguenard qu'il prenait dans les concerts. Mais son appartement n'était plus entretenu du tout. Ces dames et moi, nous avons bossé comme des sourdes. Heureusement, l'une d'elles avait été sa femme de ménage provisoire, il y a trois ou quatre ans, et elle a pu me donner le nom du chat.

— Un chat, observa le prince d'Oram. Quand il était jeune, il avait un lévrier.

— Je ne pouvais pas faire moins pour Roger, j'ai pris le chat, mais à sept ou huit ans, ce qu'il semble avoir, il n'aurait pas supporté de changer de nom et ne pas être appelé du tout lui aurait aigri le caractère. Heureusement, cette dame se rappelait très bien que la bête — un gouttière, curieux à voir, d'un noir très sombre avec des zébrures dorées et des yeux mauves — avait non seulement un nom, mais deux : Tarzan et Hector.

— Ah !

Catherine retint d'abord la confidence qui lui venait aux lèvres puis, considérant que ces gens ne paraissaient ni cancaniers ni disposés à chercher l'interprétation qui abaisse ou ridiculise, elle se décida à leur apprendre qu'Hector et Tarzan étaient également les noms du cycliste. Cette nouvelle ne rencontra pas grand succès ; la duchesse se borna à observer discrètement :

— Tiens, c'est curieux : le cycliste avait également deux noms.

Elle enchaîna :

— Vous rappelez-vous, Nepo, cette grâce lourde et inimitable de Roger quand il nous est apparu vers les années 30 ou 26 ?

— En fait, précisa Raye, il ne nous est apparu qu'après 35, mais son dandysme, sa nonchalance sportive, son cynisme poétique, avaient le style de l'immédiate après-guerre. C'était l'époque qu'il s'était choisie. Nul ne décrivait mieux que lui les nuits du *Bœuf sur le toit* qu'il était bien sûr trop jeune pour avoir vécues.

A l'intention de Catherine, il décrivit un jeune Alavoine, portant en brosse ses cheveux roux, un peu trop gras pour son âge, traînant les pieds, dont la grâce était inexplicable.

— Il y a un portrait de lui par Van Dongen qui rend bien ça, se rappela soudain Oram. Je me demande ce qu'il est devenu.

— Il est toujours chez Sarah.

Ils parlèrent tous ensemble pendant un moment. Catherine apprit que, si le jeune Alavoine marchait mollement, il conduisait comme un éclair. Il avait acheté d'occasion à un courtier de Deauville une Bugatti à moitié morte que Sarah, mécanicienne dans l'âme, avait soigneusement réparée et entretenue. De cette Sarah, une jeune Anglaise qui devait épouser un Suisse par la suite, il était difficile de saisir si Alavoine l'avait prise à Drieu la Rochelle ou l'inverse. C'était Sarah qui avait baptisé le jeune homme *Mouroufou.* Telle était la thèse d'Aurore d'Albassoudun, contestée par le prince :

— Peut-être que Sarah a trouvé ce raccourci, mais c'est Misia Sert qui l'a imposé.

— Je croyais que c'était Cocteau ?

— Cocteau a inventé une variante. Il en a fait *Mouroflou,* un soir que Roger lui avait montré l'un de ses poèmes. Jean qui attendait de lui du précis, du concis, du contracté, avait été déçu par un excès de flou verbal. D'où *Mouroflou.* Le même soir, comme il reprochait toujours à Alavoine l'écriture dévergondée de ce poème, un autre mot était né : *Gondé.* Roger était reconnu coupable de faire des vers gondés. Jean avait même improvisé un pastiche de Toulet sur les aventures d'un mourouflou qui, au mépris de la loi, fabriquait des vers gondés et tentait de les écouler.

— Mais oui ! Dire que j'avais oublié ! Pendant un temps, nous employâmes *Gondé* pour ampoulé, redondant, bavard. C'était un de nos mots de passe, la guerre l'a balayé.

— Je comprends, prononça Catherine, pourquoi le petit dessin de Jean Cocteau qui est dans le bureau de... Roger est dédicacé au *Mourouflou.*

Elle rougit en désignant par son prénom un homme qu'elle avait toujours appelé monsieur. Elle avait craint de faire petite employée en disant « Monsieur Alavoine », mais elle se méprisait de ce qu'elle considérait comme une bassesse. Sa remarque ne fut pas relevée et tout à coup affolée, rougissant de plus belle, elle se persuada qu'en s'attardant inconsidérément elle avait été indiscrète. S'emparant de l'interview, elle l'enfouit dans son sac, balbutia des au revoir, et, dans son émotion amorça une révérence devant la duchesse. Bref, elle se sentait irrémédiablement ridicule. Elle courut à travers le salon, manquant du sens de l'orientation, ne trouvant pas d'issue. Oram la récupéra et il la dirigeait vers la porte lorsqu'un domestique les rejoignit. Elle apprit, ce qui accrut encore sa confusion, qu'on la demandait au téléphone. Escortée par le domestique, elle parvint à l'appareil. Marielle avait donné le numéro à Marc. Celui-ci tenait à déjeuner avec Catherine.

— J'ai un saut à faire au ministère des Affaires étrangères, nous pourrions déjeuner à *La Frégate,* quai Voltaire. Tu m'entends ?

— Oui oui, d'accord.

— Rendez-vous à midi et demi, comme ça nous aurons le temps de parler. Hein ?

— Oui oui, d'accord, à tout de suite.

Cette fois, elle sut retrouver son chemin. Tout en

s'enfuyant, elle entendait la duchesse raconter comment Fifine, qui sans doute était sa cuisinière, avait accueilli le chat Hector-Tarzan.

— Elle bougonnait, mais elle était ravie. Ça lui fait un chat de plus. En revanche, elle a très mal pris une recette qu'une des dames m'avait donnée pour raviver les manches de corne des couteaux. Fifine était pareille quand elle avait vingt ans. C'est une fille qui croit tout savoir et met son point d'honneur à ne rien entendre.

Dans l'avenue, Catherine, aussi désorientée que dans le salon, ne sut plus dans quel sens chercher la Seine. Elle marchait à l'ombre épaisse des marronniers.

La Seine trouvée, Catherine hâta le pas, de mauvaise humeur parce qu'elle transpirait. Quand elle arriva à *La Frégate,* l'absence de Marc l'irrita. Elle s'était dépêchée pour rien. A peine assise, elle le vit apparaître, arborant une physionomie compétente qu'elle jugea exaspérante. Il aggrava son cas en lui parlant avec condescendance, du moins en jugeait-elle ainsi. Elle dit :

— Je t'en prie, Marc, ne sois pas condescendant.

— Mais je ne suis pas condescendant.

— Si justement, tu es condescendant. C'est insupportable.

Elle se mit à se répéter la même phrase : « Le pauvre Mourouflou est mort. » Il y a une voix intérieure que l'on entend, à qui l'on peut prêter des intonations et des inflexions, et Catherine s'écoutait prononcer à l'intérieur d'elle-même la petite phrase sur des tons variés qui se répartissaient entre le navré et le pathétique. Elle se sentit les larmes aux yeux mais, les touchant, les trouva secs. Elle pleurait à l'intérieur comme elle parlait.

— Moi, dit Marc avec appétit, je prendrai une escalope milanaise.

— Et pour commencer ? demanda Louisette, le crayon suspendu au-dessus du carnet.

— Une salade de tomates.

Catherine n'avait pas faim ; elle commanda une viande rouge et se pencha pour caresser un chat qui se frottait dans ses jambes. Du coup, elle commença à raconter à son mari comment la duchesse d'Albassoudun avait adopté le chat d'Alavoine qui partageait son prénom et son surnom avec le cycliste de la revue. Elle laissa vite tomber son histoire, remarquant que Marc ne l'écoutait pas et que le sérieux de sa physionomie s'accentuait. Un silence s'établit au milieu duquel Marc annonça :

— La soirée et la nuit qui viennent revêtent une très grande importance pour nous.

Catherine croyait entendre à la radio un ministre inaugurer un monument.

— Mais ce soir nous dînons chez ta mère !

— Avec Marielle !

— Oui, avec Marielle.

Marc vida son verre de vin, puis le remplit. Visiblement, il révisait l'ordonnance de phrases toutes préparées ; il reculait l'instant de se jeter à l'eau.

— J'avais d'abord pensé, dit-il, t'attirer dans un piège.

— Qu'est-ce que tu dis !

— L'autre soir, quand nous étions au bar avec Gonzague, tu te rappelles que Tilly s'est amenée.

— Tu parles du soir où tu m'as fait...

— Tu as recoiffé Tilly. Nous te regardions, Gonzague et moi. Ou plutôt nous vous regardions. Et Gonzague a dit qu'il aimerait faire un croquis à la sanguine de vous deux, toi recoiffant l'autre. De vous deux toutes nues évidemment.

— Ça me déçoit de lui. Bon. Et alors ?

— Alors, je t'ai imaginée avec une autre femme.

— Et toi à côté ?

— Je voudrais que, ce soir, si je te donne des ordres, tu saches qu'il est important de les suivre.

Catherine se renversa et regarda dans le vide.

— Quand j'avais quatorze ou quinze ans, dit-elle enfin, je flirtais avec un lycéen d'un an ou deux plus vieux que moi qui s'appelait Yves Chadirot. Nous prenions le métro et nous allions nous promener au Bois de Vincennes. Je lui disais : « Faites-moi obéir, donnez-moi un ordre, n'importe lequel. » J'y pense maintenant, nous n'avons jamais eu l'idée de nous tutoyer. Yves n'avait pas l'air de comprendre très bien, mais il finissait par me donner un ordre. S'il était assis sur un banc, il me disait : « Mettez-vous sur mes genoux », je m'exécutais en lui chuchotant dans l'oreille : « N'est-ce pas que je suis une fille obéissante ? »

Chez son coiffeur, pendant une bonne heure, elle s'apprêta sans impatience à goûter les émotions de la soirée qui l'attendait. Au bureau, elle tenta de venir à bout du travail qui pendant l'agitation des derniers jours s'était accumulé. Avant de partir, elle se sentit attirée par le bureau d'Alavoine et monta l'escalier. Elle était seule dans la revue, Yvette ayant fui quelques instants plus tôt. Le bureau avait été remis en ordre. Au mur, elle contempla la dédicace au Mourouflou. Puis elle fit quelques pas sur la terrasse devant les frondaisons qu'Alavoine aimait. Le sommet des arbres était poudré par le crépuscule. Celui-ci annonçait une nuit que Catherine jugeait menaçante sans la redouter. Comme chez l'avocat, elle était devenue la spectatrice d'elle-même. Elle assistait à la méditation d'une jeune femme devant un jardin.

X

Rue des Ecoles, Mme Esmelain habitait un immeuble construit au XIXe siècle. Son balcon, situé au second étage, était soutenu par deux cariatides joufflues. Marc rangea la voiture contre le Collège de France.

Quand ils entrèrent dans le salon, Marielle s'y trouvait déjà, ainsi qu'une dizaine d'autres invités. Ceux-ci étaient presque tous des parents, mais Mme Esmelain n'aurait jamais admis que l'on considérât cette réunion trimestrielle comme une réunion de famille, festivité qu'elle tenait pour « commune ». Il n'y avait pas de plus grand crime pour Mme Esmelain que d'être « commun » et c'était un jugement sans appel qu'elle avait porté sur les parents de Catherine quand elle avait dit à son fils : « Ce sont de très braves gens mais un peu communs. »

Catherine se sentait toujours mal à l'aise dans cet appartement trop vaste qui n'avait pas été repeint depuis vingt ans. Les sièges Louis XV du salon, les uns cannés, les autres vêtus d'une soie grise et râpée, dissimulaient leur grâce sous une sévérité renfrognée. Sous des plafonds terriblement hauts, une glace tavelée reflétait la verdure qui tapissait le pan de mur opposé. Verdure qui montrait sa trame à l'instar des tapis d'Orient qui, trop petits, n'occupaient que le milieu de la pièce de sorte que les sièges étaient posés sur le parquet.

La première fois qu'elle avait parcouru ces lieux, Catherine avait été surtout épouvantée par les couloirs qui se coulaient dans les entrailles de l'appartement. C'était par une nuit de mai 68 que Marc l'y avait entraînée, profitant de l'absence de sa mère qui faisait une cure à Royat. Elle avait fait sa connaissance, une heure avant, dans le tumulte du théâtre de l'Odéon et il avait pris prétexte d'une charge de C.R.S. devant la Sorbonne et d'un barrage de police à l'angle de la rue des Ecoles et de la rue Saint-Jacques pour la traîner dans cet antre majestueux et mal éclairé. Les oreilles de Catherine étaient encore pleines des cris qu'elle avait poussés et entendus toute la soirée ; des grenades lacrymogènes éclataient sous les fenêtres ; elle avait eu l'impression de vivre non sa vie mais un rôle quand elle s'était regardée dans la glace du salon comme sur un écran, toute décoiffée auprès de cet inconnu ; des housses blanches revêtaient les meubles. Marc l'avait prise sur le tapis. Leur étreinte ne lui laissait pas de souvenir, mais elle se rappelait en détail sa course, toute nue, vers la salle de bains, de couloir en couloir, et que cette salle de bains avait évoqué pour elle un cauchemar qu'elle était sûre d'avoir fait souvent sans jamais se le rappeler à son réveil. Avec ses sombres vitraux, son linoléum écaillé, sa haute baignoire juchée sur des pattes griffues, son chauffe-eau pareil à un accumulateur de sous-marin, son lavabo trop haut muni d'un robinet à col de cygne, ses moulures murales noires de crasse, la pièce avait cerné Catherine qui s'était contemplée dans une autre glace, à cheval sur un bidet également archaïque, auprès d'un homme toujours aussi inconnu qui lui tendait une serviette. Cette nuit-là, ils avaient fini par coucher dans le lit de Bérangère qui habitait encore chez sa mère, mais dormait dans le XVIe arrondissement depuis que l'émeute agitait son quartier. Le lendemain matin, Bérangère, qui venait chercher des affaires, les avait trouvés couchés, ce dont Catherine avait été à peine confuse, cette nuit étant déjà classée pour elle dans ses folies de mai. En revanche, elle n'avait pas pu supporter davantage l'appartement à la lumière du jour qu'à la lumière électrique. Elle avait tenu à rentrer chez elle pour y faire sa toilette et se changer et avait emmené Marc comme s'il allait de soi qu'après avoir découché elle réapparût devant sa famille avec un homme. Ce qui aurait été, quelques semaines plus tôt, une audace inconcevable était devenu par la grâce de ce joli mois de mai si normal que les parents ne bronchèrent pas et retinrent Marc à déjeuner. Le petit appartement familial était confortable et ordonné ; il ne prétendait pas en imposer comme celui de la rue des Ecoles, mais Mme Daubigné n'y aurait souffert ni une tache ni même un à-peu-près. « Jamais je ne remettrai les pieds chez ta mère », avait-elle déclaré à Marc. Et, pendant la dernière semaine de tumulte, elle avait presque chaque nuit couché dans le studio de Marc à Passy.

— Madame est servie.

Maria, la bonne dont la présence déjà vieille de vingt années faisait partie intégrante de la respectabilité de Mme Esmelain, déploya les deux battants de la porte qui séparait le salon de la salle à manger. Catherine se leva, confuse de s'être enfermée dans sa rêverie sans participer à la conversation. A table, elle se trouva placée entre le vieux Bertrand de Saint-Presse et l'encore jeune Robert Lespiau qui, fils d'un ami intime de M. Esmelain, avait fait ses études avec Marc, échoué comme lui à l'E.N.A. ; une rapide ascension à travers les cabinets ministériels l'avait fait accéder à un sous-secrétariat d'Etat, qui lui valait du « Monsieur le Ministre ». Il était noir de peau et de poils et, même au repos, gardait des yeux luisants et mobiles et les mâchoires serrées. A la télévision, il apparaissait souvent dans les « Face à face » et les colloques, la voix puissante, l'enthousiasme toujours étayé par des statistiques, la répartie immédiate ; il cultivait même depuis quelque temps de discrètes intonations faubouriennes qui lui semblaient convenir à un tribun. S'entretenant avec Xavier Esmelain, un cousin de Marc qui avait fait l'E.N.A. et était entré à la Cour des Comptes, il négligeait Catherine à laquelle M. de Saint-Presse voulut bien s'intéresser.

— Savez-vous que j'ai connu jadis votre Roger Alavoine ? En apprenant son suicide dans les gazettes, je me suis rappelé le temps où nous bavardions ensemble sous le soleil de l'Egypte. C'était dans les années 30. Alavoine était beaucoup plus jeune que moi. Il avait dans les dix-huit ans. Je venais de quitter l'Inspection et la société m'avait envoyé en mission au Caire. Guillaume Alavoine, le père de Roger, était ingénieur général au Canal. Il sortait de l'X. Mon père et lui étaient de la même promotion. Au détriment de sa carrière, il s'accrochait à l'Egypte alors que Roger ne rêvait que de Paris et de littérature. Lui et moi, nous allions boire dans des bars mal famés. C'est peut-être la seule époque de ma vie où j'ai eu le loisir et l'occasion de bavarder en liberté.

Catherine écoutait son voisin sans pouvoir empêcher que pénétrassent dans ses oreilles les formules que Xavier Esmelain échangeait avec Lespiau comme des balles de tennis : « Les modalités d'une politique efficace d'aménagement territorial et d'équipement des collectivités locales... le bilan des possibilités offertes par la législation en vigueur... les réformes souhaitables au niveau des instances régionales », formules qui se croisaient parfois avec des considérations plus personnelles « Besthaux a toujours été un nullard, il est de la même promotion que moi. Nous le surnommions Bestiaux... Dumas a débuté en fournissant des petites femmes à son Préfet... Sans Matignon, il y a beau temps que Belman aurait sauté. »

Marc, qui suivait leur conversation d'une oreille, y décelait des sous-entendus qui reflétaient la mutuelle animosité de ces deux hommes dont l'un ne pardonnait pas à l'autre d'avoir réussi à l'E.N.A., le second ne pardonnant pas davantage au premier d'avoir réussi sans l'E.N.A.

— Il faut que tu m'aides à persuader maman.

Bérangère ne cessait de harceler Marc pour qu'il obtînt de leur mère qu'elle vendît l'appartement, qu'elle bazardât les meubles et la bonne, ce qui lui permettrait, en utilisant une Portugaise une heure par jour, de mener une vie heureuse dans un studio. Marc rageait d'autant plus d'avoir été stupidement placé à côté de sa sœur qu'il souhaitait le voisinage de Marielle. Celle-ci recevait les félicitations de Mme Esmelain à qui elle n'avait pas celé qu'on lui avait confié les fonctions d'Alavoine.

— A votre âge, Marielle ! Mais c'est merveilleux ! Quelle belle situation !

Marc retrouvait dans cette exclamation toute sa famille : le beau mariage, la belle situation et, le cas échéant, la belle citation, fût-ce à titre posthume.

Grâce à la voix bien posée de Mme Esmelain, la nouvelle avait circulé de l'accession de Marielle au poste d'Alavoine et la même question fut formulée par plusieurs bouches : savait-on le fin mot de son suicide ?

— Il a agi dans un moment de dépression, récita Marielle.

— C'est ce qu'on dit toujours en pareil cas, ricana Lespiau.

— Au fait, demanda Saint-Presse à Catherine, auriez-vous une idée ?...

Elle découvrit que chez le prince d'Oram la question n'avait été posée par personne. Comme il y a plusieurs maisons dans la maison du Seigneur, il y a plusieurs sociétés dans la société bourgeoise, se disait-elle ; la société d'Oram ne ressemblait ni à celle de Mme Esmelain ni à celle où Catherine avait été élevée.

Le dîner, aussi mauvais que d'habitude, avait pris fin et on était passé au salon. Catherine aurait souhaité changer de partenaire, mais Saint-Presse n'entendait pas se priver d'une confidente.

— J'avais trente-cinq ans à l'époque où Alavoine en avait dix-huit et j'étais le produit d'un milieu. Celui de l'E.N.A. aujourd'hui est très mélangé, mais de mon temps, c'était une caste qui envoyait ses fils aux grands concours. J'avais subi les limitations de la mienne et des auteurs contemporains je n'avais guère lu que Bourget, Bazin et Lavedan. Quand Alavoine me parlait de Gide, j'ignorais l'existence d'André, ne connaissant que celle de Charles et m'étonnant des intentions que ce jeune homme prêtait à un respectable professeur de Sciences Politiques. Dans ma famille j'avais beaucoup entendu parler du docteur Proust qui avait soigné mon père, mais son frère Marcel ne m'avait été décrit que comme un oisif hurluberlu et d'ailleurs inoffensif. De même, Morand pour moi, c'était Eugène, le père, et je n'avais même jamais entrevu le titre d'un livre du fils. André Breton, je croyais que...

Catherine avait renoncé à l'écouter, fascinée par le spectacle de Marielle et de Marc qui, isolés dans un coin du salon, semblaient discuter âprement. En vain prêtait-elle l'oreille : entre eux et elle un groupe donnait de la voix. Le style de ces dîners voulait qu'on finît toujours par y parler de Bardot, de Sagan et de quelques autres vedettes, ce qui restreignait le débat autour du dernier truc qu'il fallait avoir vu ou lu.

Gênés eux aussi par ce voisinage bruyant, Marielle et Marc poursuivaient leur dialogue à voix basse.

— Nous étions tombés d'accord l'autre jour, répétait Marc avec amertume, et tu inventes des changements à la dernière minute.

— Rien ne change. Je viens même de demander à Catherine si, pour qu'on arrive à l'enterrement ensemble, elle me donnait l'hospitalité cette nuit. J'espère que tu auras ce que tu veux. En échange, j'ai bien le droit de faire un caprice.

Avec un demi-sourire, Marc demanda :

— C'est du chantage ?

— Cette nuit, je te partage avec Catherine ; demain,

je te veux pendant un moment pour moi toute seule. A une heure je serai rentrée de l'enterrement. Tu t'amènes et nous déjeunons chez moi.

Les autres invités conjuguaient leurs forces vocales dans un débat sur la censure cinématographique, sauf Saint-Presse qui poursuivait une étude nuancée du cas d'Alavoine.

— N'allez surtout pas croire, Catherine, qu'il ait été un collabo. Il a publié des articles dans la presse de Paris mais sans jamais sortir du domaine littéraire et artistique. Sa seule erreur, sans doute, fut, très ami d'Arno Breker, d'avoir accepté une invitation en Allemagne.

Le signal du départ fut donné par Lespiau qu'un long et épineux rapport, assura-t-il, attendait sur son bureau. Marc, qui traditionnellement aurait dû quitter le pont le dernier, se jeta sur l'occasion.

— Vous êtes en voiture ? demanda Lespiau.

Rassuré, il se dirigea vers celle que la République lui avait allouée ; le chauffeur lui ouvrit la portière.

Marc se mit au volant, le front soucieux. Il avait imaginé cette nuit avec une précision passionnée, jusque dans ses détails. Or déjà, ce qui était ne coïncidait plus avec le projet. L'exigence imprévue de Marielle ternissait la clarté de cette aventure et Marc n'était pas dans l'humeur qu'il avait imaginée.

Même la rencontre de James Groslau devant l'ascenseur, bien qu'elle fût sans conséquence, irrita Marc parce qu'elle n'avait pas été prévue. Le voisin, toujours rond et cordial, leur tint la porte en leur offrant la cabine :

— On ne peut pas monter à plus de trois et je ne veux pas vous séparer. Si si ! insista-t-il, allez-y, j'ai tout mon temps.

Catherine procéda aux éclairages, mit un disque, servit le whisky. Dans le plan de Marc, tous trois prenaient leur verre allongés sur le lit : ils s'assirent autour de la table basse et Marielle entreprit une étude psychologique des invités.

— Ta sœur Bérangère est une drôle de fille. Quand elle vous regarde, elle a l'air de s'adresser à quelqu'un qui serait derrière vous. Je ne peux pas m'empêcher de me retourner.

— Bérangère, répondit machinalement Marc, a toujours été du genre chiant. Maintenant elle vit avec un drogué, peut-être même qu'elle se drogue, ça n'arrange pas les choses. Elle se fabrique des personnages. Aujourd'hui elle jouait celui de la fille pleine de bon sens et d'attention qui veut prendre en main le sort d'une vieille maman par trop distraite.

Marielle avait été frappée par Lespiau. Elle posait des questions sur lui. Marc haussa la voix, improvisant le procès de ces valets des grands corps de l'Etat dont il avait failli être.

— Lespiau a du charme, coupa Catherine.

— Il a réussi parce qu'il est moins respectueux que les autres. D'abord les autres ont ricané, puis ils l'ont envié, maintenant ils l'admirent, même Bertrand de Saint-Presse !

Bondissant sur ce nom, Marielle observa que ce soir seulement, à travers les conversations, elle avait entrevu les rapports qui liaient François-Ier à la banque de Saint-Presse. Son ambition lui donnait la passion de savoir pour prévoir et pourvoir ; elle voulait des détails. Cette conversation consacrait le naufrage du rêve de Marc qui se leva.

— Amusez-vous bien, mes petites filles, moi je vais me coucher.

Elles le regardèrent sortir. Puis, quand la porte d'entrée eut claqué, elles se regardèrent.

— Qu'est-ce qui lui prend ?

Marielle sourit.

— Il se dégonfle.

— Qu'est-ce qu'il voulait ?

— Il avait ses idées en ce qui nous concerne, exposa Marielle en souriant toujours. Tout au moins c'est l'impression que j'ai eue, corrigea-t-elle. Et moi, tu comprends, du moment que ça pouvait servir à arranger tes affaires avec lui, j'aurais marché...

— Comme un seul homme !

— Tu as compris ?

— On va se coucher ?

— Oui ! Demain il s'agit de ne pas arriver en retard à l'église.

Dans la salle de bains, Catherine prêta sa brosse à dents à Marielle comme au temps où elles étaient petites. Dans la chambre, elles se déshabillèrent selon la tradition qui consistait à se tourner le dos et à multiplier de pudiques précautions, ce qui ne les empêcha pas, à la fin, de se voir nues.

— Tes seins ont embelli, dit Marielle. Ils sont superbes.

— Tu crois ? Je n'arrive pas à les aimer. Et d'après le masseur, j'ai de la cellulite à la taille et aux fesses alors que toi tu es parfaite. J'adore tes fesses.

— Ce sont des fesses de garçon.

— De petit garçon. Dures, serrées. Moi, j'ai tout de la pouliche. Attends que je te cherche une chemise de nuit.

— Je n'en mets pas.

— Alors, moi non plus.

Elles s'étaient couchées et elles fumaient toutes les deux la cigarette que Marielle avait allumée.

— A déjeuner, il m'a raconté que Gonzague, l'autre soir, lui avait dit qu'il rêvait de nous dessiner, Tilly et moi, dans les bras l'une de l'autre. Il préparait le terrain.

— Qui c'est Tilly ?

— La petite amie de Gonzague. Probablement il a pensé que c'était plus facile à organiser avec toi parce que tu lui avais raconté qu'autrefois nous avions eu des faiblesses l'une pour l'autre.

Catherine rit brusquement.

— J'ai envie de lui faire croire qu'après son départ nous nous sommes livrées à des orgies.

— Compte sur moi pour fournir les détails.

La cigarette écrasée dans le cendrier, elles avaient éteint. Après un silence, Marielle prononça en prenant sa voix précise :

— Pour bien mentir, il faut toujours s'appuyer sur un minimum de vrai.

La phrase se termina dans un baiser. Catherine s'était laissé enlacer. Elle goûta la douceur du corps de Marielle pressé contre le sien. Elle rendit même quelques caresses mais presque aussitôt se détacha.

— Et maintenant, on dort !

Elle s'endormit en effet, et si profondément qu'elle sursauta quand elle entrevit dans la pénombre la silhouette de Mme Jeannot.

— Nous voudrions dormir encore un peu, cria-t-elle. Pour aujourd'hui, ce n'est pas la peine de rester, madame Jeannot !

Sans marquer de surprise, Mme Jeannot annonça qu'avant de s'en aller, elle expédierait « juste un petit bout de lessive de cinq minutes ». Pendant un quart d'heure, elles écoutèrent des cascades frissonner dans la cuisine. Enfin le claquement de la porte d'entrée les libéra. Comme des enfants fautives que le départ des adultes rend à leur turbulence, elles bondirent ensemble du lit. Le froissement de la clef dans la serrure les surprit et l'apparition de Marc les rendit idiotes. Instinctivement, Marielle avait pris la pose traditionnelle de la pudeur menacée, une main sur son ventre, un bras sur ses seins, les cuisses serrées, le corps fléchi, les yeux baissés — et Catherine l'avait imitée, ce qui fit rire Marc. Il était entré avec un visage sévère, mais il ne pouvait s'empêcher de sourire de cet effroi féminin rendu par des poses académiques. Catherine se remit la première et poussa Marielle dans la salle de bains.

— Fais-nous du café, et une tasse de thé pour Marielle.

Malgré le vagissement de la douche, des chuchotements mêlés d'éclats de rire parvenaient jusqu'à la cuisine. Ayant déposé le plateau sur le lit, Marc les attendit. Elles apparurent plus vite qu'il ne l'espérait, toujours nues mais cette fois paisiblement impudiques. Elles s'assirent autour de lui et du plateau et se coupèrent la parole pour justifier le trouble qu'elles avaient montré à son apparition.

— Il y avait d'abord eu Mme Jeannot...

— Tu arrives : second flagrant délit !

— Bien sûr qu'on est connes. Puisque tu savais qu'on dormait ensemble, ça ne t'apprenait rien...

— Et Mme Jeannot aurait trouvé très normal qu'une amie dorme ici.

— Si on avait été innocentes, on aurait tout simplement...

— Mais parce qu'on se savait coupables, on s'est conduites en coupables.

Marc parvint à leur demander de quoi elles étaient coupables. Elles répondirent en chœur, comme une leçon bien apprise, qu'elles avaient péché comme il souhaitait qu'elles pêchassent, en regrettant seulement qu'il n'eût pas daigné rester pour assister à cette débauche.

— N'exagère pas, Catherine, on s'est très bien passé de lui.

Il contemplait avec hostilité leurs muscles abdominaux que le fou rire agitait.

— Si vous continuez, dit-il, vous serez en retard à l'enterrement.

Le ton de cette mise en garde eut pour effet de redoubler leurs rires. Mais Marielle se reprit :

— Il a raison !

En s'habillant, elles prirent soin de s'aider mutuellement à fermer leur soutien-gorge et à monter leur fermeture éclair pour évoquer leur faiblesse nocturne et raviver les regrets du spectateur. Les sourcils froncés, il se demandait s'il oserait formuler le vœu qui était l'objet de sa visite matinale ; il craignait de provoquer de nouveaux rires. Enfin il sortit d'un petit sac de plastique un porte-jarretelles noir et, d'une voix involontairement sinistre, demanda à Catherine si elle accepterait de le mettre.

Elles trahirent des velléités de rires rentrés, mais ne se moquèrent pas de lui autant qu'il l'avait craint.

— Il y a cent ans, dit Marielle, que je n'avais pas entrevu cet appareil médiéval.

— Tu en portais encore en 68 et moi aussi.

— Je détestais. Ça tire, ça blesse. C'est ridicule. Ça donne l'impression d'être sanglée comme un cheval. Et tu te rappelles : avec les petites robes de jersey, on devinait les quatre boutons à travers l'étoffe, c'était dégradant.

— C'est pour ça que Marc est intéressé, observa Catherine d'un air sage et accommodant. Mais tu aurais dû acheter des bas, Marc, j'ai grand peur de ne plus en avoir.

Elle revint triomphante de son incursion dans la penderie.

— Toi qui m'accuses de ne jamais rien jeter, tu devrais me bénir !

Elle enfila les bas et les assujettit au porte-jarretelles en remarquant :

— J'ai perdu le geste. Pourtant j'en avais porté si longtemps !

Elle se redressa, fit bouffer la jupe en ajoutant que sans doute Marc lui interdisait le port d'aucun autre dessous. Il acquiesça gravement. Comme elles avaient décidé toutes deux de ne pas se maquiller, elles se déclarèrent prêtes et il les accompagna à la porte.

— Est-ce que je te retrouve pour déjeuner ? lança Catherine.

Avant d'avoir eu le temps de répondre, il reçut de Marielle un regard appuyé.

— Non, pour dîner.

Après avoir claqué la porte derrière elle, Catherine lui cria :

— Nous sommes en retard, je prends la voiture !

Sur le trottoir elles croisèrent Gonzague qui musardait.

Il n'était pas rasé et ses longs cheveux pendaient avec raideur. Catherine l'embrassa sur les joues. Elle comprit qu'il sollicitait un rendez-vous.

— Prends-moi à six heures et demie à l'institut Sanus Ludovicus. Ça te va ?

Onze heures sonnaient à l'église Saint-Sulpice quand elles débouchèrent sur la place. Elles s'engloutirent dans le parking souterrain. La voiture rangée, Catherine fut rassurée par le spectacle de la duchesse d'Albassoudun qui descendait d'une 2 CV qu'elle emplissait complètement.

— Nous ne serons pas les dernières, glissa-t-elle à Marielle.

Elle se précipita pour aider la vieille dame dont les efforts agitaient tumultueusement la petite voiture. Puis, éperdue, elle plongea dans les présentations. Ne sachant pas s'il fallait dire « la duchesse » ou « madame la duchesse », elle opta pour un prudent madame d'Albassoudun, mais, troublée par la rapidité de sa délibération, elle se trompa et ce fut sa duchesse qu'elle présenta à Marielle, ce dont elle rougit violemment, s'inquiétant pour rien car la duchesse n'écoutait pas, se bornant à marmonner :

— Dépêchons-nous, j'ai horreur d'être en retard !...

L'âge et la corpulence avaient donné à celle que Proust avait comparée à un oiseau la démarche d'un oiseau. Elle sautait d'un pied sur l'autre, voulant se hâter et fournissant un effort énorme pour jeter alternativement tout le poids de son corps sur une jambe puis sur l'autre. Elle était coiffée d'une sorte de toque en velours d'un violet sombre où était piquée une plume. Cela donna de l'inquiétude à Catherine : peut-être auraient-elles dû toutes les deux mettre des chapeaux.

— Cette Sarah sera toujours aussi folle, grogna la vieille dame. Prendre la voiture pour venir de Suisse au lieu de l'avion, je vous demande un peu ! Et puis, quand on n'a plus de chauffeur, on ne garde pas la Rolls. Elle a vendu son petit hôtel de la rue Las Cases, parfait, mais j'ai appris qu'hier soir elle était descendue au *Crillon*. Le *Crillon* pour quoi faire, mon Dieu ! Elle pouvait aller chez des amis ou tout simplement dans une pension de famille. J'en connais une, épatante, rue de l'Université.

Ces propos n'attendaient pas de réponse, la duchesse les prononçait à son propre usage. Catherine vit descendre de la Rolls noire une grande femme maigre d'une soixantaine d'années affublée de gants mousquetaires, d'où nouvelles affres : elles avaient oublié de mettre des gants.

Dans l'escalier, Catherine tenta d'aider à l'ascension d'Aurore d'Albassoudun, mais celle-ci refusa sans ambages et se hissa avec assez de rapidité jusqu'à la lumière du jour. Elle attaqua aussi vaillamment les degrés de l'église. Devant eux montaient des fidèles parmi lesquels Catherine reconnut Bertrand de Saint-Presse et, escortée de plusieurs silhouettes de P.-D.G., Mme Hallain. L'église était assez pleine, ce qui frappa Catherine. Au moment où la jeune femme offrait de l'eau bénite à sa duchesse, celle-ci fut rejointe par Sarah et du coup les deux amies libérées purent se faufiler dans une travée latérale. Au dernier rang, se tenait Tarzan qui portait un complet noir et même, trahissant sa casquette, tenait à la main un béret. A sa gauche, Yvette en jupe et pull noirs, un foulard noir à pois blancs noué autour de la tête. Tarzan, très raide, ne répondait guère aux chuchotements de ses voisins de gauche qui devaient être sa femme et son fils. Catherine se serait volontiers assise à leur hauteur, mais Marielle la poussa vers une contre-allée qu'elles suivirent jusqu'aux premiers rangs où elles trouvèrent deux chaises libres. La messe venait tout juste de commencer.

Une fresque attira le regard de Catherine. Elle reconnut le combat de Jacob avec l'ange peint par Delacroix, qu'elle n'avait jamais vu et ne connaissait que par Alavoine. Quelques jours plus tôt, celui-ci lui avait montré une petite reproduction du tableau de Vermeer représentant Delft et lui avait confié que, s'il aimait à considérer cette œuvre, c'était parce que Proust l'avait commentée à travers l'un de ses héros, Bergotte, amoureux de la petite tache jaune qu'un pan de mur allume. Il avait ajouté qu'il avait besoin de la littérature jusque dans les arts plastiques ; de même qu'il lui fallait Proust pour goûter démesurément ce Vermeer, c'était grâce à l'escorte d'un texte de Barrès que la fresque de Saint-Sulpice, *le combat avec l'ange,* le troublait. Le regard rivé à la fresque, Catherine se rappelait qu'Alavoine, à travers Barrès, comparait Jacob à un petit bélier, à un jeune garçon qui ne peut rien voir qu'il ne coure dessus avec un joyeux mépris de l'obstacle et une saine méchanceté. A l'époque elle avait surtout, à la suite de cette confidence, été curieuse de savoir si Alavoine, puisqu'il semblait fréquenter l'église de son quartier, était croyant. A quelques mètres de son cadavre, elle se le demanda de nouveau, puis en vint à se poser la question à propos de chacun des visages recueillis qui l'entouraient.

Ainsi, elle découvrit qu'Aurore d'Albassoudun était assise juste devant elles. Elle va croire que je m'accroche à ses basques, se dit-elle, si contrariée qu'elle en rougit.

De son côté, Marielle scrutait les visages des alentours désireuse de croiser certains regards, celui de Mme Hallain et de M. Risinger, et d'identifier des gens connus. De temps en temps, elle glissait une information à son amie :

— Au bout de la rangée sur ta gauche, la petite nana ratatinée qui a de grands yeux noirs, c'est Odette Pale. Tu sais, elle était célèbre il y a vingt ans.

Elle découvrit successivement le décorateur Romain-Romain, Lhomeri, le chef d'orchestre, et jusqu'à Roger Peyrefitte. Malheureusement, son regard ne parvenait à explorer qu'une portion réduite du public et elle restait un peu sur sa faim.

Si Catherine n'écoutait guère la chronique de Marielle, elle ne pouvait s'empêcher d'entendre les vaticinations de la duchesse contre une messe dite sur une mauvaise table, loin de l'autel, par un prêtre qui, avant de se décider à opérer face aux fidèles, aurait dû se regarder dans une glace. Même les chœurs ne parvinrent pas à lui convenir.

— Roger avait toujours répété qu'il tenait pour son enterrement à la *Follia* en ré mineur de Corelli, le curé aurait bien pu lui faire ce plaisir. Il a refusé sous prétexte que c'était de la musique profane. Ces gens-là qui passent leur temps à brader la liturgie s'accrochent à de petits détails pour faire croire à leur rigueur.

Quand la messe se termina, toutes deux esquivèrent les condoléances à la famille qui était plus fournie que l'on pouvait s'y attendre et composée curieusement de vieillards et d'enfants. Puis Catherine, abandonnée par Marielle qui s'était jetée dans le sillage de Mme Hallain, tomba sur M. de Saint-Presse qui se crut obligé de la présenter à quelques personnes dont elle n'écouta pas les noms et de l'escorter à travers l'église jusqu'au parvis. Comme Catherine se demandait si elle devait ou non attendre Marielle, Sarah apparut en compagnie de la duchesse, prit congé de celle-ci et, descendant les marches vivement, fonça sur eux.

— Je suis Sarah de Helser, vous êtes Catherine Esmelain ?

Catherine confirma en balbutiant, toute surprise, tandis que M. de Saint-Presse entreprenait de se rappeler au souvenir de Sarah. Doué d'une mémoire féroce, le vieillard précisa à son interlocutrice qu'ils avaient dîné une fois en 50 chez Pose et déjeuné une autre fois chez Jean Jardin à Vevey.

— Je suis ravie de vous revoir, dit Sarah, mais je ne vous cacherai pas que mon but est d'enlever Mme Esmelain.

— Alors, je ne peux mieux faire que vous abandonner ma nièce, répondit-il en saluant.

Catherine eut alors la surprise d'entendre Sarah lui demander si elle était libre pour déjeuner.

— Le mieux, ajouta Sarah, est que nous nous fassions servir dans ma chambre à l'hôtel. Ma voiture est dans le parking.

Oubliant qu'elle était venue avec la sienne, Catherine se laissa entraîner et monta pour la première fois de sa vie dans une Rolls.

XI

Marc, au sortir du métro, suivit la rue Raynouard en traînant les pieds ; il se donnait l'air de musarder, feignant de s'intéresser à des objets en montre dans des vitrines qu'il ne voyait même pas, tout occupé par son ressentiment. Il avait déjà oublié le plaisir que lui avaient donné l'éveil des deux femmes, leurs manèges ambigus, l'obéissance de Catherine, ou plutôt il avait préféré au souvenir de ce plaisir celui de la déception nocturne dont il rendait responsable Marielle. Marc rageait de payer par cette visite rue Raynouard un triomphe qu'il n'avait pas obtenu et de se montrer fidèle à une promesse qu'il avait donnée à Marielle par espoir de voir Catherine dans ses bras, espoir déçu. Il maudissait la stupidité de cette rue tout en sachant bien qu'il n'était vraiment l'ennemi que de son propre caractère et qu'il aimait l'être. Certes, la veille, Marielle aurait pu l'aider plus ouvertement au lieu d'aider Catherine à entraîner la conversation dans le confort du banal, mais c'était à lui d'agir et de diriger leurs propos avant de diriger leurs corps ; il avait préféré s'enfuir. De même que la veille il n'avait pas voulu dominer son humeur blessée, maintenant il s'attachait à tenir l'engagement qu'il avait pris envers Marielle, alors qu'il pouvait le négliger par désinvolture — elle m'embête cette petite — ou par vertu — seule Catherine compte.

Il se mit brusquement à courir, imaginant qu'à l'issue de l'enterrement Marielle avait pu être retardée ; en arrivant pile à l'heure, il avait une chance de ne pas la trouver et une occasion de prendre la fuite avec sa conscience pour lui.

Il déboucha hors d'haleine dans le hall de l'immeuble que trop de marbres et de glaces rafraîchissaient. Une pancarte proclamait que l'ascenseur était en réparation. Marc prenait son élan pour escalader les huit étages quand il aperçut dans la cage de l'ascenseur, sous l'appareil paralysé, un petit garçon qui bricolait. Il est connu qu'un ascenseur bloqué peut mystérieusement s'ébranler ; un mécanicien dans les hauteurs peut aussi le remettre en marche, ignorant la présence d'un explorateur. Marc ouvrit la porte entrebâillée et regarda l'enfant qui s'affairait dans les ténèbres huileuses de la cage. L'enfant le regarda aussi, très fier de lui et souriant.

— Veux-tu sortir de là ! ordonna Marc, coléreux comme un homme qui croit perdre un temps précieux.

Le sourire disparut lentement, se noya. Sans voir la main que Marc lui offrait, le petit garçon jaillit hors de la cage, le visage fermé, tout occupé à digérer la désillusion terrible d'un être qui, après avoir cru provoquer de l'admiration, se heurte à l'hostilité et au mépris.

Marc escalada les huit étages quatre à quatre, sonna tout haletant et pendant quelques secondes savoura le silence. Une course amortie par la moquette y mit fin et la porte s'ouvrit. Marielle portait un déshabillé transparent.

L'appartement se composait d'une petite entrée, d'un vaste studio flanqué de la cuisine et de la salle de bains et prolongé par une terrasse. La brutalité avait inspiré la décoration ; l'orange cru de la moquette se heurtait au bleu de Prusse qui tapissait les murs. Les meubles étaient clairs, trapus, Knoll, sauf, égarée, une table de tric-trac en placage de bois de violette et de rose, d'un

Louis XV impur déjà troublé par l'approche d'un Louis XVI indécis. Le couvert avait été mis sur la terrasse.

— Moi, dit Marielle, je ne sais pas pourquoi, j'ai envie d'un Pernod.

— C'est une idée.

— Alavoine était frappé par la vitesse avec laquelle le Pernod, parce qu'il avait été submergé par d'autres marques de pastis, avait pris, à l'opposé de ses origines, le prestige d'une tradition surannée.

— Comment s'est passé l'enterrement ?

Marielle raconta l'enterrement, cita les personnalités présentes, peignit la déception de Pilon, qui avait préparé un discours qu'il comptait déclamer au cimetière, quand il apprit que le corps partait pour la gare, devant être inhumé en Suisse.

— Dans la concession de sa famille, il ne restait qu'une place et elle était guignée par un ancêtre et finalement une dame Sarah Helser en a profité pour s'adjuger son Alavoine et se le rapporter dans son pays. Il paraît d'ailleurs que cette Sarah a également enlevé ta femme dans une Rolls sublime. Moi, j'ai été ramenée par Mme Hallain dont c'était le chemin puisqu'elle visait l'autoroute de l'Ouest pour aller rattraper en Normandie un week-end perturbé par Alavoine.

Les tranches de saumon, la langouste froide, ouvrirent l'appétit de Marc. Devant eux, s'étalait Paris ; au premier plan, des surfaces de zinc s'imbriquaient et se chevauchaient ; au-delà, des buildings récemment poussés ; dans un lointain enfumé, des dômes et des flèches de la même couleur que la brume.

— C'est bien dans Balzac qu'il y a : « A nous deux Paris » ?...

— Oui, répondit Marc, le personnage qui dit ça s'appelle Rastignac. Il débarque de sa province. Paris, il le regarde à l'inverse de nous, du haut des Buttes Chaumont. A la vérité il n'a pas dit « A nous deux Paris » mais « à nous deux maintenant » ! Ça revient au même.

— Et il réussit à conquérir Paris ?

— Et comment ! Au début il est un petit étudiant qui se nourrit de croissants et il termine banquier richissime, ministre, comte et pair de France.

Enfant, Marc n'avait guère lu que Balzac. Reliées uniformément de cuir vert, les œuvres plus ou moins complètes de Voltaire, de Balzac, de Taine et de Tocqueville, qui portaient au dos les initiales dorées du grand-père, occupaient la moitié de la vaste bibliothèque du vestibule. A douze ans, Marc avait plongé dans Balzac et y était resté jusqu'au jour de son entrée à Sciences Po à partir duquel il s'était borné à compulser ce qui concernait ses études et son métier. Pendant son service en Algérie, il avait été tenté par quelques Balzac inconnus de lui où il avait eu une certaine émotion à retrouver les personnages qui lui étaient familiers, émotion qui s'était vite révélée pénible, car, habitué par exemple aux amours de Marsay avec Delphine ou Coralie, il lui était désagréable de le trouver aux prises à l'improviste avec Mme de Maufrigneuse, tout comme il aurait été déconcerté de tomber sur un ami qui pendant le temps où ils s'étaient perdus de vue aurait changé de femme et de métier. Il en avait conclu que mieux valait rester sur les souvenirs, sans d'ailleurs être le moins du monde tenté de relire par crainte de déranger les images qui s'étaient imprimées en lui et aussi de perdre son temps en revenant sur ses pas. Parfois, quand il entrouvrait par discipline sociale le roman à la mode de l'année il se surprenait à soupirer que ça ne valait pas Balzac et s'appliquait à garder cette opinion pour lui.

— Il a réussi, demanda Marielle en prenant des risques, en se lançant dans des coups durs ?

— Les coups durs, c'est bon pour Rubempré qui finit pendu dans sa prison. Rastignac n'a pas de scrupules, mais il est prudent. Après avoir dit « à nous deux Paris », son exploit ne consiste qu'à aller dîner chez Mme de Nucingen.

— Pourquoi est-ce un exploit ?

— Rastignac était l'ami de Goriot, le père de Mme de Nucingen que celle-ci a laissé crever comme un chien. Son exploit, c'est de trahir une amitié sans prendre aucun risque. Tu vois le genre ?

— Mais il l'aime, cette Nucingen ? Ou il agit par ambition ?

— Par ambition.

Les yeux sphériques de Marielle luisaient. Ce n'était pas la première fois que Marc observait que Balzac stimulait chez les autres l'ambition, le goût de l'action, le courage de s'empoigner avec la société. Il savait que beaucoup d'hommes d'Etat ou d'aventuriers politiques avaient puisé dans Balzac l'électricité nécessaire à leurs nerfs. Il avait même appris récemment que Karl Marx s'était formé une image de la société et la volonté de la changer en lisant Balzac.

— Moi, dit-il, c'est drôle, je me suis offert avec Balzac une autre vie dans un autre monde sans songer un instant qu'il eût la moindre parenté avec la réalité. Quand je lis le nom de la rue de Varenne dans Balzac, je ne pense jamais à cette rue où je suis souvent passé.

— Tu te figures que tu n'as pas d'ambition.

— Je n'en ai pas et Catherine non plus.

— Catherine, ça ne lui irait pas. Qu'elle reste comme elle est, mais toi, si tu es un peu heureux, c'est-à-dire si tu as quelques projets qui réussissent, tu deviendras plus ambitieux que moi. Au début, je voyais Paris comme un écheveau de fil où il suffit de trouver le bon bout et de tirer, mais mon Paris aujourd'hui est plus compliqué que cela. A la revue, tu vois, je croyais que, pour assurer ma carrière, il fallait se rendre indispensable à Alavoine, gagner la confiance de Mme Hallain et, par voie de conséquence, de M. Riésinger. Maintenant, je réalise qu'Alavoine avait en main des atouts que je ne soupçonnais pas et qu'il était toujours certain d'être conservé dans un poste ou dans un autre et que, s'il avait voulu vraiment se servir de son jeu, il aurait pu jouer une partie formidable. Car j'avais tort de croire que la rue François-Ier c'était Mme Hallain et M. Riésinger. Ils ne sont rien au conseil d'administration. J'avais aperçu ton oncle Bertrand de Saint-Presse une fois chez ta mère, mais tu ne m'avais pas dit combien il était important.

Elle entreprit un exposé sur les imbrications financières du Groupe. Il en ressortait que ce qu'elle avait toujours appelé « le Groupe » n'était qu'une partie du vrai Groupe, lui-même lié à un système bancaire où le rôle de M. de Saint-Presse et de son gendre Raymond Pouget était capital.

— Je l'ai vu une fois chez ta mère, ce Pouget ?

— C'est bien possible.

— Il faudrait aussi que tu me renseignes sur ses liens avec Lespiau.

Pendant qu'elle préparait le café, Marc décida qu'elle avait exigé ce rendez-vous pour comploter et non, comme il le craignait, pour le violer. Elle lui démontra qu'il s'était rassuré trop vite.

Sans préavis, elle s'assit sur les genoux de Marc qui renversa quelques gouttes de son café sur les petits volants de dentelle. Elle en prit prétexte pour dégrafer et laisser choir le déshabillé.

— L'avantage de cette terrasse, c'est qu'on n'est pas vu.

La bouche de cette jeune femme était douce et sa peau plus douce encore que celle de Catherine. Mais justement il ne plaisait pas à Marc de se plaire à être infidèle à Catherine. Pour se trouver une excuse, il voulut s'apitoyer sur une Marielle en laquelle il se laissait croire qu'il lisait : elle était de ces filles qui se donnent à un amant, non parce qu'il est désirable, mais pour prouver qu'elles le sont, qui n'apprécient pas mieux le gars qu'elles larguent que celui qui le supplante, souffrant d'être suspendues et jamais fixées, mais préférant au bonheur de s'attribuer un homme le plaisir d'en intéresser plusieurs, et au plaisir de prendre du plaisir le plaisir d'en inspirer. Mais il savait que ce portrait d'une étourdie du XVIIIe siècle ne ressemblait pas à Marielle. Celle-ci était habitée par une souffrance conquérante dont il avait peur. Il n'imaginait pas ce qu'elle poursuivait, mais il ne pouvait la voir que comme une sombre chasseresse. Il n'était pas un mot, un geste de Marielle auquel il ne prêtât une intention. Tout en elle lui semblait le produit d'une sourde volonté, même la peau trop douce du petit corps trop mignon.

Comme elle revenait en traînant une couverture de fourrure, il objecta :

— Et si ton Jules venait ?

— Depuis un mois que Jean-Claude traîne en Autriche avec sa femme !

Elle s'étendit en lui offrant sa petite gorge. Très durs, les seins menus aux pointes dressées et bleues glissaient, échappaient aux lèvres de Marc.

— Est-ce que tu aimes mes seins autant que Catherine ?... Non, non, Marc, je ne te demande pas de comparer mes seins et Catherine, mais, cette nuit, elle a beaucoup goûté ma poitrine...

— Ce doit être fou d'avoir des seins et de les écraser contre les seins d'une autre femme !

— C'est fou aussi de se faire enfiler... d'attendre... de savoir qu'on va se faire mettre...

Les mains émues de Marc descendaient le long du petit corps. L'une d'elles s'imposa entre les cuisses qui cédèrent, s'ouvrirent.

— Dans les bras d'un homme, je ne suis qu'une petite salope !

— Cette nuit, c'était toi qui dominais Catherine ?

— Oui, mais tu vas me soumettre pour la venger.

Il s'allongea sur elle. Le corps frêle aux gestes habiles lui avait inspiré aussitôt du désir, bien qu'il contrastât avec la belle et solide carrosserie de Catherine. Le ventre qu'il avait envahi était si étroit que Marc put imaginer qu'il commettait un viol. Il n'avait pas l'impression de faire l'amour avec Marielle. Par l'abandon de sa pose, la douceur enfantine de sa peau, celle-ci démentait son comportement quotidien. A peine effleuré, son clitoris gonflé comme un fruit s'enfiévra. Elle l'avait encouragé à lui dire des gros mots et à la battre. Il avait le remords de trahir Catherine, non par l'acte qu'il accomplissait, mais à cause de l'imprévisible féminité de celle à qui il avait toujours prêté la froide dureté d'une lame de canif. Mais elle était plus étroite que Catherine.

Quand elle se fut relevée, elle demanda :

— Tu veux un autre café ?

Il accepta et elle lui proposa en même temps du vieux calvados. Il se laissait faire en essayant de cacher son humeur.

— J'ai le poste d'Alavoine, disait-elle tout en s'affairant, mais ce n'est plus ce qui m'intéresse. Les possibilités de développement du Groupe, s'il reçoit un nouvel appui financier, me fascinent. Tu pourrais te lancer là-dedans avec moi. A nous deux, grâce à ta famille et à ma connaissance du Groupe, grâce aussi à ta compétence, nous pouvons prendre les leviers de commande.

Toujours allongé, les paupières meurtries par la force de la réverbération orageuse, il la regardait entre ses cils. Pour le servir, elle passait au-dessus de lui. A la fourche des cuisses, il distinguait la fragile fente qui annonçait que la créature actuellement occupée à conquérir la presse était faite pour être conquise. Elle s'interrompit, se baissa, le prit par le poignet et le traîna vers le studio.

— Regarde un peu.

Il remarqua, posé sur la moquette, un petit polyèdre de bakélite noire jalonné de cinq boutons brillants. Elle avait appuyé sur l'un des boutons et montrait à Marc les deux écrans de télévision qui s'allumaient. En entrant, il avait été frappé par la présence de deux postes de télévision.

Sur les deux écrans leurs corps apparurent.

— J'ai une video, dit Marielle. C'est Jean-Claude qui me l'a offerte. Mais je ne veux plus qu'il s'en serve avec moi depuis que j'ai appris qu'il en a une autre pour sa femme.

Sur un écran, les corps s'allongeaient dans leur totalité, sur l'autre ils étaient coupés de la taille aux genoux et apparaissaient en plan rapproché. Marielle avait enclenché cette diablerie au moment où elle écartait les jambes ; Marc s'apprêtait à la pénétrer.

— Tu penses le dire à Catherine ?

— Sûrement pas, chuchota Marc.

Il contemplait un membre qui, gonflé de désir, pénétrait dans l'ouverture de Marielle.

— Et toi ? demanda-t-il avec inquiétude..

— Moi, j'aurais préféré le lui dire.

Les cuisses de Marielle étreignaient la poitrine de Marc qui frappait avec force. Le son de l'appareil peut-être amplifiait les bruits.

— Marc, tu m'as exposé ta doctrine sur le divorce automatique annulable chaque année, mais j'ai réfléchi moi aussi et j'ai un projet. S'il n'est pas applicable à tout le monde, il vaut peut-être pour nous trois. Catherine, toi, moi. Pourquoi ne nous associerions-nous pas tous les trois ?

Dans le plan d'ensemble, le corps de Marielle était devenu celui d'une enfant livrée à une brute velue. Dans le plan rapproché, le sexe de Marc triomphait comme une arme à chaque fois qu'il s'évadait de sa proie pour, aussitôt après, la frapper.

— Nous nous aimons tous les trois, poursuivait Marielle. Nous nous désirons, il me semble. Toi et moi maintenant, la nuit dernière Catherine et moi, et, depuis des années, toi et Catherine. On s'en fout que la loi n'ait rien prévu pour consacrer une union à trois. J'ai un filon rue François-Ier. Tu plaques ta banque. Bertrand de Saint-Presse t'introduit dans le Groupe. Tu y seras le roi de la projective et du marketing. Nous nous épaulerons mutuellement. Je refilerai *Style et Loisirs* à Catherine. Qu'est-ce que tu en penses ?

— Oui, oui, c'est intéressant...

Il avait répondu à voix basse pour ne rien perdre du son.

Dans le haut-parleur, la petite voix de Marielle que l'enregistrement avait écrasée un peu et liée plus étroitement que dans la réalité répétait :

— Je suis ta petite salope, bats-moi avant de me foutre.

— Tu as la pratique des analyses de bilan, prononçait Marielle de sa voix diurne, des projets d'investissement, tu pourrais m'aider à mettre sur pied un rapport. Nous verrions ensemble Bertrand de Saint-Presse, puis François-Ier. Ça pourrait aller vite, qu'est-ce que tu en penses ?

Dans son souvenir, Marc était persuadé qu'il n'avait tenu aucun compte des offres de Marielle, mais sur les deux écrans il se voyait et s'entendait la claquant. Dans le plan rapproché, il regarda ses mains agir sur les cuisses de Marielle qui se renversait encore davantage. Très étouffée, sa voix lui parvint, haletante.

— Qu'est-ce que tu me mets ! observa gaiement Marielle.

Pendant un moment, elle parut s'intéresser au spectacle. Leurs corps s'étaient déplacés et bientôt la fourrure occupa seule le plan rapproché sur lequel Marc braquait son regard. Il ne regardait que la fourrure, il écoutait leurs souffles, il se sentait indiscret.

— A travers Mme Hallain, reprit Marielle, j'ai compris que le Groupe employait des méthodes surannées et n'avait pas l'expérience de la grande finance. Si Saint-Presse marche avec nous, nous avons toutes nos chances.

Elle se leva et alla chercher sur la terrasse le verre de calvados qu'elle apporta à Marc.

En quelques gorgées, celui-ci le vida sans quitter du regard les écrans. Ce qu'il avait vécu avec gêne, presque avec ennui, était devenu un spectacle.

— Evidemment à ma place tu préférerais voir Catherine !

Elle éclata brièvement de son rire étranglé, puis ajouta :

— Tu préférerais que Catherine soit à ma place et qu'un autre homme soit à la tienne, hein mon petit Marc ?

Abruti, il contemplait ses derniers spasmes. Si Catherine avait assisté, elle n'aurait soupçonné ni admis que son mari se soit ennuyé : l'image que donnait ce corps était celle d'un désir aveugle. Il se demanda comment il supporterait le spectacle de Catherine s'abandonnant comme Marielle à un homme qui semblait se repaître d'elle.

Il s'était rhabillé rapidement en invoquant un rendez-vous, Marielle le raccompagna jusqu'à la porte et monta sur la pointe des pieds pour un baiser d'adieu.

— Tu es un bon amant.

— On n'en parle pas à Catherine, hein ?

Un taxi libre passait. Marc, bien qu'il ne fût pas pressé, le héla. Quand la voiture traversa la place de la Concorde, il laissa son regard errer sur la façade du Crillon sans se douter que derrière l'une des petites fenêtres, tout en haut, Catherine, en compagnie de Sarah, fumait son premier cigare.

Un valet leur avait servi un déjeuner frugal arrosé d'eau minérale, puis Sarah, sans tenir compte des protestations de son invitée, lui avait allumé un Davidoff.

— Vous avez dû me trouver bien curieuse, dit Sarah, mais j'avais envie de connaître un peu votre vie, de vous connaître. Il se trouve que je suis la première femme que Roger a aimée et que vous êtes la dernière.

— La dernière ?...

— Vous ne saviez pas qu'il vous aimait ?

— Mais ce n'est pas vrai ! Qui a pu vous raconter ça ?

— Lui. Je ne l'avais pas vu depuis longtemps, mais il m'écrivait.

Elle montra une liasse de lettres posées sur le secrétaire.

— Son amour pour vous est déconcertant, car vous

êtes le contraire des femmes pour lesquelles il était fasciné.

— Il vous parlait de moi dans ses lettres ?

Sarah déploya son corps maigre et alla cueillir au hasard l'une des lettres qu'elle parcourut après avoir mis ses lunettes. L'âcreté de sa voix semblait prouver une supériorité intellectuelle ; elle lut :

— « Catherine Esmelain prend dix jours de vacances en Tunisie. Elle me manque, mais j'ai le plaisir de l'imaginer au soleil dans des robes légères. Elle n'a probablement jamais trompé son mari. C'est une jeune femme sage et pudique. Sur les plages, le regard des hommes la rend agréablement confuse et elle aime qu'un vent tiède gonfle sa jupe. » Savez-vous, ma chère, qu'il a rêvé d'accomplir avec vous non le « fait », comme on dit dans le roman courtois, mais l'asag... Vous ne connaissiez peut-être pas ce nom, il désigne une cérémonie intime du moyen âge où la femme, de loin, se montre nue à...

— Je sais ce que c'est ! cria Catherine.

Elle avait du mal à distinguer dans son accablement ce qui revenait à la surprise ou à la révolte. Que Roger Alavoine se fût permis de l'aimer sans son assentiment lui semblait un attentat. La tête lui tourna.

— Vous aimez Stendhal ? demanda Sarah.

Enchantée de changer de sujet, Catherine assura qu'elle raffolait de Stendhal, ce qui était faux, mais la mode exigeait cette réponse enthousiaste.

— Avez-vous lu *Lamiel* ?

— Non, je ne pense pas...

Elle n'osa pas avouer qu'en bourgeoise avisée, elle n'avait pas voulu perdre son temps à lire un roman resté inachevé.

— Lamiel, l'héroïne du roman, reprit Sarah, est animée par le docteur Sansfin. Dans une de ses lettres, Roger compare son amour à celui de Sansfin et ajoute : « Sansfin ne désire pas Lamiel, il voudrait être elle comme je voudrais être Catherine. »

La conversation ressemblait à celle qu'on se rappelle avoir eue dans un rêve. Catherine, pour se prouver qu'elle était bien éveillée et maîtresse d'elle-même, se leva avec brusquerie. Le mouvement tendit durement le porte-jarretelles. Pendant la matinée, Catherine n'avait pas été consciente de l'absence de sa culotte et de la présence du porte-jarretelles, sauf à l'instant où, devant le *Crillon,* le chasseur lui avait ouvert la portière et qu'en se glissant à l'extérieur, elle avait senti sa jupe remonter. Je suis l'esclave de Marc. Elle déposa dans le cendrier son cigare qui s'était éteint.

— Ne commettez pas le crime de le rallumer, dit Sarah. En voulez-vous un autre ?

— Merci, madame. Pour une première fois, je préfère être prudente. Mais il était très bon.

Elle n'avait pas eu l'impression de répondre, mais de réciter les phrases toutes faites qu'on trouve dans les manuels de conversation bilingue.

— De cinq à dix-huit ans, Roger a vécu en Egypte.

— Oui, je sais.

— Il vous a parlé de son enfance ?

— Non, mais M. de Saint-Presse l'avait rencontré à cette époque.

— Son père avait renoncé à une grande carrière pour rester en Egypte à proximité d'une de ses cousines qui à Ismaïla, était supérieure de l'hospice des Dames de la Miséricorde de Bourges. Il l'aimait. Jamais Roger n'a vu sa tante ailleurs que dans le parloir de l'hospice. C'est à travers cette religieuse qu'il s'est forgé une certaine notion de la femme inatteignable. Quand nous avons fait connaissance à Deauville, il me croyait vierge, mais lui, il l'était. Il avait vingt ans et moi dix-huit. Grâce au divorce de mes parents, je vivais seule, ce qui à l'époque était exceptionnel pour une jeune fille. Je dressais des chevaux. Je conduisais des voitures de course, j'avais un petit avion. Roger m'admirait de loin, tout ému d'avoir rencontré une inatteignable. Je l'ai violé. Roger ne s'en est jamais remis. Il n'a pas surmonté la contradiction qu'il rencontrait entre son culte religieux et peureux de la femme et l'acte que la condition physiologique l'obligeait à perpétrer en elle. Il aurait voulu que je le punise de ce qu'il osait me faire. Il prétendait se nourrir de moi comme un fidèle de son dieu. Pour lui faire plaisir, j'ai accepté une prise de sang. Il a vidé le contenu du tube dans un verre de cristal et l'a bu. Je lui avais même proposé une autre pinte de mon sang pour qu'un charcutier lui confectionne du boudin, ajouta-t-elle en éclatant d'un grand rire.

Un miroir renvoya sa propre image à Catherine : la bouche ouverte et les yeux ronds.

— Dans sa vie, Mourouflou a réussi à atteindre quelques inatteignables en souffrant toujours de la même contradiction, toujours adorateur d'une idole qu'il profanait. Il y a deux ans, il a cru échapper à son dilemme en pratiquant une femme qu'il n'aimait ni ne respectait. Il me l'a décrite comme une créature froide et stérile, d'un égoïsme d'insecte, d'une intelligence d'ordinateur. Elle lui a cédé en échange d'un avantage matériel. Pour une fois il a souillé un corps de femme sans horreur. Mais, bien sûr, ce scrupuleux s'est empressé d'avoir des remords ; il s'est reproché d'avoir abusé de sa situation et il s'est employé, pour réparer, à faire tout le bien qu'il pouvait à sa victime. Et puis, tout d'un coup, il m'a annoncé qu'il était heureux. Par vous. En devenant vous. Vous êtes trop petite pour comprendre ça. C'est d'ailleurs difficile. Cette grosse nigourde d'Aurore, quand elle a rangé la maison, a trouvé dans les tiroirs des dessous féminins et s'est imaginé qu'il vivait avec une femme !

Elle pêcha une autre lettre et lut :

— « Je regarde Catherine descendre l'escalier devant moi. J'ai remarqué qu'elle a parfois les jambes nues depuis son séjour en Tunisie où sa peau a bruni. Je sens le frissonnement de la jupe sur sa peau, l'air qui, à chaque marche, lui rappelle qu'elle est femme. En descendant derrière cette belle et pure jeune femme, je sentais entre ses jambes la légère tension du slip engagé dans le pli interfessier... »

— Madame, vraiment...

— Il fallait que vous le sachiez.

— Pourquoi le fallait-il ?

— Il a fait en sorte que, la première, vous le voyiez mort.

— Ce n'est pas à cause de moi qu'il s'est tué, madame.

— Chaque suicide a une multitude de causes comme les guerres mondiales. Vous partez déjà ?

— Oui, madame. Je vous remercie beaucoup de votre invitation.

— Mais vous regrettez de l'avoir acceptée.

Dans un accès de courage, Catherine parvint à vaincre la politesse et fit oui de la tête.

XII

— Le client d'avant vous, il n'est pas venu, dit Bruno avec humeur, ça fait que je vous attends depuis une heure.

— Je suis exacte !

— Le seul ici à travailler le samedi, c'est moi ! Résultat : je bloque mon après-midi pour deux clients dont un ne vient pas. C'est idiot.

— Ce n'est pas ma faute si vous êtes idiot !

Elle se dévêtait devant lui, le rite en était désormais établi. Quand le porte-jarretelles apparut, Bruno haussa les sourcils.

— C'est un nouveau genre ?

— Vous êtes contre ?

— Moi, vous savez, les trucs folkloriques... L'essentiel, c'est que ça excite votre mari.

— Très juste.

Bruno daigna marquer de l'intérêt.

— Vous mettez ça pour exciter votre mari ? Vrai ?

Elle s'était allongée sur la table sans retirer le porte-jarretelles ni les bas.

— Pour le moment, dit Bruno en lui malaxant les épaules, votre attirail ne me gêne pas, mais tout à l'heure il faudra vous déharnacher.

Il travailla silencieusement un long moment avant de demander :

— Et si je vous sautais dessus, il prendrait son pied en apprenant la nouvelle ?

Comme elle riait, il déclara d'un air sombre :

— Les infidélités, les partouzes, aujourd'hui ça donne aux bourgeois l'illusion de vivre.

Au bout d'un moment, il lui demanda de se mettre sur le dos. Ils soutinrent une molle conversation sur la cellulite que Bruno enchaîna à l'improviste avec la suite de son réquisitoire contre les bourgeois.

— La classe possédante a découvert qu'elle pouvait renoncer à la terreur sexuelle. Les contraceptifs lui ont donné tout apaisement. Elle joue sur le velours. Si vous voulez bien retirer votre crinoline, elle me gêne maintenant.

Elle obéit sans se presser, les paupières baissées sous le regard de Bruno. Celui-ci, aussitôt après, se précipita sur les muscles qui lui étaient offerts et les malaxa.

— La bourgeoisie, articulait-il, essoufflé par son effort, s'est lancée dans la libération sexuelle, mais cette prétendue libération n'a aucun rapport avec la lutte des classes.

— Il y a les classes, mais il y a aussi les sexes.

— La bourgeoisie ne demande qu'à laisser les mass media exercer leur pouvoir de persuasion en faveur de la sexualité. C'est un dérivatif, cela détermine les besoins économiques, ça fait partie de la société du spectacle.

Il ordonna à Catherine de se mettre sur le ventre et s'empara de ses mollets.

— Dans la classe possédante, ce qui compte c'est qu'aujourd'hui une éthique tolérante ne constitue plus une menace pour les droits de propriété. Sur les plages des P.-D.G. on se baigne à poil. Les filles de ces messieurs prennent la pilule tout de suite après la première communion. Ça les arrange sans les inquiéter. De même qu'ils ont assoupli les droits de propriété pour les rendre plus tenaces, ils ont considéré la possession sexuelle comme...

Un coup de sonnette à la porte d'entrée lui inspira un haussement d'épaules.

— A cette heure-ci, je n'attends plus personne.

— Allez ouvrir ! C'est un copain à qui j'avais donné rendez-vous !

— Alors je fais tout ici, même le portier !

— D'habitude, la porte n'est pas fermée.

Elle entendit le cliquetis du verrou, puis des exclamations chaleureuses et vit réapparaître son masseur souriant.

— Il fallait me dire que c'était Gonzague !

— Vous vous connaissez ?

— On ne s'était pas vu depuis une éternité.

Par l'entrebâillement de la porte, elle aperçut Gonzague. Il s'était rasé de près et ses cheveux tout frais lavés miroitaient.

Il échappa à Catherine un mouvement de pudeur qui mit le jeune homme en fuite.

Cinq minutes plus tard, elle les retrouva tous les deux dans l'entrée. Bruno assura :

— On ne se quitte pas comme ça, on va prendre quelque chose quelque part.

Il ferma « la boutique ». Tous trois dévalèrent bruyamment l'escalier et gagnèrent *Le Monde des Chimères* où Jeanine et Francine, la brune et la blonde, leur servirent des kirs. Catherine était assise entre les deux hommes. Ils s'étaient connus six ans plus tôt dans une Maison de la Culture en banlieue, avaient fréquenté les mêmes ciné-clubs, couru aux mêmes manifestations, participé à l'élaboration de bulletins ronéotypés et parfois imprimés et beaucoup parlé de la révolution tout en fumant du H.

— Ça, moi, c'est fini, dit Bruno. Quand j'ai repris mes études pour devenir masseur, j'ai lâché l'herbe. Sans l'avoir décidé, ça s'est fait tout seul.

— Moi, ça m'arrive. Mais ce n'est plus de la défonce. Juste un joint les jours de déprime.

— Tu ne devrais pas, dit sévèrement Catherine, c'est démodé. Il y a longtemps qu'en Amérique ça ne se fait plus.

— C'est bon de se shoter quelquefois, mais moi personnellement ça ne colle pas avec mon métier. Tu te ravitailles où ?

Ils avaient baissé la voix.

— Dans le quinzième, dit Gonzague. Moi, pour mon métier, ce n'est pas contre-indiqué, mais je peux m'en passer. Tu joues toujours de la guitare ?

— Pas depuis que je suis marié. Je l'ai vachement bien revendue.

Des souvenirs leur revenaient de cassages de fauteuils dans les music-halls, de caisses culbutées à l'entrée des bals rock. Ils s'égarèrent dans une controverse à propos d'une manifestation où tous les deux avaient été arrêtés et passés à tabac. L'un prétendait que cette manifestation avait été « confisquée » par Krivine, l'autre la voyait comme un piège que leur auraient tendu les communistes. Tout cela faisait très ancien combattant, ce qui commençait d'ennuyer Catherine bien qu'elle ne pût s'empêcher elle-même par moments d'évoquer sa guerre de Mai 68.

— Vous, dit Bruno, c'était du luxe. Vous, les étudiants, vous vous êtes offert un mois de vacances. Nous on a continué.

Il apparut bientôt que Bruno et Gonzague étaient eux aussi étudiants en mai 68 ; Bruno, après avoir fait une première année dans son école de massage, s'était inscrit aux cours de capacité de la Faculté de droit pour faire plaisir à sa mère qui d'Angleterre lui envoyait de l'argent, et Gonzague était à l'I.D.H.E.C. Celui-ci reprocha aigrement aux ouvriers — en prononçant le mot « ouvrier », ce que n'aurait jamais osé faire Marc, trop conscient d'être un bourgeois et soucieux de le masquer — d'avoir perdu le sens de la révolution et de s'être intégrés dans la société de consommation.

— C'est facile à expliciter, professa Bruno. La spécificité dialectique de notre société réside dans l'utilisation de la technologie, donc de la prospérité, pour obtenir la cohésion des forces sociales dans un mouvement double, un fonctionnalisme écrasant et une amélioration constante du standard de vie.

— Il faut aussi reconnaître que, pour créer le besoin d'un changement social chez les masses laborieuses qui ne l'éprouvent pas, il nous aurait fallu un programme. Ça ne suffit pas de tout casser.

— Si l'on veut construire une maison à la place d'une prison, il faut d'abord démolir la prison, on n'a pas besoin d'avoir un plan détaillé de la maison. Pour agir... pour accéder à la praxis je veux dire, il suffit de sentir que notre société de flics est flippante.

Gonzague proposa de s'asseoir à une table et de dîner et Catherine se laissa faire bien qu'elle supposât que Marc l'attendait à la maison. Elle retrouvait un plaisir qu'elle avait goûté inconsciemment pendant sa vie d'étudiante, celui d'être jeune avec des gens jeunes également irresponsables et, sans que le temps comptât, de discuter fiévreusement en pure perte. Ses études de philosophie, encore qu'elle ne cherchât jamais à les mettre en valeur, lui donnaient sinon de l'aisance, du moins de la sécurité dans le commerce des idées générales. Catherine d'ailleurs n'avait jamais songé à prendre les idées au sérieux ; elle était une nominaliste qui ne demandait pas plus que de connaître le sens des mots.

Tous les trois mangeaient du boudin. Bruno buvait de l'Orangina, Gonzague continuait au whisky et Catherine avait attaqué une demi-bouteille de brouilly frais.

Bruno avait entamé son autocritique. Il travaillait et, par là, il exterminait son génie propre et sa jeunesse, c'était évident. Il avait une voiture et des appareils ménagers pour faire plaisir à sa femme. Celle-ci était plus âgée que lui de douze ans. Elle avait été élevée par l'Assistance publique. Elle ne pouvait pas avoir d'enfant parce que toute jeune elle avait avorté avec une sonde, au petit bonheur. Elle aimait leur petit appartement et partir en voiture le dimanche pour la campagne.

— C'est pour elle que tu t'es mis à travailler ?

— Non, je ne la connaissais pas encore. J'ai travaillé à cause de la déprime. Tu as la déprime, tu te défonces, après tu as encore plus la déprime. Je vivais tantôt dans une petite carrée que ma mère me payait, tantôt chez mon père à Courbevoie. Je volais chez Maspéro des livres que je ne lisais pas ; les disques, c'est bien plus difficile à voler, mais je profitais d'une fête chez un mec qui en avait beaucoup pour lui en faucher quelques-uns. Sur le plan nana, zéro, rien que des nénettes. Il y avait des jours où on allait casser à Vincennes ou badigeonner à Censier, mais à la longue c'était mortel. J'écrivais des articles, c'était rare qu'on me les passe. Alors, la défonce et, après, la déprime. J'ai essayé de travailler pour voir. Après, j'ai rencontré Gilberte. Ça fait déjà trois ans. Naturellement, on n'est pas mariés, mais peut-être que ça finira comme ça parce que je suis en train de me demander si dans un sens ça ne lui ferait pas plaisir.

— Il faut que j'aille téléphoner, dit Catherine.

Dès qu'elle eut formé son numéro, elle reconnut la voix de Marc. Une voix irritée.

— Je t'appelais par acquit de conscience, on n'avait pas de rendez-vous, n'est-ce pas ?

Il protesta. Catherine se sentait en faute mais sans remords.

— Je suis avec des amis, mais d'ici une demi-heure, je peux...

— Quelles amies ? Il y a Marielle ?

— Non, tu ne les connais pas. Je peux te retrouver d'ici une demi-heure.

— Je t'ai assez attendue ! Va te faire foutre.

Au moment de raccrocher, il jeta précipitamment :

— Tu n'oublies pas pour demain matin ? On prend la route à dix heures.

— Pour aller où ?

— Tu sais bien que Garuel nous a invités à Barbizon.

— Tu ne m'en as jamais parlé... Bon, d'accord. Mais tu ne m'en avais jamais parlé.

Elle revint à la table, heureuse de quitter un adulte qui la conviait à un dimanche adulte. Quand elle se rassit, Gonzague poursuivait sa bio. Il avait rencontré une femme qui avait réconcilié son regard avec la réalité. Du coup il avait eu envie de peindre ce qui existait sous son regard.

— J'étais un parano cent pour cent. Il y avait des festivals rock où on était bien, où on était entre nous. Je réussissais toujours à imaginer le flic comme s'il me manquait et à faire du cassage. Ou bien je m'imaginais très loin et content. J'ai trouvé d'autres mecs. On a essayé de fabriquer un village aux Indes. On s'est fait chier. Il suffisait qu'on me dise : fais sécher des feuilles de tilleul avec de l'aspirine en poudre, fume ça et tu verras, je le faisais et je ne voyais rien. Dès que j'ai aimé, au lieu d'imaginer, j'ai senti les choses et j'ai eu besoin de les peindre. J'avais rigolé quand un prof nous avait raconté que Mme Vigée-Lebrun avait fait le voyage de Londres pour aller voir de près comment un de ses confrères procédait pour rendre le blanc de l'œil, mais moi aussi je l'aurais fait, le voyage, dès que j'ai eu besoin d'être capable de rendre le blanc de l'œil de Catherine.

Catherine n'apprécia pas l'indiscrétion, mais celle-ci parut passer inaperçue de Bruno qui observa machinalement :

— Tu as raison, mais ça n'empêche pas que cette société doit être balayée d'une manière ou d'une autre. On change d'établissement, qu'est-ce que vous en pensez ?

— Aimer m'a réconcilié avec l'extérieur.

Il essayait d'expliquer que cet amour l'avait tellement disposé à l'affection que sans effort il étendait celle-ci aux objets inanimés, non seulement aux tissus des robes mais aux boîtes des bouquinistes sur les quais.

Gonzague tenait à aller danser ; il réussit à dissuader Bruno d'un projet confus qui consistait à chercher rue Campagne-Première un grenier où répétait une troupe d'acteurs chiliens. Catherine, qui elle aussi avait envie de danser, proposa des boîtes de jeunes dont elle avait entendu parler et où Marc se gardait de l'emmener, d'abord parce que la danse l'ennuyait, ensuite parce que, s'il consentait à aller dans une boîte, il choisissait toujours Castel par vanité, tout glorieux d'être reçu en un séjour où les impétrants étaient filtrés par le regard compétent d'une physionomiste.

Tous trois regagnèrent la petite voiture de Bruno où ils s'entassèrent. Catherine avait hâte de quitter l'île, craignant de tomber sur Marc. L'arrière de l'infime véhicule était complètement occupé par un énorme objet empaqueté et elle dut s'asseoir sur les genoux de Gonzague ; elle avait répandu autour d'elle sa jupe plissée et le contact de ses fesses nues avec le jean rèche de Gonzague l'émut. Le jeune homme la tenait par les hanches pour l'assurer contre les secousses de la voiture qui étaient nombreuses, tant à cause des hoquets du moteur que de la conduite irrégulière de Bruno.

Dans la première boîte, l'orchestre était assourdissant, ce qui leur plut ; ils ne s'assirent guère, dansèrent tout le temps, mais Gonzague qui était devenu sombre et agité tomba d'accord avec Bruno pour changer d' « établissement » et ils quittèrent le boulevard de l'Hôpital pour la rue du Faubourg-Poissonnière, traversant le Paris du samedi soir encombré de voitures hésitantes, lourd de lumières. Au Poney, ce fut bientôt Catherine qui se montra impatiente de changer encore d' « établissement ». Jusqu'alors, elle n'avait jamais vu dans la danse que la joie de s'accorder à un rythme et de s'éreinter musculairement. Tout à coup, elle associait la danse au désir, aux préparatifs du désir, à des acomptes que l'on peut recevoir plus délicieux parfois que le solde total. A travers le shake où chaque danseur est un solitaire, où chaque corps utilise la musique pour son propre compte, le twist où parfois les mains se touchent et les flancs se heurtent, le rock où les corps se connaissent mais n'ont pour se connaître que le temps de se détacher, elle entrevoyait une fresque de l'insatisfaction lascive qui lui donnait le besoin de l'enlacement des danses de jadis.

A la Bastille, selon Gonzague, il y avait un endroit terrible où l'on cultivait avec la nostalgie des années trente le rythme des corps embrassés. Gonzague le connaissait cet endroit, il pourrait le retrouver : il proposa de les guider.

De nouveau ils s'entassèrent dans la voiture. Par la contagion de la conversation, Catherine et Bruno, parce qu'ils tutoyaient Gonzague, s'étaient mis à se tutoyer. De temps en temps, Bruno rappelait d'un air sévère :

— Mais surtout fais gaffe, Catherine ! Pas de tutoiement à l'institut.

Ivre, Gonzague traversait une phase agressive. Posséder une voiture à Paris signifiait pour lui qu'on s'entourait de métal pour refuser le contact des autres sauf par accident. Bruno, que ce réquisitoire visait évidemment, ne répondait pas.

— Bruno, demanda Catherine, qu'est-ce que tu transbahutes qui prend toute la place, un porte-bébé ?

— Je t'ai déjà dit que ma femme ne peut pas en avoir. Je lui ai acheté une poubelle réglementaire et un pousse-poubelle silencieux. Ça les incitera peut-être dans la maison à en acheter à leur tour au lieu de faire du boucan tous les soirs et de laisser tomber des ordures dans l'escalier. Mais ces gens-là, c'est de tels salauds que ça m'étonnerait qu'ils comprennent. Tous des fachos ! En tout cas, c'est un cadeau qui fera plaisir à Gilberte. Je l'ai acheté au B.H.V. On est à la Bastille, qu'est-ce que je fais ?

— Prends la rue de Lappe.

Aux murs, des photographies de Rudolf Valentino, de Maurice Chevalier, de Charles Trénet, tous très jeunes. L'orchestre, juché sur un podium enguirlandé de nouilles lumineuses, jouait un tango.

— Si l'un de vous deux ne m'invite pas tout de suite, je me fais draguer.

Bruno d'abord, Gonzague ensuite, s'évertuèrent à conduire Catherine, maladroits dans les danses de leurs grands-parents. Elle les suivait sans entrain, surtout soucieuse de contenir sa jupe pour cacher son porte-jarretelles. Elle admirait la virtuosité d'un danseur au corps épais, à la moustache trop noire, aux joues bleues bien que rasées de près. Puisque, d'après l'enseignement de Marc, le bien et le mal n'existent sexuellement pas, on peut faire ce dont on a envie. Elle voulait se persuader qu'elle avait envie d'être conduite par cet homme dans une chambre. Elle savait qu'elle avait trop bu et rendait responsables de son état Gonzague, Bruno et même Marc.

— J'en ai assez, dit-elle. Ras le bol.

Gonzague et Bruno lui semblaient deux vieux maris. Pendant le trajet du retour, elle n'ouvrit pas la bouche et n'écouta pas les propos de ses compagnons. Bruno la déposa avec Gonzague rue Du Bellay, elle se dirigea aussitôt vers sa porte.

— Tu viens chez moi, Catherine !

— Laisse-moi. J'ai sommeil.

— Catherine !

— D'abord tu me dégoûtes ! Tu as dit à Marc que ça t'amuserait de nous dessiner Tilly et moi toutes nues ensemble.

— C'est le contraire ! C'est Marc qui a dit ça, moi j'ai tout juste répondu par un petit mouvement de tête.

— J'ai sommeil. Adios !

Au lit, elle reprit son roman policier et feuilleta le premier chapitre qu'elle avait un peu oublié. L'homme rentrait chez lui sous la neige, il remarquait un type devant un bar, puis...

La clarté crue du jour la blessa.

— Tu n'es pas prête ! Il est presque dix heures ! Et tu t'es endormie avec la lumière allumée.

Marc marcha de long en large pendant qu'elle buvait son café.

— J'ai mal à la tête. Vas-y tout seul chez tes Garuel.

— Impossible. D'autant qu'Hélène m'a appelé. Ils nous invitent dans leur campagne. Comme ils sont à deux pas de chez Garuel, on ira tous les quatre se baigner l'après-midi dans leur piscine.

Catherine revêtit son uniforme de week-end, blue-jean, bottillons à hauts talons, chemisette et blouson. Dans la voiture, elle sortit un calepin et annonça sèchement qu'elle faisait ses comptes.

— Tu me dois, conclut-elle, mille trois cent cinquante francs. Je te donne le détail : deux cent cinquante francs de femme de ménage. Six cents francs de participation pour la nourriture. Trois cents francs de frais de ménage. Deux cents francs pour le chauffe-eau dont j'ai reçu la facture. Et je te préviens que, la semaine prochaine, tu auras à me donner six cent cinquante francs correspondant à la moitié du loyer.

— Six cent cinquante, ça fait soixante-cinq mille ?

— Pour un type qui travaille dans une banque, c'est assez inquiétant de n'avoir pas pu s'habituer aux nouveaux francs.

— Avec les grosses sommes, je ne compte qu'en nouveaux francs, mais pour les petites j'en suis resté aux anciens. Tu n'as même pas remarqué que j'ai mon nouveau costume.

Elle tourna la tête pour examiner avec retard le complet de l'anniversaire. Il était d'un beau bleu, d'une étoffe sèche et souple.

— Tu es très beau.

Elle le pensait. Elle s'attarda à contempler le profil de son mari.

— Tu me plais beaucoup, ajouta-t-elle.

Tout d'un coup, elle se retrouva de bonne humeur. Elle était toujours sensible à sa migraine et à la cruauté de la lumière blanche et sourde qui baignait la route, oppressante comme une lumière d'après-midi mais, par contraste, elle appréciait la gaieté qui lui venait du fond d'elle-même.

XIII

Garuel avait épousé une jeune fille laide et sèche qu'il avait connue à Sciences Po. Elle était devenue une femme laide, en partie sèche, en partie grasse. Le nez était resté aigu, osseux, alors que le menton s'était arrondi et alourdi. Son pantalon aux bigarrures fleuries révélait une croupe massive au-dessus de laquelle une taille très étroite s'étranglait, soutenant un buste maigre et des épaules anguleuses. De superbes yeux verts pailletés d'orange brillant entre les franges de cils épais et une chevelure lourde et soyeuse retenaient l'attention en la heurtant parce qu'ils s'entendaient trop mal avec le reste.

Elle avait accueilli ses deux invités en culotte de cheval pour montrer qu'elle avait « monté », puis elle était allée se changer pendant que son mari offrait « l'apéro » comme il disait avec une affectation de vulgarité qui lui convenait mal car il subsistait justement dans sa voix les traces de l'accent faubourien qu'il avait eu dans sa jeunesse.

Leur maison qu'ils appelaient « La Bergerie » était la combinaison d'une bicoque de paysan en grosse pierre et de prolongements en aggloméré qui communiquaient les uns avec les autres. Des palissades de cannisses protégeaient le petit jardin qui se réduisait à un gazon anglais parfaitement tondu sur lequel était jeté un chemin de dalles d'un marbre si poli et si usé qu'Alavoine l'aurait qualifié de fruste. Catherine se surprenait à penser paisiblement à Alavoine, comme s'il était normal qu'il fût mort. Son souvenir lui revenait pour des détails ; de même, Mme Daubigné, dont les parents étaient morts dix ans plus tôt dans un accident, n'évoquait jamais son père que devant une dinde : « Si ce pauvre Papa était là, lui qui découpait si bien, il réussirait la mitre ! »

Flatté par l'intérêt que Catherine semblait porter à ses dalles, Garuel lui confia qu'il les avait achetées à un antiquaire de Fontainebleau qui lui avait garanti qu'elles provenaient des ruines d'une église datant de la Renaissance.

— Et vous remarquerez que leur marbre n'est pas d'une sorte ordinaire. Il présente la particularité très rare d'être lumachelle.

Après avoir joui un instant de la perplexité polie de Catherine, il se décida à lui expliquer d'une voix essoufflée par l'orgueil :

— Ce mot signifie que la pierre contient des coquillages fossiles. Regardez, ou plutôt touchez...

Il l'obligea à se pencher, lui saisit l'index et le posa sur une infime infractuosité. Catherine crut ne pas pouvoir moins faire que de pousser un cri d'admiration.

— Qu'est-ce que tu as ? cria Marc en sursautant.

— Mon mari, exposa Mme Garuel, fait admirer à Catherine notre marbre qui est lumachelle. Il en est très fier, ajouta-t-elle, en feignant d'en sourire un peu, mais il a un peu raison : ce marbre qui vient d'une église italienne de la Renaissance est d'une matière vraiment unique, une matière... polie, conclut-elle en toute simplicité, par le dialogue de l'homme et du temps.

A la fin de l'apéro, Catherine accompagna Mme Garuel pour l'aider. Celle-ci avait accepté cette collaboration tout en protestant qu'elle n'avait presque rien à faire, que c'était un petit repas tellement simple.

D'un coup d'œil, Catherine jugea que ce serait simplement un mauvais déjeuner. Les bouchées à la reine achetées chez le boulanger avaient l'air las, la choucroute issue d'une boîte de conserve n'était guère tentante par un temps aussi chaud et pour le dessert Mme Garuel était assez fière d'avoir fait elle-même un vaste riz au lait alors que Catherine détestait le riz et que Marc détestait le lait, mais la bonne humeur l'emportait chez Catherine : cette visite à la résidence secondaire des Garuel était un rite annuel qui, cette fois, était adouci par la perspective de filer le plus vite possible chez Hélène.

Pendant le déjeuner qui se déroula sur le bord de la pelouse, dans la touffeur, la conversation suivit un cours prévisible : les perspectives politiques et économiques furent évoquées pendant les hors-d'œuvre, les derniers films escortèrent la choucroute, agrémentés de quelques histoires drôles plutôt antisémites racontées par Garuel ; sa femme, pendant le fromage, réussit à parler de sa fille de six mois qu'elle avait confiée à ses beaux-parents et de sa bonne espagnole ; au dessert, on débattit des avantages des voyages organisés en charter qui avaient permis aux Garuel, en moins de trois ans, de « faire » la Grèce, le Maroc et les Indes. Catherine raconta son voyage en Tunisie, Garuel déplora de ne pouvoir leur montrer les films qu'il avait tournés dans les pays exotiques, hélas l'appareil de projection était à Paris. Autour du café et du marc du pays, les Garuel sollicitèrent les détails sur...

— ...Vos amis qui ont eu la gentillesse de nous inviter cet après-midi.

— Les Liegel, exposa Catherine, sont médecins tous les deux. Mon amie Hélène est généraliste et travaille dans un hôpital, son mari est psychanalyste. Ils ont autour de la quarantaine. Ce sont des gens très astucieux. Il paraît que leur maison est ravissante. Nous y sommes allés au moment où ils venaient de l'acheter, mais, depuis, ils ont fait énormément de travaux.

— Et il y a une piscine, ce qui par ce temps ne sera pas tellement déplaisant ! s'écria Marc avec enthousiasme.

Aussitôt après il se rembrunit.

— Il y a un point qui me gêne... Ça m'était sorti de la tête, mais hier, au téléphone, Hélène m'a dit que je n'étais pas obligé d'apporter un maillot de bain parce que ses invités avaient l'habitude de faire à leur guise et qu'eux-mêmes étaient favorables au naturisme. Naturellement, je vous répète, on peut garder son maillot, mais vous risquez de vous trouver en compagnie de gens qui... ne l'auront pas gardé.

Garuel éclata de rire :

— Et tu as peur que ça nous fasse peur !

— Mais pour qui nous prenez-vous ?

— Je suis de droite d'accord, je vote U.D.R. et je ne m'en cache pas, je suis un bourgeois et je m'en vante, mais je vis avec mon époque et Marie-Christine aussi !

Garuel, jusque-là, n'avait appelé sa femme que mon petit chéri ou mon poussin, ce qui n'avait pas permis à Marc et à Catherine de se remémorer le prénom de l'épouse.

— Ça ne sera pas la première fois que nous ferons du naturisme, clamait celle-ci. Déjà il y a trois ans, sur la plage privée des Gros-Forestier, en Grèce, tu te rappelles, mon chéri ?

— Gros-Forestier, vous savez, l'agent de change. Marie-Christine avait connu sa femme à Courchevel. Nous leur avons téléphoné quand nous sommes passés dans leur coin, ils nous ont invités. Sur leur plage tout le monde était à poil. Ça nous a surpris parce que nous n'étions pas habitués, mais ça ne nous a pas le moins du monde scandalisés.

— L'année dernière, nous rencontrons Poulignon à Collioures, tu sais, le chef de contentieux de la S.A.T.I.M. Il a un bateau, l'animal, je ne sais pas comment il fait. En tout cas, il nous a invités à son bord pour faire une virée et à son bord...

— ...tout le monde était à poil, claironna Marie-Christine.

Marc conclut :

— Alors, j'ai eu tort de m'inquiéter. Tout est pour le mieux.

— Sauf pour moi, coupa Catherine. Je n'ai pas passé ma vie chez des nudistes, moi, et je n'apprécie pas tellement.

Mais elle apprécia le signal du départ. Quelques minutes leur suffirent pour parvenir devant la propriété. Un grand jardin planté d'arbres, de hautes frondaisons, entourait un petit pavillon Louis XIII, pataud, aux briques saumonées. Se guidant au bruit des voix, ils traversèrent une tranchante salle à manger entièrement en acier (les murs, la table, les chaises, la glace, les lustres, les mobiles) qui firent marmonner à Marie-Christine que décidément la psychanalyse ça rapportait. Après cette pièce, le petit salon qui suivait surprenait par sa vétusté, tapissé de vieille soie et plein de meubles Directoire fragiles et décatis, tendus de velours usé dont la gentille cordialité charma Catherine que l'intérieur des Garuel avait déprimée par ses fausses poutres et son papier mural gondolé qui cherchait à imiter le crépi. Elle sourit largement à Hélène Liegel qui s'avançait au-devant d'elle, souriant aussi. Les présentations furent expédiées.

— Vous vous mettez où vous voulez, annonça Hélène. Certains préfèrent le salon qui est frais, d'autres la terrasse, et la piscine n'est pas loin.

Dans le salon se tenait un gros d'une cinquantaine d'années nommé Poisson (les conserves Poisson et Fauvy). Il conversait avec un jeune chercheur du C.N.R.S. maigre et barbu : Catherine comprit que celui-ci était le Fretzeller dont Hélène lui parlait depuis plusieurs mois. Sur la terrasse, la femme de Fretzeller, vêtue en hippie, cachait un visage plutôt mignon derrière d'énormes lunettes : allongée par terre, elle jouait aux échecs avec Nancy, une superbe métisse américaine qui était l'égérie de Poisson. Marc, aimanté par le jeu d'échecs, s'agenouilla à côté d'elles.

— Et la piscine ? demanda Marie-Christine.

— Elle est là ! Derrière le rideau de cyprès. J'espère que Marc vous a prévenus que nous nous baignons volontiers à l'état de nature. D'où les cyprès pour protéger l'innocence de notre ménage de gardiens qui est très pudique. On se déshabille sur place.

Entraînée par Marie-Christine, par l'envie de nager aussi, Catherine se dirigea vers la piscine sous un soleil brûlant qui se consumait derrière un léger rideau de brume blanche. Marc les rejoignit, écœuré par la nullité de la chercheuse qui rendait toute partie navrante. Au bord de la piscine, ils trouvèrent Martin, le mari d'Hélène, qui n'était vêtu que d'une paire de lunettes noires, d'une grosse barbe carrée plutôt blanchissante et d'une épaisse chevelure tombant aux épaules. On pouvait se demander si ce système pileux était une persistance du XIXe siècle ou le produit de la dernière mode. Aux deux extrémités de la piscine, il désigna les paravents qui étaient en acier comme la salle à manger. Marie-Christine s'étrangla de rire :

— Quelle drôle d'idée de se cacher pour se déshabiller quand on sait qu'on va tout de suite après se retrouver dans la tenue d'Adam et d'Eve !

Elle en gloussait. Martin Liegel la glaça :

— La nudité est un état, alors que se dévêtir est un acte qui constitue le passage d'un état à un autre, ce qui dans le contexte social présente de nombreuses possibilités de signifiances.

Comme Marc se dirigeait vers le paravent des hommes, Catherine lui glissa :

— Moi, je crois que je vais garder mon slip de bain.

— Ah je t'en prie ! Tu aurais l'air de donner une leçon aux autres !

Derrière le paravent des femmes, Catherine enragea de devoir se dévêtir en compagnie de Marie-Christine.

Elle évitait de la regarder, mais l'autre tint à faire remarquer les vergetures qui ridaient son ventre.

— C'est dû à ma grossesse de l'an dernier. J'avais trop attendu pour avoir un bébé. Trente-sept ans, c'est tard. Si j'ai un conseil à vous donner, c'est de vous décider jeune.

Catherine abhorrait les confidences de femmes et y avait en général échappé. Une seule fois, ces échanges lui avaient plu : Marielle, Hélène, une barmaid et elle s'étaient raconté leurs premières règles ; Hélène, précoce, les avait eues pendant une partie de chevaux de bois, détail qui leur avait donné à toutes le fou rire.

Elles étaient prêtes quand jaillit Hélène. D'un seul mouvement, celle-ci se dépouilla de sa robe de plage, puis, contournant le paravent, plongea. Dans l'eau, Catherine avait remarqué un vieux grand maigre aux poils blancs coiffés en brosse : il effectuait des aller et retour comme un automate en pratiquant une nage personnelle qui tenait du crawl et de la brasse papillon. Comme il prenait pied sur le bord de la piscine, elle le reconnut. Faisant de petites manières, évitant de plonger par crainte de l'hydrocution, Marie-Christine s'était décidée à entrer dans l'eau où Marc s'ébrouait bruyamment. Hélène, qui en sortait déjà, s'empressa de présenter Catherine et le vieux nageur.

— Jean-Marie Scoffié dont tu as sûrement lu les livres de philosophie, Catherine Esmelain.

Les premiers pas que Catherine avait faits le long de la piscine sur les dalles humides lui avaient été pénibles ; elle avait porté sa nudité comme une corvée mondaine. Mais, depuis qu'elle reconnaissait dans le vieux nageur le professeur qui l'avait séduite au débotté, elle était intéressée par leur double nudité qui pouvait être intéressante pour Marc. Elle le chercha des yeux : cet imbécile nageait sous l'eau. L'eau miroitait, aveuglante, sous une lumière platinée.

Elle reporta son regard sur son ancien professeur. L'âge avait injustement distendu sa peau. Celle-ci tantôt formait des bourrelets, sous les hanches et sous la nuque notamment, tantôt accusait un relâchement qui donnait à penser qu'on pouvait l'étirer comme la peau d'un jeune chien. Injustement, se disait Catherine, parce que Scoffié devait lutter, pratiquer des sports, multiplier les séances de gymnastique comme en témoignait, sous la défaillance de la peau, une belle présence musculaire. Il subit cet examen avec un étonnement qui lui donna de l'arrogance. Il la garda quand Catherine, tout de go, lui montra un matelas et lui proposa de le partager. Ils s'assirent chacun d'un côté.

— Est-ce que vous vous rappelez ? demanda-t-elle. Ou est-ce que vous ne vous rappelez vraiment pas ?

Il flottait. Tout à coup, la regardant dans les yeux :

— Vous êtes une de mes anciennes élèves.

— Ce sont mes yeux qui...

— Oui, leur expression attentive mais sceptique.

— Et mon corps, non ? Peut-être se rappelle-t-on moins bien un corps qu'un visage.

Il respira avant de balbutier :

— Mais oui en effet, nous...

— En effet, nous, prononça Catherine avec une aisance dont elle s'admira.

Il respira encore, puis illuminé :

— Vous aviez une jupe plissée bleu marine.

— Et une vraie culotte petit bateau.

— Vous êtes trop jeune. Il n'y en a plus depuis longtemps. On ne peut en trouver que dans quelques sex-shops.

Ayant toujours considéré que Scoffié l'avait prise dans un piège, elle se rappela pour la première fois qu'avant de partir chez lui elle s'était changée pour harmoniser son slip à son soutien-gorge, ce qui dénonçait une certaine préméditation. Donc moi-même...

— Vous êtes mariée ?

— Oui. Avec l'homme qui nage.

Elle se redressa sur les genoux, s'étira. Son corps

projetait son ombre sur le corps de Scoffié qui était allongé sur le ventre en travers du matelas.

— Moi, je vous ai reconnu tout de suite, vous n'avez pas du tout changé.

— Vous avez des seins plus lourds, répondit froidement Scoffié, davantage de hanches et de fesses. Vous avez perdu votre acidité.

— Je suis devenue ma sœur aînée ?

— J'aime beaucoup.

— Et quand on a eu la cadette, est-ce qu'on a envie de l'aînée ?

— Moi oui.

Elle avait compris pourquoi Scoffié restait obstinément couché sur le ventre. Ce fut juste au moment où le visage de Marc apparaissait au-dessus du rebord de la piscine qu'elle se rappela, alors qu'elle était debout à côté du professeur, devant le bureau encombré de papiers et de livres, l'apparition du sexe énorme et puissant comme un gourdin. Scoffié lui avait pris la main et l'avait obligée à hasarder une caresse le long du fauve, pendant que lui-même faisait glisser la petite culotte en ordonnant d'une voix sans réplique : « Maintenant, tu vas être bien obéissante... Je te tutoie, mais toi, tu dois continuer à me voussoyer. »

Elle se glissa vers Marc en s'allongeant. Sa joue effleura la joue mouillée de son mari.

— Le type, chuchota-t-elle, c'est mon fameux ancien prof...

— Celui qui...

— Oui.

Elle se rassit au bout du matelas, pendant que Marc se hissait ruisselant sur le rebord.

— Je vous présente mon mari... Marc, M. Scoffié est un de mes anciens professeurs de la Sorbonne.

Elle ajouta :

— Marc n'a certainement lu aucun de vos livres, il ne s'intéresse qu'aux sciences politiques et économiques.

— Si tant est que ce soit des sciences, enchaîna Scoffié en toussotant pour s'éclaircir la voix comme pendant son cours.

Catherine ne suivait pas l'échange de propos dépourvus de conviction qui se prolongeait autour des sciences politiques. Elle regardait leurs regards. Celui de Scoffié glissait sur Marc et revenait aussitôt sur elle, hermétique ; celui de Marc cherchait dans la physionomie du professeur quel effet produisait sur lui le corps de Catherine. Celle-ci, sous prétexte de cueillir le paquet de cigarettes qu'en arrivant elle avait jeté à quelques dalles du matelas, s'étira sur le côté, puis se releva sur les genoux tandis que Scoffié, sans changer de position, lui tendait son briquet allumé. Elle se rapprocha sur les genoux, se pencha et, en allumant sa cigarette, effleura de la pointe de son sein l'avant-bras velu de Scoffié ; presque dans la même seconde, elle intercepta le regard que Marc posa sur eux.

— Ce n'est pas vrai ! Vous ne vous êtes pas encore baignée, Catherine ! Moi j'y suis déjà allée deux fois.

Tous trois tournèrent la tête vers Marie-Christine qui, luisante et triomphante, se tenait face au soleil, les yeux plissés, le visage levé, véritable adoratrice du soleil, et les pieds en dedans.

D'un coup de reins, Catherine s'arracha au matelas et se jeta à l'eau, sachant qu'elle les aspergeait tous. Tout en nageant, elle vit Nancy et la chercheuse se glisser derrière le paravent des femmes : elles réapparurent en courant et plongèrent ensemble.

Elle avait cessé de nager, ne faisant plus que quelques mouvements pour se maintenir à la surface. Elle prolongeait ce bain comme une parenthèse avant de reparaître sur la terre où l'attendaient ses désirs et ses peurs.

Rhabillé, le Dr Liegel apparut, poussant une table roulante où miroitaient des alcools et des jus de fruits. Sans se soucier de l'aider, Hélène avait plongé. Son visage sortit de l'eau près de celui de Catherine.

— Ça va ? Tu es bien ?

— Oui, je suis très heureuse.

— Nous voulions depuis longtemps vous inviter, mais toi et Marc, surtout toi, vous aviez un petit côté collet monté qui nous intimidait. Où en es-tu avec lui ?

Toutes deux avaient gagné un angle solitaire de la piscine et se reposaient, appuyées à la main courante. La curiosité d'Hélène contrariait Catherine qui éludait les questions, se refusant à préciser quelles satisfactions elle avait accordées à son mari, rougissante et mécontente de rougir.

— Est-ce qu'il est content de toi ?

— Il veut toujours plus.

— Et le divorce ?

— On n'en parle plus guère, mais il suit son cours.

— Frappe un grand coup, Catherine !

— Est-ce que je sais, moi, jusqu'où il veut que j'aille ?

La chercheuse et Nancy s'étaient décidées à sortir de l'eau et buvaient debout à côté de la table roulante au milieu des hommes parmi les éclats de rire. Garuel et le chercheur avaient enfin fait leur apparition au bord de la piscine : Garuel s'était dévêtu, offrant un corps musclé, stable, que l'on n'aurait pas soupçonné ; le chercheur n'avait pas quitté son pantalon de velours parme et sa chemise de soie crevette et tenait sa pipe à deux mains, répandant une fumée qu'un début de brise animée par l'approche du crépuscule allongeait vers la barrière de cyprès.

— Ce qu'elle est belle, cette Nancy ! Ça n'a pas l'air d'être vrai !

— Justement c'est son défaut. Elle bloque les rêves. Nancy est une fille que les hommes aiment sortir, exhiber, mais, au lit, ils s'empoisonnent avec elle.

Indifférente à l'effet que Nancy pouvait faire au lit, Catherine considérait celui que la métisse produisait en déambulant son verre à la main autour de la table à liqueurs. Tous les hommes la suivaient du regard comme des chats, sauf Marc, et encore celui-ci lançait-il des coups d'œil à peine distraits.

— Tiens, voilà ce gros porc de Poisson ! remarqua Hélène. Il a fini sa sieste, il n'ose plus se déshabiller à cause des bleus que je lui ai faits cette nuit.

— Nancy et lui sont chez vous depuis hier ?

— Ils ont passé la nuit. Un échange. Tu sais pas ce que c'est l'échangisme ? Tu lis quand même quelquefois ?

— Ah oui, l'échangisme...

— Contrairement aux apparences, ce n'est pas moi qui y ai perdu, c'est Martin. En outre, ce matin, quand il m'a retrouvée, j'ai eu droit à la reconquista.

— J'ai froid. Voilà une heure que je suis dans l'eau.

Au soleil, se frottant avec une des serviettes qui traînaient à côté des matelas, Catherine retrouva une brusque gaieté. Elle reçut le regard de Marc et tout aussitôt s'agenouilla de nouveau devant Scoffié pour lui demander du feu. Elle ne pouvait se retourner vers son mari, mais elle savait qu'il était en train de « mémorer » la scène. Mémorer, comme disait le chercheur. Elle s'allongea sur la surface libre du matelas, les yeux perdus dans le ciel. Scoffié fut obligé de transformer prudemment sa serviette en pagne. La tête renversée en arrière, au-delà du matelas, les jambes abandonnées, Catherine de temps en temps élevait sa cigarette vers l'épaule de Scoffié qui aussitôt se penchait pour secouer la cendre dans l'une des jarres. Quand il lui rendit la cigarette, leurs mains se touchaient.

— Faites-vous toujours des conquêtes parmi vos étudiantes ?

— Maintenant je suis au Collège de France. Mes auditeurs sont peu nombreux, plutôt âgés et je n'ai guère de contact personnel avec eux.

La voix du chercheur dominait la conversation et ses propos rappelaient à Catherine ceux de Gonzague et surtout de Bruno.

— Il faut, exigeait le chercheur, inventer des relations neuves entre la sexualité et le langage. J'entends *relation* dans son contexte révolutionnaire et sans privilégier le mode d'approche structuraliste. Naturellement, il s'agit de rester avant tout opératoire : il n'est pas du tout question de révolution formelle à la bourgeoise, mais d'une certaine interprétation du langage qui soit globalement révolutionnaire.

Comme Bruno, il raffolait de certains spectacles expérimentaux, notamment de celui auquel il avait assisté la veille à la Cartoucherie.

— Le public est là pour tester un brouillon. Le problème des créateurs est d'évaluer les impacts et, grâce à une logique opératoire toute simple, de régler le tir.

Il ajouta même ce jugement que Bruno aurait pu prononcer :

— C'est au public de distancier le sujet et non à l'auteur, au metteur en scène et aux acteurs. La révolution passe par ce mouvement.

Sans avoir plus d'esprit critique, semblait-il à Catherine, que Bruno, le chercheur exploitait un vocabulaire plus étendu et surtout nuançait ses propos, les mâchoires légèrement serrées, d'une intonation qui laissait entendre qu'il n'était pas entièrement leur dupe et que sa virtuosité lui permettait de retirer ce qu'il avançait dans le même mouvement. Bruno, comme dirait maman, fonce bille en tête, alors que le chercheur peint des trompe-l'œil.

La conversation que Martin, Hélène et la chercheuse avaient amorcée prit tout à coup le dessus. Martin ayant soutenu qu'aucun d'entre eux ne pouvait plaider l'innocence de sa nudité et que la cénesthésie d'un civilisé du XXe siècle ne pouvait, quand il était nu, ressembler à celle d'un Athénien également nu du Ve siècle avant notre ère, suivit un accrochage entre le professeur et le chercheur ; ce dernier, agacé par la supériorité de Scoffié (quant aux diplômes, à la notoriété, à la position sociale), déployait une insolence à la fois agressive et déférente.

— Evidemment, vous jouez sur du velours. La mode est d'insulter le bon sauvage. Les marxistes comme les technocrates et même les psychanalystes haïssent Rousseau. Si les C.R.S. pouvaient l'exterminer, vous applaudiriez à deux mains, monsieur le professeur !

— Nullement, je laisse Rousseau à Kant et à mon collègue Lévi-Strauss...

En bonne maîtresse de maison, Hélène opéra une diversion de style et détourna la conversation sur l'antipsychiatrie. Le sujet eut du succès ; seuls se taisaient Marc qui, assis à l'écart, gardait une physionomie impassible, et Catherine qui, toujours allongée, suivait entre ses cils les gestes lents de Nancy qui passait un liquide incolore sur son corps. Je la déteste d'être si belle, c'est vraiment con qu'elle soit venue, elle aurait pu aller ailleurs.

Une forte femme qui portait aussi bien la soixantaine que la cinquantaine venait d'apparaître, suivie par un vieux chien loup assez pelé. Elle était enfoncée dans un énorme pantalon de velours marron pareil à ceux que portent encore de vieux terrassiers et tenait à la main un panier plein de plantes coupées. Les présentations établirent qu'elle était Mme Scoffié et que, botaniste convaincue, elle avait passé son après-midi à herboriser dans la forêt de Fontainebleau. Son mari l'appelait « Mamie » et Catherine la soupçonna de l'appeler « Papa » dans l'intimité. Est-ce que Marc me trouve ridicule ?

L'arrivée de Mme Scoffié avait presque coïncidé avec la disparition du soleil derrière la cime d'un grand marronnier. Ce fut, soit que la tombée d'une légère fraîcheur inquiétât, soit que la nouvelle venue eût brisé un charme, une fuite vers les paravents. Hélène, qui n'avait eu qu'à enfiler sa longue robe de plage, aida Catherine à se rhabiller. Je voudrais bien savoir pourquoi je provoque chez elle comme chez Marielle le besoin de me protéger et de m'assister.

Comme elles regagnaient la maison, Hélène annonça à Catherine :

— Marc et toi, vous restez dîner. Peut-être coucher, non ? Les Garuel filent tout de suite à cause de leur bébé et les Scoffié à cause du leur qui fait une projection privée de son film ce soir.

— Ils ont un fils metteur en scène ?

— Tu connais son nom sûrement. Scoffiéry. Il a éprouvé le besoin de s'adjoindre un r et un y. Il vient de terminer un film sur le sadisme chez les écoliers du XIIIe siècle. C'est entièrement interprété par des garçons de dix à seize ans. On craint que ça ne franchisse pas la censure. Marc !

Marc accepta et le dîner eut lieu dans la bibliothèque, pièce aussi vétuste que le petit salon. La gardienne avait improvisé un buffet froid sur un billard désaffecté.

— On se sent mieux ici que dans la salle à manger, observa Martin. Maintenant, je regrette de l'avoir faite en acier. J'ai vu l'autre jour une exposition de zincs oxydés. A côté du zinc oxydé, l'acier fait tarte.

Ils mangeaient assis sur des poufs ou allongés sur des fourrures. Hélène servait de la vodka comme du vin. Elle avait allumé le feu dans la cheminée bien que la tiédeur du jour subsistât dans la pièce.

— Hélène, proposa le chercheur, on joue aux énormités ?

Martin approuva :

— Jean Poisson ni Nancy n'y ont jamais joué. Marc et Catherine non plus, c'est intéressant. Ça peut donner des happening.

— De quoi s'agit-il ? demanda Marc.

— Nous devons nous provoquer mutuellement à sortir des énormités.

— Une resucée du jeu de la vérité ?

— En plus authentique, observa la chercheuse.

— Vous avez déjà une énormité toute prête ?

— Ça démarre bien, dit Martin, le ton est établi.

Avec un appareil, il avait roulé des cigarettes où l'herbe se mélangeait au tabac. Il les distribua.

La chercheuse : La dernière fois qu'on a joué, j'ai dit des énormités.

Hélène : Une seule. Tu n'as qu'un happening.

Marc : Je suis sûr que vous Nadine... c'est bien Nadine que vous vous appelez ?

La chercheuse : Oui.

Marc : Vous avez dit une énormité théorique, j'en suis sûr, pas un souvenir ni un désir mais un projet.

Martin : Il faut essayer de se provoquer sans agressivité. L'agressivité durcit la défense de l'autre et épaissit sa cuirasse caractérielle, ce qu'il faut éviter. Pour que le contact soit plus facile je vous propose de vous tutoyer tous.

Hélène : Sauf Martin et moi qui, pour être proches, ne pouvons que nous voussoyer... Catherine, quand t'ai-je fait horreur ?

Catherine : Tu ne m'as jamais fait horreur.

Hélène : Peur. Cherche : je ne t'ai jamais inquiétée ?

Catherine : Si. Quand nous nous sommes connues.

Hélène : Raconte.

Catherine : Il y a huit ans. J'avais pris un billet dans un voyage organisé. J'ai partagé au Sénégal un bungalow avec toi. Nous ne nous connaissions pas. Le second soir, deux hommes t'ont fait la cour, tu m'as conseillé d'aller me coucher parce que j'avais sommeil et, le lendemain, je t'ai vue revenir au petit jour, j'ai fait semblant de dormir. Ça a recommencé la nuit suivante.

Le chercheur : Tu veux dire qu'Hélène couchait avec les deux.

Catherine : Et puis, de son lit, elle appelait Paris et elle assurait à Martin qu'ils auraient des retrouvailles passionnantes.

Martin : Et tu as éprouvé de l'horreur ?

Catherine : Oui.

La chercheuse : Quel âge avais-tu et étais-tu vierge ?

Catherine : J'avais vingt ans, j'allais avoir vingt et un

ans. Depuis sept ou huit mois je n'étais plus vierge mais c'était tout comme.

Poisson : Tu n'avais pas connu l'orgasme ?

Catherine : Mais si ! Je le connaissais déjà quand j'étais vierge. Je voulais dire qu'entre le garçon et moi ça n'était pas passionnant.

Marc : Raconte ton dépucelage.

Catherine : Aucun intérêt.

La chercheuse : Raconte.

Catherine : Nous étions partis à cinq sur un bateau. Ça s'est passé l'après-midi pendant la sieste dans une cabine. Je n'ai rien senti de particulier. Après, j'ai continué avec le même garçon. J'étais pas prête à comprendre le jeu d'Hélène.

Martin : Mais comment as-tu deviné que c'était avec deux hommes qu'Hélène employait ses nuits ?

Catherine : Ça, je l'ai senti ; un propos d'Hélène a dû me mettre sur la voie.

Hélène : Tu n'as pas senti, tu as vu.

Catherine : C'est faux, Hélène, pourquoi dis-tu ça ?

Hélène : Le bungalow des deux types était à cinq mètres du nôtre. Pendant la nuit tu m'as entendue crier, tu es sortie, tu es montée sur un banc qui se trouvait sous la fenêtre et tu as vu.

Catherine : Non... tu m'as montré une photographie.

Hélène : Il n'y a pas eu de photo. Tu nous as vus, tu t'es recouchée, le lendemain tu m'as regardée avec horreur.

Catherine : Je ne sais pas si j'invente ce que j'ai ressenti à cette époque, mais je crois bien que j'ai facilement réussi à concevoir le plaisir de se donner à deux hommes et même celui de la complicité qu'Hélène gardait avec son mari. Mais pour moi c'étaient des plaisirs qu'on rêve. Ce qui m'horrifiait, c'était le passage à l'acte. Dans les faits divers, j'approuve souvent les mobiles meurtriers, mais le passage à l'acte me dépasse.

La chercheuse (au chercheur) : Toi aussi, ce qui te dérange, c'est le passage à l'acte.

Le chercheur : Nous avons passé à l'acte.

La chercheuse : Le mois dernier, après des années de séminaires et de colloques consacrés au problème. Résultat : depuis que l'événement a eu lieu, il ne me touche plus et le matin, dans le lit, je l'entends s'agiter : il se satisfait tout seul, seul avec son rêve, confortable.

Nancy : Moi, je m'en fous.

Poisson : Tu te fous de tout. A ton âge, c'est navrant.

Nancy : Les rêves pour moi : zéro. Et les actes n'ont pas d'importance. Ils sont indifférents ou un peu agréables ou un peu désagréables. Ils se valent à peu de chose près.

Poisson : Tu es une salope désespérante.

Nancy : Toi avec ton blouson de G.I. pour faire jeune, tu es le parfait père de contestataire qui voudrait être compris par son fils.

Poisson : Pourquoi restes-tu avec moi ?

Nancy : A cause de ton blé. Et toi tu me gardes parce que je suis un investissement rentable. Si tu voulais avoir tout seul la moitié des nanas que tu te fais en m'échangeant, d'abord tu n'y arriverais pas et ensuite ça te coûterait dix fois plus cher que moi.

Le chercheur : Moi, le professeur Scoffié m'ennuie assez prodigieusement, mais toi, Catherine, quand nous étions au bord de la piscine tu ne pouvais pas le quitter. Tu prenais ton pied ?

Catherine : Oui. A cause de Marc. Qu'est-ce que ça t'a fait au juste, Marc, de regarder Scoffié et moi sur le matelas ?

Marc : Vous étiez pareils à ce que vous avez dû être après. Je suppose qu'après vous aviez fumé une cigarette sur le lit.

Hélène : Ça t'a intéressé, Marc ?

Marc : Oui.

La chercheuse : Et toi, Catherine ?

Catherine : Oui !

Martin : Est-ce que ça t'intéressait uniquement par complaisance pour Marc ?

Catherine : Je comprenais que ça trouble Marc et ça me troublait.

Nancy : Est-ce que tu as mouillé ?

La chercheuse : Catherine, tu dois répondre.

Nancy : Est-ce que tu as mouillé ?

Catherine : Oui.

Le chercheur : Préférerais-tu, Marc, qu'il ne se soit rien passé entre Catherine et Scoffié ?

Marc : Je subis un conflit entre le oui et le non qui m'intéresse.

Le chercheur : Un mouvement dialectique ?

Hélène : Tu sais, Catherine, j'ai invité Scoffié en toute ignorance. Mon fils plus tard veut faire du cinéma et j'aimerais que le fils de Scoffié le prenne comme assistant. Mais pourquoi m'avais-tu raconté que tu étais fidèle à Marc ?

Marc : C'était avant qu'elle me connaisse.

Hélène : Toi, Marc, tu es fidèle à Catherine ? Quand pour la dernière fois as-tu couché avec une autre femme que Catherine ?

Marc : Hier.

Catherine : Hier !

Marc : Oui.

Catherine : C'était qui ?

Marc : Marielle.

Martin : Happening ! On peut considérer sans hésitation qu'il y a happening.

Catherine : Hier soir ?

Marc : Dans l'après-midi.

Catherine : Je veux rentrer !

Martin : La partie est terminée.

JOURNAL INTIME DE M. DAUBIGNÉ

14 juin

Après une absence d'une nuit et un silence d'une journée, j'étais rentré, mû par l'imminence de la bataille. Rose m'accueillit comme d'habitude. Maintenant j'étais sûr qu'elle s'était demandé si je reviendrais jamais et qu'elle a été soulagée en me revoyant. Sa seule allusion a été indirecte et pacifique : « Ton ami Geoffre a téléphoné ce matin, mais tu étais sorti, il rappellera ce soir. » Elle s'attendait cependant à ce que je fournisse une vague explication car avant de se coucher elle m'a demandé, au cas où je devrais m'absenter de nouveau la nuit, de la prévenir. J'ai répondu que je n'y manquerais pas — si je le pouvais.

Dommage que je lui aie déjà annoncé mon départ pour une inspection dans le Bordelais, car j'aurais eu du plaisir à faire tout simplement ma valise en lançant : « Je rentrerai dans deux jours. » Ayant découvert que le caractère de Rose était, contrairement à ce que j'avais cru, disposé aux concessions, j'envisage désormais de passer plusieurs nuits par mois chez Germaine et, quand nous serons à Brévinville, de ne plus recourir à des mensonges pour justifier mes visites chez Germaine à Borcaux ; à la fin du mois, au lieu de prétendre que je pars faire ma cure, j'annoncerai tout simplement que je pars en voyage. Convaincu que ma neuve autorité sur Rose me permettrait, malade, de m'installer sans problème chez Germaine, j'ai assuré à celle-ci, en mentant à peine, que j'avais mis ma femme au courant de mon projet et qu'elle y avait souscrit.

Il aura fallu la mort de Celui que j'aimais et que j'aime pour que le drame me visite et me donne, un an plus tard, la force de prendre le risque d'un autre drame avec Rose et il aura fallu cette épreuve de force pour que je découvre que Rose capitulait facilement. Je n'ai pas cherché de prétexte à ma fugue nocturne parce que c'eût été trahir mon ami mort ; je haïssais Rose parce que, à cause d'elle, je n'avais vu chaque jour que trop peu de temps mon ami vivant. Pendant vingt ans, j'avais été le roi du compromis, tout à coup c'est Rose qui a pris mon emploi. Elle l'aurait sans doute pris d'emblée si, à l'époque où j'ai constaté mon amour pour Germaine, j'avais été assez sage pour être excessif et tenu pour essentiel de tenter le coup et non de l'arranger.

Je ne peux expliquer ma faiblesse initiale, qui devait devenir une faiblesse habituelle, que par le peu de foi que j'avais mis au départ dans ma liaison avec Germaine. Je n'avais pas imaginé que mes relations avec Rose pouvaient être modifiées par une charmante aventure que je limitais dans une parenthèse. La première fois que j'assaillis Germaine, j'hésitais, craignant que, s'opposant à mon désir, elle craignît de manquer de gentillesse ou de politesse, et ne devoir son abandon qu'à sa surprise ou à l'excès de sa complaisance. Je ne me doutais ni qu'elle m'aimait ni que je l'aimais. Quand ce fut l'évidence, je n'imaginai pas de changer mon comportement et je continuai de tricoter, comme s'il s'agissait toujours d'une parenthèse. Ainsi ai-je gâché ou tout au moins entravé la vie de Germaine et la mienne — sans faire un paradis de celle de Rose.

Le regret en est cruel maintenant que je sais avoir le pouvoir de faire céder Rose sans trop de casse. Je serais venu la voir souvent, je me serais bien occupé des enfants et sans doute Rose se serait-elle remariée. Je ne me rappelle plus très bien quel âge avaient les enfants, sans doute entre six et neuf ans, mais il est vrai que leur existence a concouru à me tenir dans le compromis. J'aimais les illusions qu'ils m'inspiraient. Plus encore, j'étais sottement respectueux du sacré familial qui m'avait été inculqué par la société bourgeoise. Dans ma famille, personne n'avait jamais divorcé et j'ai été trop timoré pour concevoir d'emblée qu'il n'y ait pas de quoi s'en vanter.

15 juin

Naturellement, Germaine ne s'est pas montrée satisfaite de l'accord que je prétendais avoir obtenu de Rose. Pourquoi attendre les jours sombres pour être ensemble ? Pour le moment, j'élude, ce qui est facile parce que, ayant obtenu une victoire, Germaine se donne à elle aussi le temps de souffler. Mais lors même qu'elle ne m'attaque pas là-dessus, j'y pense seul. Parfois il me paraît navrant et dérisoire d'agir avec vingt ans de retard. A d'autres moments je me rappelle ce que ma mère disait autrefois : « Il ne faut pas jeter les photographies sur lesquelles on se trouve moche car quelques années plus tard on est bien content de les regarder. » Quand je me trouve trop vieux pour rompre avec Rose et rejoindre Germaine, j'oublie que dans dix ans, si vie m'est prêtée jusque là, je regretterai peut-être de n'avoir pas agi à l'âge que j'ai actuellement qui me semblera jeune.

16 juin

Hier, quand je suis allé voir ma mère, Germaine m'a attendu dans la voiture et, en la retrouvant, j'étais troublé. Ma mère, perdue comme d'habitude dans ses vapeurs cotonneuses, m'avait tout à coup regardé fixement et dit : « Surtout n'oublie pas d'être heureux, on oublie trop souvent et c'est dommage. »

Il y a vingt ans, j'aurais dû m'apercevoir que j'aimais Germaine au bonheur dans lequel j'ai coulé à peine l'eus-je connue. Je ne tenais pas encore de journal à cette époque, mais je me rappelle qu'à partir du jour où Germaine, qui travaillait dans un bureau voisin, fut installée dans mon propre bureau, pendant des semaines, des mois, mon état fut celui de quelqu'un dont les jours et les nuits s'écouleraient dans une perpétuelle matinée de printemps. Les problèmes ne sont venus qu'ensuite, quand je me suis senti au désespoir de ne l'avoir pas connue plus tôt. Je ne songeais pas à mettre en cause la priorité de Rose, sottise qui revient à livrer sa vie au désordre des rencontres en se soumettant à la chronologie.

Dès l'instant où j'ai reconnu une primauté à Rose, su que je m'installais dans un partage et commencé de tenir ce journal, je renonçai à tout ce qui pouvait ressembler à du bonheur. A peine celui-ci m'effleure-t-il parfois, grâce à une minute d'inattention, pendant un voyage avec Germaine où j'oublie fugitivement qu'il me faudra rentrer. Maintenant que j'ai découvert Rose plus malléable que je ne pensais, je subis la tentation de trancher et de recouvrer le pouvoir perdu depuis si longtemps d'éprouver des sentiments sans mélange.

Les enfants ont cessé d'être les obstacles d'il y a vingt ans. On ne peut plus m'accuser de les abandonner et surtout de les « traumatiser » par un divorce. L'idéal serait même que Catherine se séparât de Marc, ce qui, à entendre Rose, est probable, et revînt auprès de sa mère. Toutes deux se tiendraient compagnie, ce qui apaiserait mes remords. Je suis faible devant les remords.

XIV

La C.M.R.V. (coopérative menuisière de la région versaillaise) avait sollicité de la banque un prêt sur lequel Marc commença de rédiger son rapport, préoccupé par la querelle qui s'était prolongée entre Catherine et lui pendant leur retour en voiture. Il divisait son étude en trois parties : 1°) les structures financières, 2°) les aptitudes de la direction, 3°) la capacité rentabilité. Il répartissait les griefs de Catherine autour de deux thèmes : 1°) l'avoir mise en situation de recevoir les propositions malsaines d'Hélène, 2°) l'avoir trahie avec Marielle. Un courant d'air sympathique traversait le bureau.

La nature du prêt attendu par la C.M.R.V. était double : un achat de machines qui limitait une partie de l'investissement à cinq ans, un transfert en zone industrielle qui prolongeait l'autre partie à quinze ans, ce que l'âge des membres de la coopérative rendait précaire, car tous ou presque étaient appelés pendant ce dernier laps de temps à se retirer, donc à récupérer leur apport. Le premier grief de Catherine était aisé à repousser puisque Hélène était une amie à elle et non à lui et que ce n'était pas lui mais Catherine qui l'avait mise au courant. Arrivé au chapitre cach-flow, Marc établit que, si la position de la coopérative sur le marché était bonne, le personnel capable, le matériel défendable, il n'en restait pas moins que l'incompétence économique de la direction compromettait la capacité de rentabilité, donc de remboursement. La C.M.R.V., pour emporter un marché, soumissionnait à des prix si bas qu'elle travaillait souvent à perte sans même s'en apercevoir. Ne s'étant jamais assuré un fonds de roulement pour financer le cycle d'exploitation, même s'ils avaient été assez compétents pour découvrir qu'ils travaillaient à perte, ils auraient été obligés d'accepter par besoin d'argent frais. Ce même besoin les obligeait à tirer sur le crédit fournisseur, à accroître leur déficit bancaire, à s'engager dans la cavalerie. Le grief Marielle était difficile à parer parce que Marc, tout en se jugeant innocent, se retrouvait mal dans ses mobiles. Il n'avait été excité que par le spectacle de la vidéo, et non pas même par ce qu'il avait vu mais par ce qu'il avait voulu voir en imaginant sur l'écran un autre homme que lui-même et Catherine à la place de Marielle. L'autre homme était devenu maintenant le professeur. S'il ne parvenait pas à éclairer Catherine, c'est qu'il n'aurait su expliquer quel besoin cette image satisfaisait en lui. La couche de peinture jaune dont la cour avait été revêtue à l'automne avait provoqué la désapprobation de Marc, mais son bureau, qui à cette heure était à l'ombre, recevait de la façade éclairée une palpitation lumineuse qui portait les vacances et la Méditerranée. Le visage de M. Hochepoul s'imposa, carré, solide, troué par des yeux purs et enflammés. Le feutre avec lequel écrivait Marc glissait sur le papier, entraînant les mots et les phrases comme une flottille de canoës.

— Je ne te dérange pas ? dit Garuel. Je voulais juste te dire combien Marie-Christine et moi avons été heureux de faire la connaissance de vos amis. Nous avons passé un après-midi terrible.

Il s'assit à califourchon face à Marc.

— C'est fou ce que nous avons bruni au bord de

cette piscine. Tu es superbe ! ajouta-t-il avec un cordial sourire.

Il passa en revue les hôtes et leurs invités. Le docteur Liegel lui inspirait une admiration sans réserve.

— Marie-Christine et moi, nous comprenons tout à fait les théories échangistes. C'est une méthode plus honnête, plus saine que les petites tricheries d'antan. Nous n'en éprouvons pas le besoin pour le moment. N'empêche que, comme dit Marie-Christine, c'est courageux et astucieux.

Il ne se rembrunit qu'au souvenir du chercheur.

— Nous avons eu une petite querelle sur l'Algérie.

Il sortit son portefeuille.

— A propos d'Algérie, j'ai retrouvé cette photo que je n'ai pas pu te montrer hier à cause de nos femmes. Elle te dit quelque chose ?

Seulement vêtue d'un slip à paillettes, une fille très floue était allongée sur des coussins eux-mêmes appuyés à une tapisserie rudimentaire où Marc reconnut Pierrot et Colombine. Du même coup, il sut que la fille était Djemilla.

— Tu l'as tout de suite reconnue ! exulta Garuel. Garde-la, vieux, je te la donne.

— Mais non...

— Mais si ! Moi, qu'est-ce que tu veux que j'en fasse ?

— Et moi ?

— Alors, je la déchire...

Il se leva pour jeter les morceaux dans la corbeille et posa un coup d'œil machinal sur le dossier.

— La C.M.R.V., je connais, c'est moi qui avais reçu le président quand il était venu poser sa demande. C'est toi qui as fait l'enquête ?

— Oui et il faut que je termine mon rapport tout de suite.

— D'accord, je te laisse. Marie-Christine a eu un mot très drôle sur les Fretzeller.

— Les quoi ?

— Le chercheur du C.N.R.S. et sa femme. Pour définir leur jargon, elle a repris une plaisanterie de Proust sur un de ses amis qu'il accusait de singer Barrès comme les deux valets des Précieuses ridicules singent les manières de leur maître. Selon elle, les Fretzeller singent d'autres singes et, dans ce milieu, à force de se singer les uns les autres, on ne sait plus qui est singe et qui est singé.

— Tu lis Proust !

— Moi, non, je n'ai pas le temps. Mais Marie-Christine l'a lu intégralement trois fois. Et dans le texte. Alors qu'un Fretzeller, j'en suis sûr, n'a lu que des livres sur Proust et jamais rien de lui. Hier, sur l'Algérie française il m'a exaspéré.

Marc considérait son camarade avec curiosité, s'étonnant que celui-ci fût vulnérable aux passions politiques. Lui-même avait reçu de son milieu une formation tacite, celle qui modèle les futurs grands commis de l'Etat et de la Finance ; elle excluait toute adhésion sentimentale à une idéologie ou à une cause. On pouvait servir un clan, s'engager dans une ligne politique, défendre des positions, mais sans jamais faire donner son cœur ni ses nerfs : on demeurait froidement dans l'axe de sa carrière. Bertrand de Saint-Presse, par exemple, avait reçu la francisque du Maréchal, puis la rosette sous de Gaulle pour le bien de ses entreprises sans jamais s'offrir le caprice d'un engagement intérieur. N'ayant pas de responsabilité, Marc se permettait seulement de soutenir certaines thèses un tout petit peu révolutionnaires qu'il croyait de bon ton, de même qu'il veillait à se vêtir et à se comporter selon la mode.

— Excuse-moi, dit-il, mais je dois vraiment finir ce rapport.

— Je suppose qu'il sera négatif ?

— La C.M.R.V. a le défaut de toutes ces coopératives : ignorance des normes de l'économie actuelle.

— Le type était sympa, il ne s'appelait pas Hochepoul ou quelque chose comme ça ?

— Sympathique comme tous les P.-D.G. de coopératives. Ils ont presque tous lu Proudhon et Fourrier ; au départ, ils ont voulu faire triompher un vieux rêve apparemment rationnel où les travailleurs se suffisent à eux-mêmes. Ils sont nuls comme gestionnaires puisqu'ils se refusent à connaître le fonctionnement exact de la société économique, mais leur sincérité leur donne une force de conviction en face du personnel, qui accepte les retenues sur les salaires, et parfois en face du banquier. Ça ne dure qu'un temps. Pourquoi m'as-tu apporté la photo de Djemilla ?

Garuel se leva.

— Je l'ai retrouvée en triant de vieux papiers.

— Pourquoi me l'as-tu apportée ?

— Tu t'intéressais beaucoup à Djemilla.

— Dans ce petit bordel, elles étaient une dizaine de filles et Djemilla avait beaucoup de succès au régiment.

— On avait remarqué que, quand l'un de nous allait faire un tour au bordel de Vialar, ça t'intéressait de savoir s'il s'était occupé de Djemilla et de te le faire raconter. On prétendait aussi que Djemilla t'en racontait sur nous.

— Et Bonpas, le petit toubib, assurait que je tirais du plaisir de l'évocation de Djemilla dans les bras d'un autre. Oui, je me rappelle...

— Tu correspondais avec une fille, une Eurasienne qui était danseuse.

— Comédienne.

— Tu ne m'en as guère parlé, mais un peu quand même avant que je parte en permission, quand tu m'as demandé de m'enquérir d'elle discrètement.

— J'avais oublié.

— Peut-être que je me trompe, mais voilà mon impression : tu savais que ta comédienne était infidèle, tu n'en souffrais qu'à cause de l'éloignement et tu cherchais dans Djemilla une représentation proche et palpable de l'infidélité.

Garuel posa la main sur la poignée de la porte et baissa les yeux pour ajouter, sur un ton où perçait le désir de faire des confidences et plus probablement d'en recevoir :

— Marie-Christine est encline à penser que chez les Liegel et leurs amis il n'y a pas seulement le goût de la liberté, une prédilection pour la franchise... Elle soupçonne un besoin de l'infidélité.

— Et tu crois que c'est mon cas ?

— Je ne juge pas ! Tu me vois borné, Esmelain ! Je ne le suis pas et Marie-Christine non plus ! Elle m'a lu une phrase de Proust qui est à peu près celle-ci : « ...Ces jaloux qui permettent qu'on les trompe mais sous leur toit et même sous leurs yeux, c'est-à-dire qu'on ne les trompe pas. » Si je te disais que je comprends ! Moi-même...

Il avait lâché la poignée de la porte.

— Figure-toi que j'ai eu des soupçons sur Marie-Christine aux sports d'hiver. Je te passe les détails. Finalement, elle s'est justifiée. Le lendemain, elle a éclaté de rire. Elle m'a dit : « Je suis innocente, donc je suis ennuyeuse ».

— C'est de Proust aussi ?

— Comment as-tu deviné ? Tu connais bien Proust ?

— Je l'ai peu lu, répondit Marc (qui n'en avait parcouru qu'une page). Mais mon cousin Bertrand de Saint-Presse...

— Je ne savais pas que vous étiez cousins ?

Le nom d'un aussi important financier glaçait Garuel, sûr, quoi qu'il fît, de ne jamais approcher cet homme, sauf s'il devenait l'un de ses obscurs collaborateurs.

— Bertrand de Saint-Presse m'a souvent parlé de Proust qu'il avait connu chez le prince d'Oram.

Il n'était pas dans le caractère de Marc de snober

qui que ce fût et encore moins ses collègues de la banque. De plus, son échec à l'E.N.A., son piétinement l'avaient incité, pour qu'on ne le crût pas raté et déçu, à dissimuler des origines qui justifiaient trop d'ambition, pareil à un cousin éloigné de sa mère qui, ayant fini comme lieutenant-colonel, cachait qu'il sortait de Saint-Cyr. Si, brusquement, il avait assommé Garuel à coups de Saint-Presse et d'Oram, c'est qu'après les aveux qui lui avaient échappé et qu'il regrettait déjà il avait besoin (comme un dresseur, après une complaisance, recouvre son autorité par un coup sur le museau) de marquer à Garuel que celui-ci pouvait le juger mais qu'il ne devait pas oublier qu'il jugeait un être hors du commun. Non qu'il craignît la malveillance de Garuel et de sa femme, mais il lui déplaisait d'imaginer leur conversation où ce qu'il y avait d'universitaire (donc de malice ecclésiastique) chez eux entraînait à ricaner, à pouffer, en tout cas à jouer avec des adjectifs qui, sans être tout à fait sarcastiques, tendraient, surtout à cause du ton sur lequel ils seraient prononcés, à donner à ces médiocres prudents la jouissance de se sentir supérieurs.

Il eut hâte de rompre l'entretien, préférant en imposer à Garuel que d'être compris par lui, ce à quoi le pauvre n'était que trop disposé. Marc, dans l'agitation où il se trouvait, ne tenait en général pas à être compris et l'ouverture béante de Martin et Hélène Liegel et de leurs amis lui répugnait à la réflexion. Et de Catherine il attendait moins de compréhension que d'obéissance puisque lui-même obéissait à un désir qu'il ne comprenait pas. Il ne tenait pas à se connaître et se connaissait peu.

Il savait seulement que, dans les idées comme dans les vêtements ou les gadgets, il goûtait les changements de la mode parce qu'ils lui donnaient l'illusion de renaître. Eteignant une cigarette, il allumait la suivante avec joie, comme si une nouvelle vie commençait. S'il raffolait des échecs, c'est parce que, une partie s'étant mal engagée, il avait le pouvoir de l'arrêter pour en recommencer une autre — toute neuve. Mais, amoureux, il ne pouvait que poursuivre, fût-ce contre son gré, la même partie où son désir se nourrissait de la jalousie et du ressentiment.

A dix-huit ans, ayant volé Janine à son copain Bertrand, quand celui-ci était revenu du sanatorium, Marc avait accepté, avec élan et sans savoir pourquoi, de lui rendre sa fiancée et s'était délecté de les savoir ensemble. Mine (puis son reflet, Djemilla) avait renouvelé et enrichi cette situation en multipliant des trahisons qui entraînaient des châtiments et de frénétiques réconciliations. Avec Catherine, il espérait accéder à la perfection parce qu'il avait pour elle un amour complet et parce qu'elle n'était pas consentante.

S'il ne tenait pas à se connaître, c'est qu'il se sentait incapable de savoir jamais pourquoi son désir était attisé par le désir d'autrui. Qui est le prisonnier d'une passion ne souhaite pas en raisonner loyalement et ruse avec soi. Ayant constaté qu'il était de ceux qui, oubliés dans une île déserte avec la femme de leur rêve, perdraient l'envie de faire l'amour avec elle, il ne s'étonnait d'avoir besoin de tiers que parce que ce besoin s'accordait mal avec sa nature. A dix ans, quand il avait mérité une récompense, il demandait le droit, contrairement à la coutume, de s'enfermer à clef dans sa chambre ; au baccalauréat, il avait obtenu en philo une note minable pour avoir exposé son chagrin de ne pouvoir, même dans la solitude, se passer des autres, et d'être obligé de recourir à eux, ou du moins à leur image, pour parvenir au rire, à l'indignation ou à la volupté.

A cette réserve près, il s'entendait fort bien avec une inclination qu'il ne considérait nullement comme un vice. Il savait qu'il la partageait avec beaucoup d'hommes à la mode et voulait même se faire croire qu'il se serait volontiers dispensé de cette foule de coreligionnaires, ce qui n'était pas tout à fait vrai, car il avait été très rassuré en apprenant que le P.-D.G. de sa banque emmenait chaque mois sa femme dans des partouzes en Allemagne, et charmé de tomber sur un article (1) consacré à un ouvrage de critique dont l'auteur soutenait que le thème du désir triangulaire avait été exploité aux quatre coins de la littérature.

Quand il s'éveilla, une lumière d'après-midi baignait le bureau. A sa montre, il était deux heures et demie. Il n'avait pas déjeuné, mais ce somme diurne lui avait coupé l'appétit. C'était la première fois qu'il s'endormait dans son bureau. Il avait été la proie d'un demi-sommeil épais où Mme Hochepoul, la femme du directeur de la C.M.R.V., l'insultait parce qu'il avait refusé de sauver l'entreprise de son mari.

Mal éveillé, il examinait les arguments de Mme Hochepoul comme si elle les avait formulés dans la réalité. Et il lui répliquait en essayant de serrer de près sa pensée : « Madame, je comprends votre révolte. Pour votre mari et son équipe, leur entreprise a le devoir de vivre et de satisfaire aussi la justice universelle. Trop d'espoir, de cœur, de foi ont été investis dans trop d'efforts pour que la mort de l'entreprise ne soit pas imputable à un

---

(1) Dans le supplément profane, c'est-à-dire littéraire et artistique d'*Economie et Cité,* revue à laquelle Marc est abonné, Eugène Mirouël avait consacré au livre de René Girard *Mensonge romantique et vérité romanesque,* un article au cours duquel le critique observait : « M. Girard nous oblige à constater qu'aussi bien chez Stendhal que Dostoïevsky et Proust, et jusque chez Mme de La Fayette et Cervantès, l'amour est un *amour-jalousie,* que le désir y est *subordonné à la présence d'un rival,* que l'infidélité est un besoin aussi bien pour Julien Sorel que pour Troussotzki, ou pour l'amant d'Albertine, pour M. de Nemours que pour Anselme. Le rival heureux est pour ces amants un ennemi mais plus encore : un *bienfaiteur.* Pour M. Girard, le besoin que le corps de l'aimée soit menacé d'être possédé par un autre avec une force insolente ne ressortit pas du masochisme tel qu'on l'entend communément, mais, semble-t-il, a une forme médiatisée, donc civilisée du désir qu'il qualifie de métaphysique ». Marc, que la littérature ennuyait et même désobligeait, n'était pas allé aux sources chez les romanciers cités et s'était satisfait de la caution bourgeoise qu'ils lui apportaient.

crime. Pour empêcher le crime, l'homme intègre, pur du début, votre mari, devient un finaud dont le fanatisme justifie jusqu'à des malversations. Et vous, madame, vous me tueriez avec une conscience sereine parce que, en faisant mon métier, je condamne l'entreprise sacrée à déposer son bilan. » Il sonna sa secrétaire, lui donna le rapport à taper, puis il prit son téléphone et appela Catherine, dont il reconnut tout de suite la voix. Une voix juste, un peu froide.

— Tu voulais peut-être parler à Marielle ?

— Mais non...

— Elle n'est pas encore arrivée.

— Je ne t'ai jamais autant désirée.

— Ecoute, j'ai quelqu'un à recevoir. Je te rappelle dans dix minutes.

La secrétaire lui montra sur le rapport un mot qu'elle ne pouvait pas lire. Au lieu de le maintenir, il l'adoucit. De nulle, la gestion de la C.M.R.V. devint peu satisfaisante.

L'irréalité que le sommeil avait laissée derrière lui portait Marc comme un liquide. Ses projets se précisaient en devenant des certitudes. Quand le téléphone sonna, il récitait à mi-voix la formule favorite de Bertrand de Saint-Presse : « Since I am crept in favour with my self I will maintain it with some little cost. »

Au bout du fil, la voix était haut perchée, plus adolescente que d'habitude. De réticente, elle devint offensive.

— Tu sais qui m'a téléphoné ?

— Comment veux-tu que je sache ?

— Lespiau.

— Qui ?

— Lespiau. Ton cousin. le sous-ministre de la famille !

Marc pensa qu'avec Saint-Presse et le prince d'Oram il aurait dû coller Lespiau dans les gencives de Garuel pour faire bon poids.

— Qu'est-ce qu'il voulait ?

— M'inviter en week-end.

— Quand ça ?
— Je ne dis pas : nous inviter. Je dis bien : m'inviter.
— Qu'est-ce qui lui prend ?
— Que je lui plaise, ça ne me dérange pas, mais ça prouve autre chose.
— On s'en fout de Lespiau !
— Ça prouve que toute ta famille est au courant. Tu leur as dit que nous étions séparés, que nous divorcions. Pendant que tu y étais, j'espère que tu leur as raconté que tu avais pris Marielle pour maîtresse.
— J'ai juste dit à Bérangère la même chose que toi à tes parents, que j'avais pris momentanément une chambre à l'hôtel pour préparer un examen. Lespiau a dû l'apprendre et juger que l'occasion était bonne, ce qui ne m'étonne pas de lui.
— Il me plaît assez d'ailleurs, mais j'imagine l'après, sa petite vanité phallique. Et il est trop vantard pour être discret.
Stimulé par des images qui nourrissaient sa jalousie, Marc retrouvait sa conviction.
— Catherine, nous réussirons !
Elle se taisait.
— Catherine !
— Tu ne m'as pas encore rendue folle mais je suis déjà malheureuse.
— De grandes choses vont nous arriver !
— Quand ?
— Ce soir, tu es libre ?
— Pour les grandes choses ?
Elle se balançait sur les pieds arrière de sa chaise.
— Je n'ai pas tellement envie de grandes choses ce soir, reprit-elle. Veux-tu demain ?
Elle raccrocha et pensa qu'elle ne pensait à rien, puis elle fut prise d'élan, comme chaque mois, pour tendre la main à Tarzan qui apportait les premiers numéros sortis de l'imprimerie. Elle feuilletait à toute vitesse, le cœur battant. Les photos en couleurs des jardins de l'Ile de France étaient mal venues ; les fleurs nageaient

dans une bouillie ensoleillée et humide... Ce ne serait pas là-dessus qu'Alavoine accrocherait. Dans cinq minutes, il l'appellerait pour lui montrer une grosse bêtise, quelque subtile faute de français, deux coquilles et un anachronisme. Il est mort, il ne m'appellera pas. Il est devenu feu Mourouflou.

Marielle ne relisant jamais la revue, François-Ier n'ayant jusqu'ici donné de signes d'intérêt qu'à l'occasion d'articles tactiques ou de placards de publicité, Catherine se compara à un enfant qui ferait des devoirs que nul ne lirait ni ne noterait. Les photos de châteaux faites par Leroy sortaient bien. Il était con, mais il s'entendait avec son appareil, ou il avait de la chance. En premier plan, devant un parterre, une tondeuse mécanique. J'aurais dû vérifier ça quand il en était encore temps. Etait-elle de la même marque que celle qui donnait deux pages de publicité couleur ? De toute façon, les colères de François-Ier n'atteindraient Catherine qu'à travers Marielle, amollies et anonymes.

La dégringolade d'Yvette qui redescendait du bureau d'Alavoine n'était pas la première de la journée. La jeune fille était obligée de courir dans le bureau désert dès que le téléphone qui était branché sur une ligne directe y sonnait.

— Madame, c'est une dame qui appelle de Suisse. Elle a dit que c'était urgent.

Le bureau d'Alavoine que traversait un rayon de soleil était bien rangé, net, comme il ne l'avait jamais été. Catherine prit l'appareil et trouva Sarah de Helser au bout du fil.

— Je suis désolée de vous déranger...

— Nullement, c'est moi qui suis navrée pour avant-hier. Je crains d'avoir été stupide.

— Ne vous tourmentez pas, c'est tellement compréhensible.

Catherine avait l'impression de lire leur dialogue en sous-titre dans un film anglais, tant il sonnait faux.

— L'inhumation de notre ami a eu lieu ce matin sous

la pluie. Je me suis permis d'ajouter aux fleurs un petit bouquet en votre nom.

— Je ne sais comment vous remercier de cette pensée.

— Pour être franche, j'ai surtout pensé à Roger. Et c'est pour lui que je vous appelle. Vous allez recevoir la visite de Mgr Clémeau qui est évêque in partibus. Ce vieil ami de Roger vous demandera aide et assistance. Je tenais à ce que vous soyez prévenue.

En descendant l'escalier, Catherine regretta de n'avoir pas osé demander à Sarah de quelles fleurs était composé le bouquet déposé en son nom. Dans le couloir, elle trouva Yvette avec un vieillard trapu vêtu d'un noir profond où un filet violet lui révéla qu'elle avait sans aucun doute affaire à l'évêque in partibus. Qu'est-ce que ça peut bien être qu'un évêque in partibus ?

— Monseigneur, dit-elle, j'ai été prévenue de votre visite par Mme de Helser. Si vous le voulez bien, nous allons monter dans le bureau de M. Alavoine.

Peu habituée à manier les prélats, elle s'y prit maladroitement pour le faire passer devant elle et fut soulagée quand son visiteur, d'un ton énergique, la pria de bien vouloir le guider.

Dès qu'ils furent entrés dans le bureau d'Alavoine, l'évêque commença son inspection. Il avait un regard vif et jeune. Sans doute était-il moins âgé que Catherine ne l'avait cru d'abord. Il précisa d'ailleurs aussitôt que, né en Egypte comme Alavoine, il était son ami d'enfance. Tout uniment, il exposa l'objet de sa visite. Le défunt n'ayant pas laissé de testament, sa succession tombait entre les mains de parents qu'il appréciait peu et qu'il ne rencontrait guère. Les scellés avaient déjà été posés dans l'appartement de la rue Férou.

— Il conservait ici dans un coffre, qui ne peut être que celui-ci, des lettres, des manuscrits, son journal qu'il tenait depuis l'âge de dix ans. Nous sommes quelques-uns, parmi les plus proches amis de Roger, à considérer qu'il nous revient de dépouiller ces textes et de décider de leur sort. En leur nom je souhaite prendre possession de ce coffre et soustraire à des parents indifférents et même hostiles les quelques souvenirs qui subsistent ici.

Il désigna du regard les tableaux, dont le Mourouflou dessiné par Cocteau.

Il avait refusé le siège proposé par Catherine et se tenait toujours droit et immobile, les joues éclairées par la couperose, les cheveux encore très noirs. Elle goûtait l'illusion délicieuse de vivre un chapitre de roman. Un homme d'église et une famille glacée se disputaient les vestiges d'un désespéré ; avec un peu d'imagination, on pouvait les intégrer soit à Balzac soit à Mauriac ou même à Montherlant. Pleinement satisfaite du petit rôle qui lui était laissé, Catherine s'écria :

— Prenez tout ce qu'il vous plaira, Monseigneur !

Son père, quand elle était petite, lui avait fait lire *les Trois Mousquetaires.* En lançant sa réplique, elle se retrouva en plein Alexandre Dumas.

— Il serait opportun d'empaqueter les tableaux.

— On pourrait les mettre dans le coffre, proposa Catherine.

— Il est fermé à clef. Nous verrons à le faire ouvrir plus tard.

— Bon, je vais appeler Tarzan, je veux dire notre cycliste, c'est un emballeur génial.

— N'est-il pas dangereux de mettre cet homme dans la confidence ?

Le frisson du romanesque parcourut de nouveau Catherine qui s'entendit répondre :

— Il est sûr.

Tarzan, convoqué, mesura du regard son ouvrage et assura qu'il emballerait également le coffre pour plus de sûreté. Le laissant travailler, Catherine conduisit l'évêque dans son bureau où il consentit à s'asseoir.

— Notre ami, dit-il en allumant une cigarette, était resté marqué par son enfance égyptienne. Sa sensibilité à l'air du pays le prépara à être un élève de Plotin. Il n'est jamais tombé à proprement parler dans les abus du gnosticisme, encore qu'on se doive de reconnaître qu'il a vécu des moments extrêmes où le manichéisme cathare l'a habité. Il y a dans le néoplatonicisme les semences d'une tragédie éternelle entre l'âme et le corps. Elles auraient pu trouver en moi comme en Roger un terrain propice, mais je me suis confié à la protection du dogme, alors que notre malheureux ami a pris ses risques sans filet, si vous me permettez l'expression.

Catherine n'osait pas le regarder. Il est dingue de me raconter ça sur le ton où il déplorerait qu'Alavoine n'ait pas pris assez d'exercice ou ait négligé de soigner son foie.

Il garda ce ton uni pour demander à Catherine la permission de téléphoner. Par discrétion, elle monta voir où en était Tarzan. Celui-ci venait de terminer, très fier de son ouvrage, et ils redescendirent auprès de l'évêque qui avait pris un air renfrogné. Il avait espéré trouver aux Missions étrangères un chanoine de ses amis qui aurait pu abriter le coffre et le paquet.

— Les Missions sont à deux pas, ils auraient envoyé un homme de peine, c'eût été parfait. Depuis ce matin, je cherche à joindre cet ami et l'on vient seulement de m'expliquer qu'il faisait sa cure à Châtel-Guyon. J'avais compté sur la duchesse d'Albassoudun, mais elle est en Suisse pour l'enterrement. Moi-même j'habite Rome pour le moment. Je ne peux confier ce précieux dépôt sans fournir des explications et je ne peux les faire à n'importe qui. Je me demande bien à qui je pourrais...

— Ecoutez voir, dit Tarzan, si c'est question de garer les choses à M. Roger, ça ne fait pas de hic ! Monsieur le curé, chez moi ce n'est pas la place qui manque ! Ça sera cent pour cent en sûreté et vous pouvez me croire que ça me fera plaisir d'y veiller comme sur ma prunelle.

L'évêque examina Tarzan avec insistance, puis, pour justifier cette hésitation, ajouta :

— Le coffre contient des notes prises au jour le jour qui concernent les relations d'un catholique de formation avec, d'une part, le néoplatonicisme et, d'autre part, la vie quotidienne dans le contexte de la société contemporaine...

— Je m'en charge, monsieur le curé, vous n'avez pas à vous faire de mouron.

— Je vous en remercie, mais il y a encore le problème du transport. A Paris, je campe comme un pèlerin et je n'ai même pas de voiture.

— Ma voiture est en bas, décida Catherine, ce sera fait ce soir même.

Elle crut devoir raccompagner l'évêque jusque dans la cour où il lui tendit une enveloppe, la lui glissant dans la main avec une discrétion qui fit frémir la jeune femme. Un instant, elle crut que, pour la récompenser de sa complicité, il lui offrait une gratification.

— Notre ami, il y a quelques mois, m'a confié certaines lettres, me chargeant de les acheminer en cas de malheur. Il y en avait une pour vous.

Atterrée, sûre qu'elle ne trouverait jamais le courage d'ouvrir l'enveloppe malgré sa curiosité, Catherine fit machinalement quelques pas à côté de l'évêque qui, sous la voûte, prit congé, devant repartir le soir même pour Rome.

— Hélas ! de tristes travaux m'attendent là-bas. Je concours à élaborer des réformes inspirées par un esprit que je ne partage pas. Mais il faut payer sur cette terre le secours que l'on reçoit du dogme et de la hiérarchie.

Cette confidence imprévue avait troublé Catherine qui ne retrouva que dans l'escalier la peur de la lettre et courut l'enfermer dans un tiroir. Yvette et Tarzan l'avaient suivie.

— N'est-ce pas, madame, que c'est un évêque ? Il ne veut pas me croire.

— Oui, un évêque in partibus.

— Qu'est-ce que c'est que ça, un évêque in partibus ? demanda Tarzan.

— Je ne sais pas... J'ai dû le savoir autrefois, mais j'ai oublié.

— On pourrait regarder dans le Larousse.

— Ça m'étonnerait beaucoup qu'on le trouve.

Yvette feuilleta rapidement le dictionnaire et poussa un soupir de déception.

— A *évêque* ça n'y est pas, mais je vais chercher à *partibus.*

— C'est du latin, dit Catherine, cherchez dans les pages roses.

Yvette jeta un cri de triomphe et lut :

— Se dit de l'évêque dont le titre est purement honorifique et ne donne droit à aucune juridiction. On dit par ironie : ministre, ambassadeur, etc., in partibus, pour désigner un fonctionnaire sans fonction.

— Moi, dit Tarzan, j'arriverai jamais à avaler qu'il y ait au Vatican des gars assez tordus pour affubler un bonhomme de cet âge-là d'un sobriquet qui le ridiculise.

— Ça ne le ridiculise pas du tout, protesta Yvette. In partibus, c'est ridicule pour un ministre ou un ambassadeur mais pas pour un évêque.

— Ah bon ! Eh bien, tant mieux. Je préfère.

Il était cinq heures, les visites commencèrent. Leroy ouvrit le feu en exigeant des félicitations pour ses photos. Il fut suivi par un ancien prix Interallié qui apportait un article sur l'art de recevoir. La résidence secondaire dont il traitait supposait un grenier. Dans le grenier, une réserve de livres et de bibelots. Ainsi la chambre d'amis pouvait-elle être modifiée et personnalisée pour chaque hôte, métamorphose qui impliquait une connaissance profonde de celui qu'on invitait mais aussi une interprétation de ses rêves. Pour recevoir un sédentaire casanier, on avait le choix entre des aquarelles illustrant le lent passage de la Loire devant des peupliers, cela pour le renforcer dans sa vocation, ou des défenses d'éléphants et des têtes de buffles pour lui offrir avant son sommeil une image des périls exotiques qui, a contrario, rendrait encore plus quiète sa félicité.

— C'est très bon, dit Catherine, c'est exactement ce que je voulais.

Elle rappela Leroy pour le charger des photos, reçut un inconnu qui proposait un papier sur la manière de composer sa bibliothèque pour donner à ses invités une certaine image de soi, puis un humoriste à toute épreuve qui traitait du « superflu nécessaire » à bord d'un yacht, enfin trois collaborateurs habituels et, pour terminer, Marielle. Tant elle avait pris, en une heure, l'habitude de diriger la revue, Catherine faillit prier sa visiteuse de s'asseoir. Marielle avait déjeuné chez Mme Hallain avec des gens très importants. *Style et Loisirs* ne l'intéressait plus guère, elle imaginait à un étage supérieur. Le compte rendu de Catherine ne l'intéressa que quand fut mentionnée la visite de l'évêque.

— Rien ne sortira du bureau d'Alavoine sans l'accord de François-Ier, énonça-t-elle d'un ton sans réplique.

Catherine répliqua :

— Je ferai ce que je dois faire.

Elle ajouta :

— Alors il paraît que tu t'es tapé Marc ?

— Il te l'a dit ?

— Je ne l'aurais pas deviné !

— Moi je voulais que tu saches et c'est lui qui ne voulait pas.

— C'était bon ?

Marielle se pencha sur Catherine qu'elle embrassa sur la joue.

Catherine boudait, pourtant elle finit par rendre le baiser.

— Tu sais, Catherine, je l'ai un peu violé.

— Pourquoi as-tu fait ça ?

— Marc m'a cédé parce que je suis ta meilleure amie. Et, s'il me plaît, c'est parce que tu l'aimes. A nous trois, nous pourrions former le couple idéal.

Catherine s'était arrêtée devant la fenêtre. Elle se retourna avec une mine fâchée où montait un sourire.

— Ah vous êtes bien, toutes les deux, Hélène et toi ! Je vous confie mes malheurs, résultat : toi tu te tapes Marc et Hélène essaie de nous attirer dans une partouze.

Elle s'était rassise derrière son bureau et posait un regard sec sur Marielle.

— En tout cas, tu fiches la paix à Alavoine et, tout à l'heure, j'embarque ses affaires avec Tarzan.

— Et, demain, tu nous organises notre déménagement vers son bureau.

Elle ajouta qu'elle avait rendez-vous avec François-Ier et, avant de sortir, s'approcha timidement de Catherine. Elle l'embrassa longuement, avec tendresse, en chuchotant qu'elle avait de la peine de lui avoir fait de la peine.

— Je ne suis pas sûre que tu m'en aies fait. Je ne sais plus ce qui me fait de la peine ou non. Ni même ce qui est bien et ce qui est mal.

Quand Catherine retrouva Tarzan dans la cour, le trésor d'Alavoine était déjà chargé à l'arrière de la voiture. Tarzan s'assit à côté d'elle ; il lui avoua que depuis trois ans il ne venait plus de sa banlieue à bicyclette, préférant laisser chaque soir son « vélo » dans un café de la rue de la Gaîté et prendre le train à la gare Montparnasse.

— Mais pendant trente ans, qu'il neige ou qu'il vente, par le froid et par la canicule, bon ou mal an, j'ai fait l'aller et retour quasiment tous les jours.

Sûr de sa science, il tint à diriger Catherine, l'obligeant à prendre, en négligeant toute autoroute et même toute voie un peu importante, des rues de préférence étroites. Après avoir traversé une aire où des buildings neufs étaient plantés comme des jeux de cartes, ils gravirent une colline où des immeubles populaires en brique, datant d'avant la guerre, alternaient avec des maisons de deux étages, dont quelques-unes remontaient au XVIIIe siècle. Au-delà, ils coupèrent une manière de ville du XIXe aux façades sales et craquelées qui, après un carrefour, devint une cité de béton que dramatisaient les taches de couleurs pimpantes vouées à égayer les façades. Ils longèrent le mur interminable d'une vieille fabrique, obliquèrent devant des cubes neufs entre lesquels s'étendaient des pelouses pelées où tentaient de croître des peupliers sales. Le mur d'un cimetière les escorta jusqu'à une route bordée d'arbres qui ressemblait à une route traditionnelle ; elle s'éleva bientôt sur le flanc d'un coteau où se succédaient, éparpillées à travers une maigre végétation, de petites villas blanches et déjà lézardées. Une haute usine leur succéda, bruyante, poudreuse, aux abords de laquelle Catherine dut évoluer à travers des colonnes de camions.

Ils retrouvèrent le silence dans une rue déserte qui déboucha sur une petite place plantée de marronniers où s'élevait une mairie construite en meulière que flanquaient un dispensaire et un établissement de bains-douches.

— A gauche, gauche ! ordonna Tarzan.

La voiture s'introduisit dans une ruelle montante dont Tarzan raconta qu'autrefois elle avait longé une petite rivière où dans sa jeunesse il avait pêché.

— On l'a recouverte parce qu'elle puait.

De chaque côté de la rue qui s'élargissait, s'élevaient de petits pavillons également en meulière, entourés par d'étroits jardins. Ils se ressemblaient tous par leurs hauts toits pointus et leurs vérandas. Tarzan fit l'historique du sien qui avait été construit en 1902 et acheté par son père en viager pendant la guerre de 14.

En quelques minutes, le trésor d'Alavoine fut descendu au sous-sol par Tarzan et son fils et Catherine se retrouva assise dans le jardin de derrière, près d'une table d'osier sur laquelle Mme Tarzan déposa un plateau où se pressaient Byrrh, Cinzano et Pernod. Le crépuscule avait rougi le ciel brumeux et l'ombre envahissait déjà l'étroite allée feuillue qui butait dans un mur couvert de lierre. Tous quatre buvaient doucement dans le léger bourdonnement des insectes.

Le fils, un long jeune homme maigre, sévère, arborant un vaste front dans un visage osseux, était en bras de chemise ; la chemise était blanche et il avait conservé sa cravate qui était bleu marine comme le pantalon. Il travaillait à I.B.M. et préparait un examen d'électronique qui lui vaudrait un avancement, comme l'expliqua sa mère, fière de lui. Celle-ci avait conservé un copieux accent du Sud-Ouest qui s'harmonisait avec sa grosse chevelure de geai et ses prunelles sombres et mobiles. Le chien, grosse masse de fourrure fauve, la fixait avec des yeux qui adoraient.

Elle apporta à Catherine quelques photos en couleurs, l'air triomphant.

— Regardez M. Alavoine assis à la place où vous êtes.

— Comment ! s'exclama Catherine, il venait ici ?

Elle fut aussitôt confuse de ce que son intonation révélait de conformisme social. Mais Tarzan n'y avait pas pris garde et, glorieux non pas d'avoir reçu Alavoine chez lui mais des prouesses de celui-ci, il s'exalta :

— Sur son vélo, il allait quelquefois loin et s'arrêtait en revenant. Il prenait des chemins à lui pour éviter la foule. Par exemple, il n'allait jamais au château de Versailles un samedi ou un dimanche, mais il s'embusquait sous la voie du chemin de fer, sur un sentier désert d'où il apercevait le château entre les arbres.

— Alors au retour, vous comprenez, poursuivit Mme Tarzan, il se reposait un peu ici en bavardant.

— On causait vélo. Pour M. Roger, il n'y avait pas un engin plus exquis sur la terre que la bicyclette. Il la comparait même à des instruments de musique. Cet homme-là n'avait jamais voté de sa vie, il a voté pour Dumont, rapport à la bicyclette.

L'accent de Mme Tarzan charmait Catherine ; il enveloppait les mots, les caressant profondément sans les brusquer, pareil à certaines lumières ou à certaines sauces.

— En hiver, exposait-elle, c'était souvent que des personnes huppées qui s'en allaient chasser lui offraient du gibier et c'était pas rare qu'il nous en offrait à nous. Nous l'invitions à venir le manger et il acceptait parfois...

— Surtout quand c'étaient des bécasses, nota le fils.

— Oui, la bécasse, c'était son faible. Il se plantait dans ma cuisine pour me regarder faire. Il voulait toujours m'aider, tenez-vous donc tranquille je lui disais, vous ne trouveriez pas l'eau à la rivière, monsieur Roger !

L'expression était sœur de celle de Mme Daubigné : toi, tu traverserais la rivière pour aller chercher de l'eau. Entre les deux femmes, ce n'était pas une ressemblance qui se révélait, pour Catherine tout se passait comme si elles étaient issues d'un tronc commun dont les branches avaient divergé ; un regard paléontologique était nécessaire pour scruter les transformations successives qui, depuis une certaine paysannerie du XIXe, avaient concouru pour former les univers différents des deux femmes.

L'invitation à rester dîner fut lancée par Mme Tarzan avec un naturel qui incita Catherine à l'accepter d'emblée. Et tout improvisé qu'il fût, ce dîner consola Catherine du déjeuner de Marie-Christine Garuel. Les tomates étaient parfumées par une ciboulette qui poussait toute seule dans le jardin, le confit d'oie « fondait comme de la rosée » selon l'expression de Mme Daubigné dont se servit Catherine, le fromage de chèvre avait été choisi par Tarzan chez un fromager ami de la rue de Grenelle et les pêches trempaient depuis le matin dans le vin rouge. La télévision n'entrava la conversation qu'au début. Tarzan éteignit et de nouveau Alavoine ressuscita.

La petite salle à manger était chargée de meubles comme un camion de déménagements ; les uns qui venaient des parents de Tarzan étaient d'un pur faux Henri III — le Conciergestyle, se disait Catherine —, les autres, acquis plus récemment, d'une sécheresse agressive que Mme Tarzan avait tenté d'amadouer avec des coussinets et des napperons brodés.

— Ce cadre, déclara Tarzan en désignant une gravure qui représentait une frégate, m'a été offert par M. Roger. Si vous regardez de près, vous verrez que le bateau s'appelle *La Bourgogne*. M. Roger savait que mon grand-père, qui était quartier-maître, avait péri dans le naufrage de *La Bourgogne*. En fait, le bateau de mon grand-père il était à vapeur, alors que celui-là est à voile. Pensez que je n'ai rien objecté à M. Roger ! C'était déjà gentil de sa part !

Pendant que Catherine contemplait la gravure, Tarzan exposait que, malgré l'abîme politique qui les séparait, Alavoine et lui s'entendaient sur bien des choses et que, par exemple, tous les deux préféraient accorder l'article avec le nom d'un bateau.

— Sans se connaître, lors du lancement de *La Normandie* avant la guerre, tous les deux on a été pour l'appeler *la*. En ce temps-là, ça s'est querellé ferme. La gauche était pour *le*, la droite pour *la*, le centre pour pas d'article du tout ; c'est *le* qui l'a emporté. Mais moi, vous voyez, pour une fois je m'étais désolidarisé de la gauche.

N'ayant pu s'empêcher de jeter un coup d'œil sur les livres qu'un cosy-corner placé sous la gravure soutenait, Catherine distingua quelques ABC du marxisme, deux Pierre Loti, un Thorez et, appuyé contre *Les Misérables,* les séparant de *La Bête Humaine,* un dos orange et noir péniblement agressif.

— Tenez voir, s'écria Tarzan, celui-là c'est de M. Roger !

— Vous ne vous trompez pas ? demanda Catherine.

Elle contemplait sur la couverture du livre un fusil harpon ensanglanté qui se profilait sur un corps nu. Le titre était : *Kara T à Hong-Kong*. Le nom de l'auteur : B.E. Brandy. Ayant entrouvert le livre, Catherine y distingua quelques phrases : « Bizarre que je me dis en reconnaissant le Philippin appuyé à la porte en formica du troquet. Sa tire aussi, bien sûr que je la reconnaissais, une Ford fraise, rangée devant la façade de l'Agence. Il avait fumé, le Philippin, mais pas derche, ça se voyait. J'ai marché jusqu'à la tire avec son regard planté dans le dos. Sur la banquette arrière Fraulein vautrée. A poil elle était. Je me suis laissé tomber sur la chaussée entre la tire et le trottoir. Les deux pruneaux du Philippin, c'est la tôle de la Ford qui se les est farcis. Elle a dit merci avec un bruit d'orgue. J'avais le blair dans le sang de Fraulein qui dégoulinait jusque là, je ne sais pas comment, va savoir, peu importe. L'essentiel c'était de défourailler en battant mon record de vitesse du camp d'entraînement de Jempo... »

— Alavoine n'aurait jamais écrit des choses pareilles ! s'écria Catherine.

— Il le cachait, dit Mme Tarzan. Mais ses manuscrits, c'était Mlle Donadieu qui les tapait et comme elle habite en haut de la rue...

— Vous comprenez, c'est moi qui les portais. Vous vous la rappelez Mlle Donadieu ? C'est elle qui a pris sa retraite et qu'Yvette a remplacée. Dans le temps, c'est elle qui m'avait fait embaucher par M. Alavoine...

— Oui oui ! Mais pourquoi aurait-il écrit des romans pareils ?

— Il se faisait de l'argent pour ses vacances. Pendant un mois, ce qu'il voulait, cet homme-là, c'était vivre comme un boyard. Tantôt en Italie tantôt en Grèce...

— L'année dernière, il a fait les châteaux de Bavière.

— Mais n'importe, là où il allait, il louait une belle limousine et un chauffeur. Et le chauffeur, il l'exigeait avec une casquette cassée et des leggings comme au temps jadis. Et il emmenait une femme, ajouta Tarzan en baissant la voix. C'était pas toujours la même.

— Mais toutes très chic.

— Blanche et moi, on suppose qu'il les louait aussi.

Brusquement, Catherine mourut d'envie de lire la lettre qu'Alavoine lui avait fait adresser. Elle rageait de l'avoir laissée au bureau.

— Des fois, il en écrivait deux par an. Nous, on ne les lisait pas, mais Lucien ça l'intéressait.

Lucien le fils, dès la dernière bouchée, avait filé pour travailler avec un copain qui préparait le même examen que lui. Son départ avait soulagé Catherine. Elle détestait ce jeune homme froid, sentencieux, dont le regard mécanique, quand il se posait sur elle, semblait lui radioscopier le pubis à travers le blue-jean. Mais ses parents avaient envie de parler de lui. Ils regrettaient, alors qu'il avait ici une chambre tranquille, qu'il préférât toujours se rendre chez son camarade. Celui-ci habitait, de l'autre côté de la colline, un plateau planté de H.L.M.

— Les terrains vagues, les ascenseurs, les vide-ordures, tous les automatismes, il aime ça. Pourtant je connais, j'y suis allé. D'un appartement à l'autre, on s'entend à travers les cloisons. Les gens se détestent. Dans les caves, personne n'ose descendre à cause des voyous.

— Le père de son camarade veille la nuit avec un fusil pour surveiller sa voiture de la fenêtre.

— Quand Lucien revient tard, j'ai toujours peur : un coup de chaîne de bicyclette est si vite arrivé.

— Il y en a même qui ont des rasoirs.

— Mais chez nous il s'ennuie, il trouve que ça fait toquard. Il n'amène jamais de camarades. Pourtant, s'il se marie, on lui a dit qu'on lui laisserait le premier étage.

— On aurait bien aimé qu'il épouse Yvette. Elle habite à côté, ça arrangerait ses parents aussi.

— Elle habite à côté ! s'exclama Catherine. Mais c'est une succursale de *Style et Loisirs* ici !

— Quand Mlle Donadieu est partie, elle m'a recommandé Yvette dont elle connaissait la mère. J'en ai parlé à M. Roger, je n'ai rien dit à Mme Marielle parce que j'avais compris qu'elle ne pouvait pas me piffer, mais j'ai fait la leçon à Yvette pour qu'en se présentant elle réponde comme il fallait.

A l'instar de Blanche Tarzan, Catherine buvait une tasse de camomille sauvage qui lui rappelait doucement les tisanes de sa mère. Malgré les remontrances de sa femme, Tarzan, pour faire homme, buvait un alcool, du Cordial-Médoc, boisson inconnue de Catherine. Celle-ci s'avisa qu'il était l'heure de rentrer et le couple, sans doute habitué à se coucher tôt, ne chercha guère à la retenir sinon par quelques mots de politesse.

Assise devant son volant, elle écouta sans l'entendre un long exposé de Tarzan sur son itinéraire de retour. Le ciel résonnait sourdement ; un orage rôdait. Arrivée en haut de la rue, elle se lança au hasard, sûre de tomber sur une grande artère qui finirait bien par la rejeter vers Paris. De maigres rectangles de lumière jalonnaient les façades de béton. Catherine s'attarda à suivre une avenue brutalement éclairée ; la pluie s'était mise à tomber et les toits des centaines de voitures parquées, aussitôt ruisselants, devinrent un lac sombre et lustré, haineux. A travers un dédale obscur, elle atteignit une petite route qui se glissa sous la voie ferrée. Quand elle sortit du tunnel, le fracas du tonnerre l'étourdit. La voiture roulait seule sur une jetée déserte. Les pinceaux des phares blêmissaient sous les illuminations intermittentes. Au-dessus de Paris un éclair se dessina, précis comme le tracé d'un nerf sur une planche anatomique. Un nerf électrique. Pas un détail du paysage n'échappait aux vastes éclairs qui fouillaient sur la gauche les toits de vieux immeubles ouvriers où les girouettes surgissaient et sur la droite répandaient un platine aveuglant sur de hauts immeubles neufs aux épaules maigres. Je suis indigne de cette fête, je n'en vaux pas la peine, elle me fait peur. Sur le pare-brise l'eau coulait vive et bruyante comme un ruisseau.

Elle fut surprise de se retrouver à Paris sur les boulevards extérieurs ; les éclairs se diluaient. Elle avait échappé aux rets de l'orage et de la banlieue. Elle laissa la pente l'entraîner vers la Seine. Quand l'île Saint-Louis apparut, Catherine sourit de son attendrissement. Dans la rue Saint-Louis-en-l'Ile dont la pluie avait fait un désert, elle ralentit et même s'arrêta devant le *Tastevin* pour voir si Marc ne jouait pas aux échecs. Puis elle se dirigea vers sa rue où, à cheval sur un passage clouté, elle trouva une place en face du tabac. Elle avait oublié ses cigarettes chez Tarzan. Elle entra. Je fume de plus en plus. Assis à une table, Gonzague et Bruno la regardaient.

Elle paya son paquet de cigarettes et se dirigea vers eux. Son orage, elle avait envie de le garder pour elle, mais un démon démagogique la poussait à leur raconter, en toute simplicité et sans paraître en avoir été consciente un instant, qu'elle avait passé la soirée chez le cycliste du journal en compagnie de sa femme. Elle espérait qu'ils admireraient le naturel avec lequel elle pratiquait la société sans classe. Mais ils avaient l'air si sérieux qu'elle préféra se moquer d'eux.

— On se disait, expliqua Bruno, que peut-être après tout Dieu existait.

Elle hésitait à s'asseoir.

— Venez, je vous offre un verre chez moi.

Dans l'ascenseur, elle s'inquiéta juste un peu. Si Marc était là ? Un billet était glissé à l'extrémité du paillasson. « Je suis venu, j'ai appelé, fais-moi signe. M. » Elle poussa ses deux invités dans l'appartement.

— Moi, j'ai bu une tisane, j'ai envie d'en boire une autre, mais il y a du whisky, il y a...

Ils optèrent pour la tisane. Elle fit infuser du thym puis, malgré la chaleur, elle décida d'allumer du feu et leva le tablier de la cheminée derrière lequel un bûcher qui datait de l'hiver n'attendait que d'être enflammé. Tous les deux, masculinisés par la démence de son caprice, regardèrent sous les volutes de fumée blanche et craquante de minces flammes se lever. Elle les avait allongés sur la moquette en leur donnant des coussins pour s'appuyer. Elle se glissa entre eux et tous trois burent ensemble leur première gorgée de tisane.

— Où en étions-nous ? dit Catherine... A Dieu, oui, c'est ça. Vous tombez bien, je dispose de tas d'idées sur lui. Ontologiquement c'est, au choix, une substance immanente, une cause transcendante ou un moteur immobile qui est la fin de l'univers, logiquement c'est tout bonnement le principe suprême de l'ordre du monde et, d'un point de vue physique, un être personnel supérieur à l'humanité. En morale, il est employable comme garantie suprême de la moralité.

— C'est ce qu'ils disent à la Sorbonne ? Mais est-ce que ça prouve que Dieu existe ?

— Ça dépend lequel.

— Ce qu'on se demandait, c'est si le dieu de la vie et de la mort, du bien et du mal, du juste et de l'injuste existait pour de bon quelque part.

— En fumant, Bruno s'est dit que, si Mao existait, après tout pourquoi Dieu n'existerait-il pas ?

— Ma femme est malade. J'ai beaucoup fumé. Tout à coup j'ai cru que Dieu faisait des farces et que, quand on mourait, on découvrait que tout ce qui s'était passé était pour rire.

Catherine les écoutait avec une supériorité amusée, attendrie, qui lui était agréable. Elle l'avait éprouvée après sa licence, quand elle avait donné des cours dans une petite boîte mixte de Versailles où, enseignant pour la première fois, elle avait poussé l'ardeur jusqu'à réunir des volontaires pour des colloques où il était librement débattu des grands problèmes. Aucun de ses élèves ne supposait que la philosophie reposât sur un enchaînement rigoureux des idées et même sur la mise en cause et en doute de celles-ci ; tous attendaient d'elle des solutions généreuses aux questions qu'ils se posaient, qu'elles fussent d'ordre personnel ou qu'elles touchassent à la société ou à l'au-delà. Elle-même, qui n'avait jamais demandé à ses études qu'un exercice de l'esprit et de la mémoire, n'en avait jamais attendu qu'elles changeassent sa vision du monde et n'avait donc pas été déçue. Si elle ne croyait plus dans le Dieu de la Bible, c'était tout bonnement parce que dans son milieu on y croyait de moins en moins ; si on y avait cru de plus en plus, elle n'aurait même pas imaginé de douter. Bref, elle avait écœuré ses élèves et ceux-ci, après l'avoir divertie, l'avaient irritée. Pour prévenir l'agacement que l'enthousiasme métaphysique de ses deux jeunes chiens ne manquerait pas de lui procurer, elle feignit d'étouffer un énorme bâillement.

— C'est vrai qu'il est tard, dit Bruno. Il faut que je retourne auprès de ma femme.

Pas un instant Catherine n'aurait supposé que Gonzague resterait. Il resta. Elle souhaitait d'autant plus se coucher et dormir qu'elle craignait un tête-à-tête nocturne avec un jeune homme auquel elle avait donné bien des encouragements.

— Couche-toi, dit Gonzague. Je resterai jusqu'à ce que tu dormes et puis je me barrerai sur la pointe des pieds. Je ne t'ai jamais vue dormir.

Catherine se retrouva dans la salle de bains, enfilant lentement une chemise de nuit, s'attardant.

Gonzague n'était pas pressé de la voir réapparaître. Tant il avait pensé à elle tout seul pendant deux ans que parfois il était gêné par la présence de Catherine qui l'empêchait de l'imaginer. Il imaginait avec force la réapparition de cette jeune femme, le regard qu'elle lui adresserait. Les pieds nus, elle le surprit complètement quand, noyée dans les plis d'une vaste chemise, elle traversa la chambre.

— Tu as le pas silencieux des lions.

Il ne sut pas s'il avait prononcé cette phrase ou si, par peur du ridicule, il l'avait gardée pour lui. Il se demandait comment jamais il pourrait rendre le rapport du pied nu et sec avec le tapis velouté de sorte que le silence de leur contact fût une évidence.

— Je suis idiote dans cette chemise. D'habitude, je n'en mets pas.

Elle la retira brutalement, se tint debout devant lui, au-dessus de lui. Il était toujours allongé sur la moquette. Grâce à un effort sur elle-même, elle détacha un peu ses jambes l'une de l'autre et se livra au regard. L'effort avait été aussi agréable que difficile. Elle écarta le drap et, pour s'introduire dans le lit, replia les cuisses, le buste renversé, offerte. Elle s'attarda dans cette position. Elle imaginait le regard d'Alavoine et que c'était à lui qu'elle donnait *l'asag* et elle fondait.

— A quoi penses-tu, Catherine ?

Au début, elle avait souvent posé cette question à Marc qui lui répondait toujours : c'est bien une question de fille.

— Je pensais à l'orage.

Elle se rappela sa peur, dans la voiture. Cet orage n'était pas un vrai danger ; elle aurait pu s'arrêter et même courir se réfugier dans l'un des bistrots éclairés qu'elle avait aperçus à la lisière de Paris ; elle avait continué, les avant-bras tremblants, essuyant souvent ses mains en sueur sur son pantalon, obéissant à son destin comme si celui-ci lui était dicté par la puissance souveraine en laquelle elle ne croyait pas. C'était pour conjurer les pouvoirs de l'orage qu'elle avait allumé un feu qui apportait l'hiver.

— Je veux bien que tu dormes ici, dit-elle, mais il s'agit seulement de dormir, tu me comprends bien ?

Au souvenir de l'orage, elle avait peur d'être seule.

— Tu peux dormir dans le lit, ajouta-t-elle. Je meurs de fatigue. Eteins l'électricité et déshabille-toi.

Il éteignit l'électricité et elle l'entendit se déshabiller. Quand il s'introduisit dans le lit, elle s'écarta et chuchota :

— Bonne nuit.

Mécontente d'elle-même, elle se traitait de bêtassonne

(un mot de sa mère). Il n'a plus qu'à me prendre dans ses bras. Il est vrai que sa curiosité, et elle était vive, tempérait ses craintes.

Il ne la prit pas dans ses bras. Il eut soin même de ne pas l'effleurer. Il se tenait à l'extrémité du traversin. Il attendait le plaisir de l'entendre dormir et se réjouissait d'être fidèle à sa parole. Les dernières palpitations du feu mourant se reflétaient sur les joues et les cheveux de la quasi-dormeuse.

Il s'arracha aux draps avec précaution, une jambe après l'autre, et s'étendit devant la cheminée, sur les coussins. Les deux bûches étaient réduites à une litière incandescente sur laquelle défilaient des vagues pâles, s'animaient des tempêtes bleues où crevaient, crépitantes, des flammèches ensanglantées. Parfois une falaise d'incandescence s'effondrait, se résolvant en gerbe d'aiguilles.

Celle qu'il aimait dormait doucement, elle était un souffle léger, un front et une épaule dans la clarté des draps rosis par le feu. Celui-ci remplissait les prunelles de Gonzague. Dans les tisons qui se convulsaient il regarda passer une pagode enflammée, un poisson aux nageoires désespérées, un crocodile et un arc de triomphe qui allèrent s'abîmer dans le tapis de braises où les dernières flammèches, minuscules, spatulées, se creusaient des cheminées d'aération et transformaient en les effleurant le moindre débris carbonisé en fleuron ou en aigrette.

XV

Catherine s'éveilla, le front posé sur le buste imberbe d'un jeune homme qu'elle ne reconnut pas d'emblée.

— J'ai passé la nuit sur les coussins, dit Gonzague, je viens de me recoucher auprès de toi.

— Qu'est-ce que tu veux ? Du café avec du lait ? Et qu'est-ce que tu manges ?

— Et toi ?

— Le matin, jamais rien.

— Moi non plus.

Elle sauta du lit.

— Viens, dit-elle, en lui tendant la main.

Elle l'entraîna dans la salle de bains, vêtu d'un petit slip bleu qu'elle trouva niais parce que Marc l'avait habituée à d'autres dessous.

— Fais ta toilette pendant que je prépare le petit déjeuner. Tu as le choix pour les rasoirs, Marc en a une collection.

Elle s'attarda un peu dans la cuisine et, quand elle revint, Gonzague debout au milieu de la chambre finissait de se rhabiller. Il ne s'était pas rasé.

— Tu as de jolies épaules, dit-elle. Tu n'as pas un seul poil sur la poitrine.

Il avait détourné les yeux pour éviter le spectacle de Catherine qui, tenant son plateau à deux mains, traversait les rais de lumière colorée qui plongeaient obliquement par l'entrebâillement des rideaux. Le tapis était jonché de confettis de soleil qu'elle foulait de ses pieds nus et le jet de clarté, en transperçant la chemise de nuit, contrariait Gonzague. Il n'acceptait pas une gouache aguichante dont la facilité était indigne du festival catherinien qu'il sentait dans sa tête et dans ses doigts.

Comme il buvait son café, le nez enfoncé dans sa tasse à la façon d'un petit garçon, ce qui donnait à sa moustache un air postiche, Catherine demanda :

— Tu regrettes qu'il ne se soit rien passé entre nous ?

Il fit non de la tête. D'une rasade elle avait terminé sa tasse, déjà elle se relevait.

— Finis de t'habiller, j'expédie ma toilette.

Quand Gonzague fut prêt, il écarta les rideaux et regarda par la fenêtre ; l'air était déjà chaud et le ciel, que l'orage avait nettoyé, aigu. A la terrasse du tabac, des gens prenaient leur café et leurs croissants au soleil.

— Comment veux-tu que je m'habille ? cria-t-elle.

— Mets la robe que tu avais il y a deux ans, l'après-midi du vernissage.

— Elle était un peu longue, maintenant elle sera un peu courte.

Autour d'elle, quand elle réapparut, ressuscita la lumière qui baignait la galerie à l'instant où Gonzague avait reçu la révélation qu'il aimait cette femme et qu'il devait peindre ce qu'il aimait.

Quand ils parvinrent à la voiture, Catherine jeta un cri de joie parce qu'aucune contravention ne maculait le pare-brise.

— Je t'accompagne jusqu'à ton bureau, dit Gonzague en ouvrant avec autorité la portière.

En roulant, ils baissèrent les vitres pour s'offrir la caresse d'un courant d'air qui se révéla décevant, tout mou et tiède. Ils se parlaient avec plaisir.

Dans la cour, au pied de *Style et Loisirs,* Gonzague vit rougir Catherine au moment où une jeune fille la croisait en lui annonçant que, François-Ier n'ayant pas envoyé les carbones promis, elle allait en chercher à la papeterie. Elle avait regardé le visage non rasé de Gonzague ; c'était ce regard qui avait fait rougir Catherine. Aussitôt après, elle dit au revoir, d'un geste, à son compagnon et s'engouffra dans l'escalier.

S'éloignant, il se reprochait de n'avoir pas su prendre un rendez-vous à temps, il s'en félicitait aussi. Il était bien que les hasards de la fortune gouvernassent leur rencontre. Il regagna l'île à pied sous l'éclatante tenture du ciel, en choisissant des voies feuillues. Au fond de lui comme à fleur de peau, l'enthousiasme avait pris le dessus sur le doute.

Toute la matinée, il peignit. Il cherchait les yeux de Catherine sur une plaque de verre, au couteau. C'était un monotype qu'il préparait, voulant mêler l'aléatoire à la passion. Dans l'écran épais et algueux des cils il jetait des pétales bleus, verts, violets, blancs. Il aurait fallu un vitrail pour rendre la lumière de la prunelle, sa transparence. Les taches de couleur auraient été serties par le plomb aux dépens de la légèreté du regard, mais celle-ci aurait été sauvée par l'éblouissement de la clarté solaire. Quatre ans plus tôt, dans une revue ronéotypée, il avait réclamé l'enlèvement des vitraux de Chartres qui auraient été placés dans un hangar, tête en bas, pour perdre leur signification immédiate et donner du bonheur à de jeunes êtres fumant ce qui leur plairait de fumer.

Son cri sauvage précéda à peine Tilly qui surgit, les yeux noyés comme d'habitude dans les cheveux.

— Tilly, tu vas te foutre de la peinture partout !

— Je suis venue nettoyer ta carrée, je sais à quoi je m'expose.

Elle emplit un seau d'eau, y jeta de la lessive, vêtit un balai d'une serpillière et attaqua le plancher. Elle se ravisa net :

— C'est trop crado chez toi. Je me mets à poil.

Elle jeta ses vêtements sur le lit et, saisissant de

nouveau le balai, fléchit le corps, arqua les jambes et se lança en sifflotant.

Ses mouvements étaient liés comme ceux d'une danseuse. Pourtant, elle ne feignait pas de laver comme dans un ballet ; cette paresseuse luttait pour de bon avec la matière. Elle était peu musclée mais, bien enrobés dans une chair tendre, ses petits muscles bien ronds allaient et venaient vivement comme des mulots. Elle était plus jolie que Catherine et, tant elle débordait de puérilité, plus sexuée. Jolie, elle ne l'était que comme un modèle de Dommergue et fille, elle l'était trop, avec une limpidité sans mélange. Le corps de Catherine existait par ses imperfections, quelques lourdeurs, des amorces de rides, de plis, l'empreinte dont le commencement d'une vie avait marqué sa physionomie ; il était historique alors que celui de Tilly, cire vierge, restait à l'état de schéma exemplaire. Tilly était d'une féminité pure qui écœurait Gonzague, enclin à n'admirer et à n'estimer qu'un être humain complet où fussent mêlés, comme chez Catherine, des caractères masculins à une nature féminine. Il avait besoin de trouver des raisons pour admettre qu'il aimait trop l'une pour pouvoir supporter l'autre.

— Lève tes pieds.

La serpillière se précipita sous le chevalet et le tabouret.

— Qu'est-ce que tu peins ? Attends, laisse-moi deviner. J'ai trouvé : c'est l'eau d'un port du Midi qui se reflète dans la coque d'un bateau.

— Non.

— Attends ! c'est un poisson. On vient de le tirer de la mer, il est encore mouillé. Il a des écailles de toutes les couleurs.

— C'est l'œil de Catherine.

— Moi, les ports, j'aime bien regarder dedans. Il y a toutes les couleurs dedans. Au fond souvent il y a des bouteilles, des boîtes de conserve qui lancent des éclairs.

C'était ainsi qu'il fallait considérer l'œil : comme de l'eau de mer sous une lumière ardente. Possédé par cette découverte, Gonzague contemplait la blondeur et la roseur de Tilly qui, juchée sur la pointe des pieds, le corps tendu, les reins cambrés, lavait sommairement les vitres, offerte impudemment aux regards de la maison d'en face. La présence de la gentille et de la jolie chose qu'était Tilly l'encombrait.

— Avant-hier, je t'ai expliqué que...

— Ecrase ! Tu ne vas pas remettre ça. J'ai pigé.

Elle recula pour juger de l'effet et, bien que les marques du torchon fussent visibles sur les vitres, elle se déclara satisfaite et passa à l'autre fenêtre.

— J'ai même très bien compris, reprit-elle. Moi, je ne suis qu'une nénette à la con, tandis que Catherine c'est du vachement bonnard, de la vraie nana cent pour cent.

Elle frotta un moment, puis :

— Mais c'est chouette que je débarque de temps en temps chez toi ? On n'est pas fâché ?

— Je préférerais que tu me préviennes.

— Tiens, j'ai faim tout à coup. Tu ne veux pas aller me chercher un sandwich et du coca pendant que je termine ?

Il s'exécuta avec empressement et s'attarda au tabac en buvant du rosé avec le serrurier. Quand il remonta, Tilly, accroupie, édifiait des piles sur le plancher avec des livres et de vieux journaux.

— Tu devrais te décider à en jeter. Merde ! J'ai oublié de te dire de prendre des cornichons.

— J'en ai pris.

Ils mangèrent assis sur le lit. Elle dévorait. La bouche encore pleine, elle s'écria que c'était fou ce qu'elle avait sommeil et s'allongea.

— Réveille-moi avant deux heures, j'ai un rendez-vous. Avec un mec qui veut me faire des photos pour un magazine de mominettes. Si ça marchait, ça me ferait du blé.

Elle s'endormit aussitôt. Gonzague, après avoir tenté de peindre, se décida à se raser, puis s'occupa à surveiller l'heure. Il avait hâte d'être délivré de Tilly et considérait même cette présence sur son lit comme une trahison envers Catherine. Il ne pouvait s'empêcher de contempler la croupe de la jeune fille, ronde et finement fendue, incomparable. Mécontent de lui, il avança sa montre de dix minutes et, avec cinq autres minutes d'avance sur cette heure fictive, il ébouriffa les cheveux blonds pour réveiller la dormeuse.

Assise, les bras au ciel, elle bâilla.

— Après tout, ce mec, je n'en ai rien à faire.

— Si ça peut te rapporter du blé, vas-y.

— D'ac.

Elle se doucha puis mit un disque pop sur l'électrophone et se rhabilla en dansant.

— Après, j'ai un autre rendez-vous à la Bastille avec des nouveaux copains qui sont sympa, ils en ont ras le cul de Paris, ils veulent monter une communauté pour s'éclater dans la nature.

Ayant décidé qu'elle était en retard, elle disparut en traînant les pieds. Aussitôt il composa le numéro qu'il savait par cœur.

— Je rentre à l'instant, dit Catherine, j'ai été voir ma grand-mère... oui, comme le chaperon rouge.

Catherine avait appuyé une fesse sur le bord de son bureau.

— La dernière fois, avec mon frère, on avait trouvé moyen de rire en sortant mais, toute seule, je n'ai pas eu envie de rire. Par moments, elle me reconnaissait très bien et elle me caressait la main en m'appelant sa petite bichette.

Elle raconta le début d'emménagement dans l'ancien bureau d'Alavoine qui avait occupé une partie de la matinée.

— Marielle n'est plus jamais là. Tout me retombe sur le dos...

Yvette entrait. Lui ayant fait signe d'attendre, Catherine en finit :

— Non, ce soir je ne peux pas. Ma grand-mère me trotte en tête, je vais me faire inviter à dîner par mes parents pour me défouler en parlant un peu d'elle... On se rappellera, je t'embrasse.

Catherine tria les papiers qu'apportait Yvette tout en lui donnant ses ordres :

— Rappelez Mlle Bidot à la Nationale pour les gravures de licornes. Téléphonez aussi à Leroy qu'il passe demain matin. Qu'est-ce que c'est que ça ?

— Oh pardon ! Je l'ai mis dans le dossier par mégarde. Je venais de le récupérer dans les papiers de M. Alavoine.

— M. Alavoine lisait ça !

Elle béait devant le titre du magazine : *Votre destin astral mensuel.* En sous-titre : *Prévisions jour par jour pour chaque signe du zodiaque.*

— Un jour, il m'avait trouvée en train de le lire. J'avais eu peur qu'il se moque de moi. Il m'avait seulement demandé si j'étais amoureuse. Chaque mois, il me l'empruntait et, à chaque fois, il me redemandait si j'étais amoureuse.

— Et vous rougissiez ?

— J'ai rougi quand il m'a donné les raisons pour lesquelles il détestait la pilule.

— Quelles raisons ?

— Selon lui, récita Yvette les yeux baissés, depuis la pilule, les hommes n'emploient plus de préservatifs et les femmes ont cessé de se laver.

— Et alors ?

— Alors, elles transportent à l'intérieur de leurs corps les traces persistantes de la souillure. Et M. Alavoine ne pouvait plus regarder une jeune femme sans avoir honte.

— Quelle bêtise ! Ce n'est pas une souillure, Yvette !

— C'en est une dans l'idée de certains hommes.

Pour dissiper sa gêne, Yvette déploya tumultueusement le magazine.

— Regardez, madame, il avait coché la prédiction pour le jour où... pour le mardi où...

— Où il s'est tué ?

Catherine contempla les coups de crayon rouge qui encadraient la prédiction ainsi conçue : « Encore une journée que vous pourrez aborder sans crainte de nuage à l'horizon. Les relations personnelles seront harmonieuses, les affaires iront leur train et de plaisantes surprises vous seront réservées de différentes façons. Prenez vos dispositions pour un petit voyage d'agrément. »

Pendant des heures, Catherine se laissa dévorer par le travail. Marielle n'apparut que cinq minutes, en visiteuse, mais elle avait apporté à son amie un asphodèle qui prit sur le bureau un air subtil.

— Ton mari dîne ce soir chez Bertrand de Saint-Presse, lança-t-elle en s'enfuyant.

— Première nouvelle.

En fin d'après-midi, ayant suffisamment calibré, corrigé et « légendé » elle reçut quelques visiteurs, dont le dernier, Marcel Perrette, se présenta à l'improviste. Ses parents possédaient une maison voisine de la maison des Daubigné à Brévinville ; tous deux avaient joué ensemble et s'étaient retrouvés plus tard à la Sorbonne. Marcel avait un visage paisible et légèrement empâté. Il posa devant Catherine un livre intitulé : *Vous irez aux bois.*

— J'étais dessus depuis deux ans. Il sort cette semaine. J'aimerais que tu le lises et puis, dans une certaine mesure, si j'avais une critique dans *Style et Loisirs...*

— Tu sais, Pierre, je ne fais que les romans policiers.

— Tu peux me recommander. C'est un roman expérimental. Il y a un public pour qui c'est intéressant. Le contenu est secondaire, ce qui compte c'est le procédé. Tu vois ce que je veux dire. J'ai renouvelé mon opératoire avec Hegel, mais j'ai renouvelé dans une certaine mesure Hegel en faisant de son *Dasein* un futur parce que pour moi ce commencement qui est là n'existe que par ce qu'il annonce.

— Ah oui, c'est intéressant...

— J'ai d'abord écrit mon roman au passé comme tout le monde, par exemple : il entra dans une brasserie, alluma une cigarette et attendit. Ensuite ça donnait, transposé au futur : il entrera dans une brasserie, il allumera une cigarette et attendra. J'introduis le devenir dans l'étant, tu vois ce que je veux dire.

— Dans l'étant, bien sûr, c'est une bonne idée.

— Je ne rate aucune des arabesques du concept. Chaque chapitre, dans une certaine mesure, c'est la création d'un pour soi.

— Oui.

— Je n'esquive rien. Par exemple, entre mon héros qui fume et le paquet de cigarettes, je résous la contradiction du connaissant et du connu.

— Tu as raison. C'est tout à fait... C'est très désaliénant.

— Oui, mais ce n'est pas marxiste.

— Et ça se termine comment ?

— Je te vois venir. Je n'ai rien esquivé, aucune oscillation. La phase de la négation, je l'ai rendue par une transposition syntaxique, mais en recourant au présent puisque la négation se produit par rapport à la promesse du *Dasein*. Ça donne : il n'entre pas dans la brasserie, il n'allume pas de cigarette...

— Oui !

— Mais, la négation de la négation, tu dois te demander comment...

— Ne me le dis pas, tu me gâterais le plaisir ! Je le lirai.

Catherine promit de faire l'impossible, baissa la voix pour signaler à Marcel Perrette que sa braguette était complètement ouverte et tous deux se séparèrent en se demandant mutuellement des nouvelles de leurs parents, sans écouter les réponses.

Quand le téléphone sonna de nouveau, elle décrocha, sûre d'entendre la voix de Marc. Au bout de quelques mots, il lui annonça que, le soir, il avait un dîner :

— Je sais, avec Bertrand de Saint-Presse.

— Comment le sais-tu ?

— Par Marielle.

— Comment le sait-elle ?

— Je croyais que c'était toi qui le lui avais dit.

— Je ne l'ai pas revue depuis...

— Tu n'es pas galant.

— Catherine, qu'est-ce que tu fais ce soir ?

— Je dîne chez mes parents.

— Bertrand m'a dit qu'il se couchait très tôt. Avant onze heures je serai libre. Veux-tu que j'aille te prendre chez tes parents ?

— Si tu veux.

— Après, je compte beaucoup sur toi, Catherine. Je rêve de quelque chose.

— Attends, ne raccroche pas, j'en ai pour une seconde.

Tarzan avait fait une apparition hésitante.

— Si vous voulez vous en aller, dit Catherine, vous pouvez.

— Alors, je les mets. A demain. Et ne vous faites pas de mauvais sang pour les papiers de M. Roger. Ma cave n'était guère humide, mais par acquit de conscience je les ai montés au grenier.

— C'est une bonne idée. Et remerciez encore votre femme pour le dîner d'hier soir qui était délicieux. Il m'a fait faire de beaux rêves. J'ai cru que je dormais avec un ange.

Dès le départ de Tarzan, elle reprit l'appareil où la curiosité de Marc éclata ; des lambeaux de conversation lui étaient parvenus qu'il essayait de recoudre.

— C'est bien simple, exposa Catherine, j'ai dîné hier soir chez M. et Mme Tarzan, très bien dîné avec des confits comme tu aimes, puis je suis rentrée me coucher sous l'orage et j'ai rêvé qu'un jeune homme doux comme un ange partageait ma couche.

— Catherine, tu as couché seule ou non ?

Elle garda le silence. Elle mesurait la vulnérabilité de son mari.

— Catherine !

— Marc, il ne m'est rien arrivé. Tu es déçu ?

Il n'avait pas envie de répondre. Il jouait avec les fils du téléphone, debout devant son bureau.

— Je viendrai te chercher avant onze heures. A tout à l'heure.

Rêveur, il écouta le déclic qui craqua au bout du fil après que Catherine eut lancé gaiement « A tota l'hora ! » Puis il s'embusqua devant la fenêtre. Malgré le méchant jaune dont elle était revêtue, la cour, comme une vasque qui s'emplit, recueillait l'ombre du crépuscule. La plupart des bureaux s'étaient vidés. Dans la salle des photocopies, des femmes de ménage apparaissaient avec leurs appareils. Juste en face, Garuel, assis devant sa table, rangeait des fiches en petites piles comme chaque soir avant de partir.

Dans la rue, Marc acheta *Le Monde* à son marchand habituel, puis se dirigea vers un petit café de la rue Vignon où se retrouvaient souvent les amateurs d'échecs. Il avait envie de jouer et non de lire. En entrant, il croisa le regard du Dr Corps, un médecin en retraite. Ils se comprirent sans un mot. Marc s'assit et ils demandèrent le jeu d'échecs.

La partie ne l'absorbait pas. A la table voisine, une fille donnait sa bouche à son compagnon, à demi renversée ; elle frottait doucement l'une contre l'autre ses cuisses nues. L'homme paraissait bête et brutal à souhait. A la place de la fille, Marc imaginait Catherine.

Sur la fin de la partie, l'ardeur guerrière qui irrigue les nerfs, malgré qu'il en ait, de tout joueur, prit le dessus et ayant perdu trop de pièces, s'étant laissé réduire à une position peu tenable, Marc entreprit, faute de pouvoir gagner, de réussir un pat. Belliqueux et efficace, il jouissait de l'émotion croissante du Dr Corps qui craignait pour sa victoire. Elle lui échappa en effet et le vieil homme se roula une cigarette avec des doigts tremblants.

— Cette nuit, dit-il, j'ai rêvé à une étrange partie d'échecs. C'était une partie où les fous avaient les pouvoirs des chevaux et réciproquement. Vous allez me dire que ça ne changeait rien...

— Si, sur la ligne de départ, leurs places étaient également inversées, ça n'était en effet qu'un changement de dénomination.

— Précisément, les places n'étaient pas changées, elles. Vous imaginez la révolution que cela peut produire dans les ouvertures ? Voulez-vous que nous en fassions l'expérience ?

Tout tenté qu'il fût, Marc, ayant regardé l'heure, s'enfuit. Quelques minutes plus tard, il sortait du métro et, au bout de quelques pas, s'arrêtait devant ce qui avait été entre 1900 et la guerre de 40 l'orgueilleux hôtel des Mothier, dynastie financière dont une fille avait épousé le père de Bertrand de Saint-Presse. Celuici en occupait toujours le deuxième étage, les autres ayant été vendus ou échangés par ses beaux-frères et ses cousins. Un ascenseur d'une magnifique lenteur s'ébranla. Un valet de chambre ouvrit la porte.

— Bonjour, Evariste, dit Marc, comment allez-vous ?

A chaque fois qu'il prononçait cette phrase, Marc savourait l'illusion de surgir dans une scène de la fin du siècle dernier.

Evariste savait doser le respect avec la légère familiarité qui seyait à l'égard d'un neveu de la maison qu'il avait connu tout enfant. Après quelques politesses à la troisième personne, il ajouta donc tout bonnement :

— Monsieur m'a dit de vous mettre dans le bureau, il en a encore pour quelques minutes... Et ne restez pas trop tard, votre oncle est très fatigué.

Rigoureusement Empire, le bureau donnait par une

haute fenêtre sur le parc Monceau. Le front contre la vitre, Marc contemplait machinalement un paysage qu'il connaissait bien et qui lui rappelait les redoutables visites protocolaires de son enfance. La voix de Bertrand de Saint-Presse lui parvint du petit salon voisin, mêlée à une autre voix qu'il détesta d'emblée, puis identifia à celle de Lespiau. Discret de nature, et cela plus par indifférence que par délicatesse, Marc ne put s'empêcher d'écouter certains lambeaux de la conversation et d'y prendre intérêt. Pour qui aurait souhaité traiter des services mutuels que peuvent se rendre le pouvoir politique et la haute banque, le dialogue voisin aurait été précieux. Sans doute les deux hommes récapitulaient-ils, car ils passèrent très vite de la signature d'un accord commercial en Afrique à la solution d'un problème de transport routier et se séparèrent sur la promesse que réitérait Lespiau de l'obtention des trois permis de construire, ces derniers paraissant devoir récompenser une aide financière lors de la période électorale.

— Ça te convient de dîner dans le bureau ? Nous y serons plus tranquilles.

— Comme tu veux, bien sûr...

Selon les branches de la famille, les enfants tutoyaient ou voussoyaient les parents ; Marc faisait partie des tutoyeurs. Tout en regardant Evariste qui avait surgi, poussant une table roulante sur laquelle le couvert était mis, il se décida à se demander pourquoi son oncle l'avait convoqué à l'improviste. Le potage ne lui apprit rien. Bertrand lui donna, toutes mauvaises, des nouvelles de lointains membres de la famille, se plaignit du prix que lui avait coûté le ravaudage de sa tapisserie des Gobelins et esquissa quelques considérations sur l'inflation comparée en France et en Angleterre. Puis les limandes arrivèrent. Connaissant son oncle, Marc savait qu'il allait dire ce qu'il dit :

— Je ne sais pas si tu es comme moi, mais je préfère de beaucoup la limande à la sole. La chair de la première est à la fois plus légère et plus goûteuse.

Depuis toujours. Bertrand de Saint-Presse avait l'avarice prosélyte. Il tenait à convaincre ses interlocuteurs de la supériorité du poireau sur l'asperge et des vins de pays sur les grands crus trafiqués et se vantait de chaparder du sucre dans les cafés.

— J'ai eu deux entretiens avec ton amie Marielle, enchaîna-t-il. C'est une drôle de fille dont je découvre seulement la personnalité. D'ailleurs, ajouta-t-il avec un sourire, tu apprécies Marielle à sa valeur si j'ai bien compris.

Il croyait en une liaison entre Marc et Marielle, car il insista :

— Marielle est une excellente amie de ta femme, tout est donc pour le mieux, heureux mortel ! Je ne t'aurais pas cru si bien organisé. Mais, l'un n'empêchant pas l'autre, je suppose que tu es pour quelque chose dans les projets dont elle m'a fait part. La mort de Roger Alavoine lui a donné le champ libre et tu l'as aidée à saisir qu'elle avait mieux à faire qu'à se substituer à notre cher Roger qui, lui, n'était pas plus ambitieux qu'un papillon.

Le domestique apporta d'assez beaux fruits. Saint-Presse s'absorba dans la préparation minutieuse de sa poire tout en égrenant quelques jugements sur Alavoine.

— Certains croyaient que son gros air endormi, qui ne messied pas aux nonchalants érudits, était de la candeur savante, mais j'avais senti depuis loin dans le comportement de Roger le signe qu'il se repliait en lui-même. Ta femme m'a parlé de lui avec beaucoup de justesse. J'ai été content de bavarder avec Catherine. Sur elle aussi j'ai fait des découvertes. Elle a beaucoup plus de relations et d'entregent que je n'aurais pensé. Mais, pour en revenir à Marielle, elle a raison de tabler sur le développement du Groupe de la rue François-Ier et cette fine mouche a compris qu'elle pouvait lui devenir indispensable grâce à ses relations avec moi. De même je dois convenir que mes amis et moi verrions d'un bon œil l'instauration d'une tête de pont dans ce groupe de presse et de publicité. Autrement dit, es-tu prêt à lâcher ta banque et à te lancer ?

Marc n'eut pas le temps de répondre, Bertrand de Saint-Presse s'en était chargé :

— La banque, tu la détestes et ta carrière y est limitée, et tu le sais. Tu es entouré de gens qui te valent alors que, si tu passes dans le Groupe, tu pourras y jouer au spécialiste. Tu auras une autorité. Administrativement, tu dépendras de la rue François-Ier, mais ils sauront très bien que l'ouverture de nos crédits dépendra en partie de toi. Là-bas, tu seras notre homme, mais pour eux tu seras l'homme indispensable. Ce qui en somme ne t'est jamais arrivé.

Marc avait déjà remarqué qu'il prenait plus vite les grandes décisions que les petites.

— Je suis d'accord. Ça tombe bien. Cette année, j'ai envie de rencontrer ce que je n'ai jamais rencontré.

— Je ne suis jamais allé chez toi. Mais dis à ta femme de m'inviter à dîner avec Marielle. Je te parlerai plus avant. Je te vois autrement tout à coup. Tu as raison de jouer à partir des mass media. Mon gendre... m'a un peu déçu. Je compte sur toi. Dis à Catherine de téléphoner à Evariste, il n'y a que lui qui connaisse mon régime sur le bout du doigt.

A Saint-Paul, Marc sortit du métro et respira l'air de la nuit avec plaisir. Derrière lui, de lourds camions ébranlaient le boulevard avec puissance ; dans les ténèbres arrosées d'électricité, glissaient des formes de femmes. Sur le pont Marie désert et calme, il flotta suspendu dans un espace privilégié non orienté où son imagination était souveraine. Ses mains frémissaient, il marchait très vite bien qu'il souhaitât prolonger ce moment où de nouveau un avenir existait pour lui. De la proposition de Bertrand de Saint-Presse, il avait fait le départ d'une aventure qui s'enlaçait avec celle dont Catherine était l'idole. Il se demandait comment il avait pu subir une si longue torpeur, survivre à l'absence des événements. Comment avait-il pu supporter une vie sans hasard ? Cette question, il se la posait sans regret, avec l'enthousiasme de la victime d'un sort qui a miraculeusement échappé à un sommeil maléfique.

La salle à manger n'était éclairée que par une petite lampe posée à la lisière des deux sets de plastique sur lesquels Mme Daubigné et sa fille avaient dîné.

— En copines, comme vous voyez. Mon mari est en inspection à Bordeaux. Nous tricotons...

Marc les supplia de reprendre leur travail. Le gros pull était destiné à M. Daubigné ; sa femme achevait le devant et sa fille avait attaqué le dos. Leurs doigts bougeaient avec une certitude rapide autour des aiguilles de bakélite. Elles étaient assises très près l'une de l'autre, leurs genoux se touchaient.

— A son âge, disait Mme Daubigné, il ne devrait plus se laisser coller d'inspections, mais il ne sait pas refuser.

Marc ne demandait qu'à se laisser séduire par le spectacle d'une mère et d'une fille tricotant de concert, aussi femelles dans leurs servitudes ménagères que si elles se prostituaient. Catherine lui proposa du whisky, un disque. Il refusa, charmé par les deux tasses de tisane posées sur les sets et le tic-tac d'un réveil de cuisine qui s'accordait avec le bruissement également régulier des aiguilles. Il aurait désiré annoncer triomphalement qu'il venait de liquider ses habitudes et qu'il s'engageait dans l'aventure que lui offrait Bertrand de Saint-Presse, mais la nouvelle aurait troublé Catherine et la sérénité laborieuse de celle-ci le satisfaisait trop pour qu'il l'altérât.

La sonnerie du téléphone l'arracha à sa contemplation. Mme Daubigné courut dans la pièce voisine.

— C'est papa, diagnostiqua Catherine.

Le charme étant rompu, Marc eut hâte d'en tisser un autre.

— On se taille ?

Docile, Catherine alla chuchoter à sa mère que Marc et elle la laissaient à son coup de téléphone conjugal. Au passage, elle cueillit l'appareil et assura à son père qu'elle l'embrassait.

— Oui, exposa Mme Daubigné, elle a dîné avec moi.

Ayant entendu la porte se refermer, elle ajouta :

— Sans son mari. Il est seulement venu la chercher. Et je n'en sais pas plus. Je n'ai rien pu lui tirer. Quel temps fait-il à Bordeaux ?

— Couci-couça.

A travers la glace de la cabine, il contemplait au-delà du bar et de la terrasse les profils des hauts palmiers cannois qui se détachaient sur un ciel métallisé par la lune. Germaine était cachée par le dos blanc d'un serveur penché sur elle pour lui donner du feu.

— C'est un temps d'ailleurs très bordelais, avec des sautes de vent, un mélange de sec et d'humide, d'ombre et de soleil, tu vois ça ?

— Et ton inspection, qu'est-ce que ça a donné ?

— Décevante sur les mêmes points. Comme la dernière fois. L'équipe de Bordeaux a toujours été bonne, mais ils sont trop routiniers. Ils ne tiennent pas compte de nos transformations. A la fois ils boudent les nouveaux dispositifs que nous leur offrons et ils nous demandent une assistance qui n'est pas conforme à la nouvelle structure.

— Et tu rentres toujours demain ?

— Bien sûr. Maintenant nous allons déguster un cru chez un client et j'en profiterai pour leur faire entrer amicalement quelques principes dans la tête. As-tu téléphoné à la clinique ?

— Non, mais Catherine est allée voir ta mère. C'est toujours la même chose. Elle était plus lucide aujourd'hui. Catherine trouve qu'elle s'est encore affaiblie.

— Je tâcherai d'y passer demain en rentrant. En tout cas, je te téléphonerai dès arrivé.

Ils prononcèrent ensemble :

— Bonsoir, mon chéri.

Ayant poussé la porte de la cabine, M. Daubigné glissa le long du bar vers le chemisier pistache et le pantalon prune de Germaine qui fumait sa cigarette sur la terrasse, la tête rejetée en arrière, sans doute en contemplation dans les étoiles.

Il goûtait une parenthèse de solitude sublime entre deux mensonges, car pour Germaine il était censé avoir téléphoné à la clinique où sa mère était soignée.

XVI

Georges était un petit homme gros dont le sourire n'était pas gai. Il ne portait pas un uniforme comme dans les grands hôtels ; il se tenait derrière son comptoir en bras de chemise, mais une cravate noire lui donnait le soupçon de respectabilité qui faisait partie du style ambigu de l'hôtel. Il attendait la call-girl que M. Esmelain lui avait annoncée en lui glissant cinq francs de pourboire. Derrière lui, un transistor embusqué entre deux plantes vertes déversait en sourdine une molle musique.

Devant la porte ouverte à deux battants, la putain s'arrêta, sombre sur le fard électrique de la rue. Elle s'avança. Elle portait une robe courte et évasée, des bas résille, des cuissardes ; le maquillage de ses yeux glissait du vert au bleu marine.

— M. Esmelain ?

— A cette heure-ci ? Qu'est-ce que vous lui voulez ?

— Il m'attend.

— Inutile de prendre l'ascenseur. C'est au premier : la chambre dix.

Il se faufila le long du comptoir et s'en échappa, malgré sa graisse, comme un picador de la talanquère. Il regardait au-dessus de lui les jambes qui montaient l'escalier. Il fut ému par l'effort des cuisses au-dessus des bas ; leur douceur contrastait avec le travail des muscles qui manœuvraient à fleur de peau. Le sommet des bas était drissé, amarré, envergué par les tiges du porte-jarretelles distendues comme des cordages en action, si convaincants qu'ils transformaient le cône évasé de la robe en voilure. Tous dessous troubles, celui d'une voiture renversée qui étale impudemment ses grottes et ses rouages, dessous d'une ville perforée qui livre la connexion de ses boyaux, dessous d'un théâtre où le ciment armé, la tôle, les planches conspirent avec le velours. Dans le jeu des toiles et des gréements, la croupe et les cuisses tendues et aussitôt comprimées par la cadence de l'escalade se martelaient et s'attiraient, retenant prisonnière une languette de nylon qui tantôt disparaissait, happée par un chaton de chair obscure, tantôt se relâchait. Georges bandait en platonicien qui veut que la beauté d'un portique tienne dans la juste proportion du pouvoir de la colonne et du poids de la voûte.

A mi-étage, dans le virage, elle s'était arrêtée ; la jupe était retombée ; elle pendait inerte. Après avoir été une frégate qui prend le large, l'apparition nocturne, que trop de parures et de fard criblaient de hublots et de fanaux, était prisonnière du calme plat, ou de la banquise. Déjà infidèle à Platon, Georges se laissait gagner par Baudelaire.

— Il est comment, mon client ?

— Grand. Pas mal. Un peu fatigué. Un peu chauve comme moi. Pas mal dans l'ensemble.

Georges revint lentement vers son fauteuil et s'assit devant les plantes vertes en écoutant décroître dans le couloir du premier le pas de la call-girl. C'était le mot qu'avait employé M. Esmelain quand il avait prévenu Georges. « J'ai appelé une call-girl. » Dans le cerveau de Georges, le mot s'écrivait *colguère*. Il signifiait pute dans le langage distingué. Georges était un concierge improvisé. Veilleur de nuit pendant quinze ans dans un Uniprix de Versailles, il était en train de découvrir les nuits de Paris. Il savait qu'un portier de nuit dans un hôtel doit tout savoir de la nuit et s'inquiétait de son ignorance. La semaine précédente, un client lui avait demandé une femme et, incapable de la lui procurer, il avait pris un air vertueux et invoqué les principes de la direction. Deux Américains lui avaient demandé des adresses particulières en chuchotant un jargon passionné ; il ne les avait pas plus compris que le voyageur d'une nuit qui avait imploré un produit clandestin sans doute destiné à être fumé. L'irruption de la *colguère* avait pour lui une majesté initiatique. Il décrocha le téléphone avec élan.

— Oui, monsieur Esmelain, deux whiskies avec de la glace, très bien... je monte de suite.

Il se glissa dans la cambuse, remplit les verres, fit bruire avec fougue la glace et se lança à l'assaut de l'escalier.

Il frappa à la porte et attendit en tenant son plateau bien droit. On ne répondait pas. A l'improviste, la porte s'ouvrit. M. Esmelain était assis en robe de chambre sur le bord du lit.

— Posez ça là, dit la *colguère*.

Elle lui dit ça, une pièce de cinq francs à la main.

Il osa la regarder brièvement. Elle était nue. Elle n'avait gardé que ses cuissardes. Entre ses cils lourdement fardés, son regard cherchait impudemment celui de Georges. Avec retard, il dit :

— Merci beaucoup.

En regagnant la porte, il lança :

— Bonne nuit, monsieur-dame.

En refermant le battant, il regarda franchement la *colguère*. Elle se tenait une main sur la hanche, bien en équilibre sur ses jambes. Son ventre reçut le regard avec insolence.

Ils écoutèrent immobiles le pas décroître, puis Marc se jeta sur Catherine et l'écrasa sur le lit. Jamais un homme ne l'avait pénétrée aussi complètement. Elle était prête à lui crier qu'il était son maître, mais elle se révolta quand il souffla :

— Sale putain, tu t'es montrée au portier !

Il essaya de la battre, elle griffa. Il renonça et de nouveau, radoucie, elle se livra.

Jetés en travers du lit, ils fumaient en buvant quelques gorgées de whisky. Elle découvrit entre eux, sur le drap, un billet de cinq cents francs.

— Il est à toi, dit Marc.

— Pourquoi ?

— C'est le tarif d'une putain autour de ma banque.

— Je n'en suis pas une. Je fais semblant.

— Fais semblant de prendre le billet.

Elle le prit et l'approcha de la flamme du Cricket qu'elle avait allumé en même temps. Comme on écrase une mite en claquant des paumes, Marc éteignit le billet au vol.

— Tu es entêtée.

— J'ai fait tout ce que tu voulais.

— Pas tout.

— Tu m'avais obligée à me déshabiller avant l'arrivée du portier, donc c'était ridicule de m'en punir. Tu me battras quand je l'aurai mérité.

— Catherine, je veux te faire vivre un songe.

— Les malentendus font partie des songes.

Elle s'était levée ; elle s'habillait avec des gestes de samouraï.

— Tu me battras, reprit-elle, quand j'estimerai, moi, que je l'ai mérité.

— Où vas-tu ?

— Je rentre.

— Attends-moi.

— Alors, fais ta valise et dépêche-toi.

Il lui représenta que pour partir avec sa valise il lui fallait d'abord régler sa note, ce qui n'était possible qu'avec le personnel de jour.

— Alors, je pars seule.

Elle lui échappa, claqua la porte sur elle, dévala l'escalier. Georges s'était planté sur le pas de la porte pour apprécier une petite aube pointue et mouillée. Cette sorte d'aube le ravissait depuis toujours. Les autres avaient coutume de dire « brr, quel temps dégueulasse » et Georges souffrait de n'avoir aucun argument à fournir pour défendre son nirvâna. Alerté par un claquement de talon, il s'écarta pour laisser passer la *colguère* et, dans le même mouvement, la saisit par le bras. Le fard avait foncé sur le visage et le Rimmel coulait ; la *colguère* flamboyante se découpait sur le buvard mauve de la ruelle trempée.

— Donne-moi donc ton téléphone, je te procurerai des clients.

— Catherine !

Penché à sa fenêtre, Marc hurlait. Ses appels accéléraient l'élan de Catherine qui courait au milieu de la chaussée. Elle disparut au coin de la rue.

Quand Marc, habillé à la diable, charriant ses deux valises, eut obtenu sa liberté de Georges, l'île était toujours déserte. Il eut l'illusion de l'ébranler comme un camion en la traversant. Rue Du Bellay, il reconnut Gonzague qui se tenait immobile, les bras ballants, chaussé de babouches.

— Vous cherchez Catherine ?

— Oui, dit Marc d'une voix changée par l'essoufflement, vous l'avez vue ?

— Je ne dormais pas. J'ai entendu son pas dans la rue. Je l'ai vue rentrer chez elle. Cinq minutes après, un taxi s'est arrêté. Elle avait dû le demander par téléphone. Elle est ressortie. Elle avait changé de vêtements. Je l'ai appelée. Elle m'a fait un signe de la main et elle est montée dans le taxi.

— Et vous êtes descendu ?

— Je ne sais pas pourquoi.

Leur inquiétude les rapprochait et les armait l'un contre l'autre. L'aube était devenue une aurore, puis un petit matin, mais l'île n'avait pas changé, toujours enfouie dans une brume pâle jonchée de gouttes d'eau.

JOURNAL INTIME DE M. DAUBIGNÉ

17 juin

J'éprouve encore le besoin de me faire valoir aux yeux de Rose, car c'est à coup sûr par vantardise, pour donner à admirer mon stoïcisme, que j'ai négligemment révélé les tourments que ma santé m'avait causés. C'était vain : Rose me considère depuis toujours comme un malade imaginaire. Pourtant, après m'avoir écouté d'un air discret, elle a cessé de tricoter, s'est trituré la lèvre inférieure, signe de réflexion qu'elle tient de sa mère et qui m'agace, puis m'a laissé entendre qu'elle-même, depuis un an, nourrissait quelques inquiétudes sur son propre cas. Elle a fini par me fournir des détails. En toute ignorance de cause, je lui ai demandé si la ménopause ne pouvait justifier ces troubles, mais elle a secoué négativement la tête. A contrecœur, puisqu'elle se hait faible, elle a précisé que ces anomalies ressemblaient à celles dont s'était plainte Louise Juge, sa camarade de lycée qui est morte l'année dernière. Naturellement, j'ai tenu les vagues propos rassurants qu'on vous tient dans ces cas-là et je lui ai conseillé de voir le médecin au plus vite.

Quitte à repousser ensuite ces songes avec horreur, il m'est arrivé d'imaginer une disparition de Rose qui arrangerait tout pour tout le monde, elle compris : à force de patience j'aurais réussi ma tâche avec elle et lui aurais préservé l'illusion d'un foyer stable sur lequel elle régnait, cela jusqu'à son dernier soupir, et ayant réussi avec elle je réussirais avec Germaine à qui je pourrais enfin me consacrer. Bref, la disparition de Rose transformait mes deux échecs en succès.

Mais, quand j'envisageais la disparition de Rose, il était implicite qu'elle ne souffrît pas une seconde : un accident de voiture (ou un arrêt du cœur) la supprimait sur le coup. L'hypothèse de Rose longuement malade ne peut que me désoler. Je souhaite une réponse rassurante du médecin.

Il n'empêche que j'ai été amené, par la tentation du divorce puis par la possible défaillance de la santé de Rose, à envisager ma vie sans elle avec une réalité, une précision auxquelles je n'avais jamais accédé. Du même coup, j'imagine (autrement qu'en rêvant) ce que serait ma vie avec Germaine. Elle peut venir s'installer chez moi, je peux aussi me transporter chez elle. Chez elle, c'est plus petit, je n'aurais pas de cabinet de reliure. Ici, je serais gêné face aux enfants, aux voisins, aux amis, de substituer une femme à une autre dans le même décor. D'ailleurs, cette solution suppose la mort de Rose que je refuse et, dans le cas d'un divorce, il va de soi que je laisse notre appartement à Rose. Donc, l'absence d'un cabinet de reliure nous causera un désagrément certain. Peut-être pourrions-nous, Germaine et moi, trouver un plus grand appartement, mais la pension que j'aurais à verser à Rose ne me le permettrait sans doute pas. Me le permettrait-elle que le principe même de la reliure se déroberait puisque j'ai toujours reconnu devant Germaine que la reliure, qui m'ennuyait, n'était qu'un prétexte pour penser à elle en échappant à la société de ma femme. Germaine sait que, pour la forme, je relie quelques minutes et que même je triche jusqu'à faire relier des livres ; elle sait tout, y compris mes véritables horaires de bureau. Conclusion : si j'épousais Germaine, je n'aurais aucun moyen de défendre les moments de solitude qui sont nécessaires à ma vie. Sortant du bureau, je la retrouverais ; la quittant, je rentrerais au bureau.

Or, j'ai besoin d'être seul, même pour lire. Si je relis au lieu de lire, c'est pour que l'auteur et son œuvre ne troublent pas ma solitude par leur présence. Un livre, connu dans tous ses détails depuis près d'un demi-siècle (Les Trois Mousquetaires ou Vingt ans après), n'a pas le pouvoir de me déranger. Que les mousquetaires et leurs valets montent à bord de la Felouque, je sais quel valet aura soif, quel autre se glissera entre les tonneaux de poudre qu'il croit être pleins de porto, comment il pâlira et s'exclamera en découvrant que le navire est un piège infernal. En relisant, je suis un promeneur solitaire parcourant un paysage familier qui distrait son regard sans contraindre sa pensée.

En ce qui concerne Germaine, mon jugement est peut-être faussé par les inquiétudes qui me sont venues pour la vie de Rose ; je me pardonne difficilement d'avoir si légèrement imaginé sa mort. Tombé par hasard sur une vieille photo égarée dans un album de timbres hérité de mon beau-père, j'ai revu Rose à dix-huit ans, son visage ouvert, franc, ses yeux vifs, son air loyal, un frais semis de taches de rousseur qui m'a rappelé Catherine. A ma dernière permission en 40, nous nous étions fiancés et, ce qui était énorme à l'époque, en tout cas pour elle, Rose avait tenu énergiquement à se donner à moi avant que je reparte. Pendant ma captivité, tout en commençant ses études de pharmacie et en aidant ses parents, elle ne songeait qu'à écrire et à m'envoyer des colis. A mon retour, quand nous nous sommes mariés, nous nous aimions ou nous le croyions, ce qui revient au même, et la durée d'un couple ne nous posait pas de problème. Quand avons-nous cessé de rire aux mêmes histoires drôles ? Mais avec Germaine aussi, nos commencements ont été touchants et délicieux, peut-être moins touchants qu'avec Rose, mais tellement plus délicieux. Alors ? Je passe *mes jours dans l'hésitation, toujours occupé à faire mon bilan, captif des interminables prisons de ma faiblesse. Une âme élevée ne croira jamais pouvoir n'être pas libre, donc je suis bas et méprisable.*

19 juin

Méprisable, on garde la faculté de mépriser. J'ai méprisé Catherine. Partant le matin pour le bureau, je traverse la rue et me retourne je ne sais pourquoi. Catherine sortait de la maison au bras de ce type veule et crasseux qui hante l'île et signe Gonzague de hideuses croûtes inintelligibles dont deux sont accrochées au tabac. Ce gitan n'était pas rasé, il rajustait ses vêtements d'un air glorieux. Tous deux visiblement sortaient du lit. Ce pauvre Marc réduit à se réfugier à l'hôtel ! Pour voir la beauté de Catherine, il faut la voir souriante ; je l'avais oublié parce que, dans les dîners de famille, elle ne fait que semblant de sourire. Elle souriait à son abject romanichel qui lui disait quelque chose auquel elle répondit et cette réponse donna à son joli teint toute l'animation de la volupté. Elle était illuminée par le beau temps et par la présence de cet homme qui visiblement était pour elle un sexe, ou peut-être mon regard concourait-il à l'illuminer par rage. J'avais un peu enragé autrefois quand j'avais compris que Catherine, sans que sa mère en fût autrement troublée, avait une mauvaise conduite avec les petits sots de son entourage, alors qu'elle n'était même pas majeure. Mais, au spectacle de Catherine et de son saltimbanque (qui l'année dernière était rétribué par des concierges du Marais pour sortir les poubelles à leur place le matin !), j'étouffais vraiment de rage et cela bien que le cocuage de ce pauvre Marc ne fût pas sans m'égayer un peu.

Sans doute, au spectacle de Catherine étalant coram omnibus *sa faiblesse, sa lubricité et son mauvais goût, ai-je mesuré l'ampleur des fautes dont une femme jeune et sensuelle peut en toute simplicité se rendre coupa-*

ble et j'ai aussitôt songé à Germaine. Jamais les soupçons qui naissent parfois en moi ne se sont avérés, mais jamais je n'ai été complètement rassuré. J'ai tout supporté, mais je ne supporterais pas une trahison ! A cause de Rose, je passe tant d'heures loin de Germaine, que mon inquiétude est naturelle, d'autant que, depuis qu'Il est mort, elle se sent plus seule.

J'écris en la regardant dormir. Ici mes insomnies sont belles. Le jour se lève sur la mer ; Cannes est toujours silencieuse. Alors que Rose ne se coucherait jamais sans la protection de chemises de nuit semblables à des housses ou de pyjamas qui me rappellent les treillis de la caserne, Germaine est une Eve nocturne et, paraît-il, depuis l'âge de quinze ans, car au moindre mot, au moindre geste, la pudeur enflamme son visage, alors que le sans-gêne de Rose a fortifié celle-ci contre toutes les circonstances.

Mais la sensibilité de Germaine aux impressions, la promptitude de ses émotions concourent pour me donner à imaginer et à craindre. J'ai longuement considéré ce corps qui respire, allongé en diagonale sur le lit aux draps rejetés, souffrant de trop l'aimer, donc de ne pouvoir l'imaginer en la possession d'un autre, fût-elle fugitive. Mais ce qui manquait dans ce spectacle a détourné mon attention sur Celui qui était absent pour toujours. Plusieurs fois, Il était venu avec nous à Cannes.

Il avait des insomnies comme moi, mais graves et heureuses. Il s'asseyait sur le balcon, tournant le dos à la chambre, et regardait sans hâte le jour se lever. Il savourait le passage des premiers oiseaux, puis d'un bond revenait sur le lit. C'était pour moi le signal de me coucher. Je me rendormais, heureux de sentir son poids sur mes pieds. Je le sentais encore en dormant, prenant garde de bouger. Je ne pardonnerai jamais à Rose d'avoir limité à si peu mon bonheur de dormir avec Lui.

XVII

L'humidité avait orienté la fuite de Catherine, suggérant à celle-ci comme une promesse de bonheur, le projet d'une lente journée de pluie en Normandie. Elle aimait que depuis son enfance la maison de vacances de ses parents à Brévinville n'eût guère changé et y chercher les mêmes émotions, comme si elle-même n'avait pas changé. Bien qu'elle fût privée de plage par leur entêtement minutieux, Catherine avait eu le bon esprit ou le bon naturel de jouir, petite, des jours de pluie de l'été normand et elle en conservait intacte la musique qui reposait sur l'accord de sons dont le thème était l'eau : les ardoises du toit émettaient un son feutré, alors que la gouttière poussait des hoquets torrentiels et que le bois de la terrasse répétait une sourde tambourinade ; sur l'herbe, la pluie chuchotait, elle galopait sonore contre les vitres et chuintait dans les feuilles dès qu'un coup de vent décoiffait les pommiers. Enfant, assise dans l'entrebâillement d'une fenêtre, elle relisait infiniment ses livres en recueillant le concert des bruits identiques escortés d'une odeur végétale. Grande, elle avait essayé de continuer (reprenant jusqu'aux mêmes livres), mais sous le regard des autres. Pour la première fois, je serai seule à Brévinville.

Seule mais sans pluie. Celle-ci laissait des traces sales

sur les vitres du wagon, mais le ciel s'éclaircissait au-dessus des collines qui s'ensoleillaient franchement. Ce temps, bien qu'il fût contraire à son programme, flattait le patriotisme de Catherine. La plupart des Parisiens se prétendent auvergnats ou bourguignons en se référant à de lointaines origines familiales. Catherine, indifférente aux régions d'où ses parents étaient issus, avait élu la province où son grand-père avait presque par hasard acheté cette maison, s'était faite normande une bonne fois. Elle se donna le plaisir de faire observer à des Parisiens imaginaires que, malgré la légende, il faisait beau dans son pays alors qu'il pleuvait à Paris.

Sur le quai de la petite gare, commença l'éclosion des visages connus. Certains étaient liés à l'enfance de Catherine comme la forme des rochers ou les motifs du dallage du bazar, mais sans qu'elle pût les nommer ni les situer. De vieux yeux, des accents, des blouses noires à pois blancs, des paniers d'osier vernissé, faisaient signe à Catherine qu'elle avait retrouvé le havre de son enfance. Car, petite, elle n'avait jamais douté que la ville fût le domaine des adultes et la campagne celui des enfants.

M. Lévêque, le boucher, rose dans sa tenue blanche rayée de bleu, gras et musclé comme un boucher de la Comtesse de Ségur, inchangé depuis que Catherine le connaissait, l'embarqua dans sa camionnette pour la « rapprocher ». Il lui racontait les événements de l'hiver et du printemps qu'elle évitait d'écouter, réprouvant toute nouveauté à Brévinville, essayant d'ignorer qu'on avait allongé la digue, qu'une douzaine de pavillons avaient poussé sur le lotissement de la falaise, prête seulement à accepter les nouvelles qui auraient pu prendre place dans un conte : le naufrage d'un bateau de pêche, la morsure d'une vieille fermière par une vipère.

Elle descendit aux « Quatre chemins » et entra dans une boutique qui vendait des munitions pour la chasse, des outils de jardinage, des insecticides, à côté de coquillages souvenirs, de poupées normandes, de lunettes sous-marines, de cartes postales, illustrant la double vocation du village qui, après avoir été un hameau agricole, doublant dans les terres Borcaux, le hameau de pêcheurs voisin, était devenu un lieu de villégiature. Derrière leur boutique, les Langlois conservaient un percheron dans une écurie en miniature au-dessus de laquelle ils avaient aménagé un appartement où un professeur de Rouen passait ses vacances avec sa famille ; les fenêtres donnaient sur les quelques cultures que les Langlois poursuivaient sur la pente, ayant aussi maintenu, à deux kilomètres, du maïs dans de grands prés longeant la route. Il fallut qu'à peine entrée Catherine apprît que le cheval était parti parce que les prés avaient été vendus à une société qui construisait un poste d'essence et un motel. Il lui fallut aussi subir l'étonnement indiscret de la tribu des Langlois.

— Toute seule ! Sans bagages ? Au mois de juin... Vous venez vous reposer, vous avez été souffrante peut-être ?

Elle obtint enfin les clefs dont ils étaient dépositaires pendant la mauvaise saison et monta vers la maison des Daubigné en compagnie de Pierre, le fils Langlois, qui avait son âge ; il apportait des bidons de gaz butane et de pétrole. Ce fut lui qui se chargea d'ouvrir les portes, de brancher l'électricité, de réalimenter le frigidaire en pétrole. Enfants, tous deux se tutoyaient, puis Pierre avait pris le parti de voussoyer d'abord et d'attendre pour revenir au *tu* que Catherine lui en donnât le signal.

— Tu as des conserves, dit-il en ouvrant un placard, tu as du vin et du cidre, mais tout à l'heure, si tu veux des œufs et du légume, tu n'as qu'à descendre chez nous.

Elle fut surprise de se retrouver seule dans une maison où elle n'avait jamais vécu qu'avec ses parents. Quand elle était repassée chez elle, à peine avait-elle pris le temps de se démaquiller, de dépouiller son attirail de jument de cirque (comme aurait dit Mme Daubigné) et de passer un jean et un pull. Elle s'offrit donc une douche, puis traversa le salon où les tapis étaient roulés et les fauteuils emmitouflés dans des housses et gravit, pour monter dans sa chambre, les marches de bois de l'escalier faussement rustique. Son grand-père avait fait construire sa villa avant la guerre de 14, dans le style breveté normand des autres villas cossues de la région ; depuis, étaient accumulés les objets qui, sans être inutilisables, avaient été jugés indignes de Paris ; ils s'étaient amalgamés à ce qui avait été acheté sur place à de prétendus antiquaires, rouets, horloges, huches dont le bois était aussi faussement vermoulu que celui des poutres des plafonds. Pour la première fois, Catherine traversait nue ce temple de la quiétude estivale. Sa chambre était obscure, elle repoussa les volets et reçut une brutale caresse du soleil.

Entre les gros nuages qui manœuvraient, s'allongeaient de vastes échancrures de ciel bleu dont M. Daubigné, selon son humeur, avait coutume de constater qu'elles étaient un « bain qui chauffe » (pluie prochaine) ou « des culottes de gendarme » (promesse d'une belle éclaircie). La fenêtre donnait sur les pommiers au-delà desquels commençait le potager des Langlois dont la maison coiffée d'ardoise était l'avant-garde du village ; celui-ci se laissait couler dans la petite vallée de l'Albon dont l'estuaire infléchissait, puis fendait la falaise. Celle-ci était trop haute pour qu'on vît l'océan, à moins de se hisser à la lucarne du grenier, mais le ciel le reflétait et Catherine sentait cet océan palpiter à travers une réverbération aérienne. Les jours de tempête, elle aimait l'écouter et que son chant, régulier comme celui d'un train, fût strié par le sifflement du vent dans les feuilles. Parfois, des mouettes qui remontaient l'Albon rasaient en vociférant les pommiers. Un après-midi d'orage, une mouette isolée s'était fixée pour toujours dans la mémoire de Catherine. C'était un jour de Pâques ; l'oiseau naviguait au-dessus des pommiers en fleurs et, liées par le sombre violet du ciel et l'épaisseur soufrée des feuillages, ces deux blancheurs, végétale et animale, l'une frémissant au vent, l'autre luttant méthodiquement contre lui, donnaient envie d'être peintre. Je devrais demander à Gonzague s'il peut rendre ce que furent ces blancheurs dans mon regard. Elle le revit, agitant les bras à l'instant où elle montait dans le taxi.

Pressée de chasser toute référence parisienne, elle s'agita et se haussa sur la pointe des pieds pour découvrir la crête de la falaise. Elle distingua alors un archipel de cubes blancs rehaussés de taches bleues entre lesquels des bulldozers d'un jaune cruel poussaient des hurlements de rage puissante. Ils étaient escortés de bêcheuses-perforeuses qui rugissaient parmi des démons d'un orange phosphorescent, casqués. Heureusement, la chambre conservait son odeur de moisi et de vétiver qui chaque année mettait un été pour disparaître et renaissait aussitôt après.

Juchée sur une chaise, elle explora les tiroirs supérieurs de son placard et, à travers de vieux vêtements de vacances, elle choisit une grosse jupe de coton rose hors mode qu'elle accorda à la diable avec un pull bleu ciel, des chaussettes blanches et des espadrilles bleu marine. Confortable, elle se coiffa et se borna, pour tout maquillage, à accentuer ses taches de rousseur. Bien qu'il fût près de onze heures, elle décida de prendre un petit déjeuner. Avant de gagner la cuisine, elle adressa un regard de gratitude à cette chambre joyeuse et chaste que le prolongement de l'enfance avait protégée contre les égarements adultes. Juste au-dessus du lit, entre les grosses fleurs du papier mural qu'elle avait tant de fois essayé de compter les soirs de fièvre, de vagues taches qu'on aurait pu attribuer au lichen témoignaient de l'entêtement avec lequel, petite, avant de s'endormir, elle avait joui du plaisir de curer son nez. Elle savait que derrière la table de nuit, en cherchant avec le doigt, elle retrouverait les vestiges durcis des bouts de chewing-gum qu'elle écrasait clandestinement en s'endormant.

Ayant trouvé du lait en poudre, elle se prépara un café au lait parce que ce breuvage faisait partie des vacances normandes. Les jambes écartées, les pieds posés sur la table de cuisine, satisfaite de se tenir mal dans cette maison sans risquer une remontrance de sa mère ni une moquerie de Nicolas, elle parcourait les revues qui s'étaient accumulées en attendant le retour de M. Daubigné. A travers des bulletins paroissiaux, des publications de pêche et de jardinage, elle entrouvrit les cahiers trimestriels du vieil Albon où elle s'attarda à lire la communication d'un des voisins, M. Lardy, un vieil ingénieur des Ponts et Chaussées, sur l'étymologie de Brévinville, où ville pouvait aussi bien venir de *valis*, vallée, que de *villa*, village, et Brévin, de divers noms d'hommes germaniques, *Berher*, *Bladher*, *Berulf*, que du nom d'homme latin *Brevannius* ou tout simplement de l'adjectif *brevis* qui pouvait tout aussi bien s'appliquer à l'exiguïté du village qu'à sa présence sur un raccourci entre la grande route intérieure et le golf. Toutefois, M. Lardy ne cachait pas sa prédilection pour une hypothèse favorable à saint Bregwin, archevêque de Canterbury au VIIIe siècle. Parce qu'il lui revint à l'esprit qu'Alavoine raffolait de la toponymie, elle reçut dans la figure la présence du bureau, imaginant l'inquiétude agressive de Marielle et les tentatives d'Yvette pour découvrir des explications au retard de Mme Esmelain. Parce qu'elle n'avait jamais mis en question ses devoirs envers le lycée, l'université, le bureau, Catherine considéra comme énorme d'avoir sans prévenir déserté pour céder à un caprice. Ce n'est pas un caprice ; je n'en pouvais plus.

Avec un certain effroi, elle découvrit qu'elle ne s'était pas réfugiée à Brévinville pour réfléchir et décider, mais pour oublier. Je me nettoie, mais après ? Le bourdonnement d'une abeille lui rappela la vertu du présent et, armée d'une paire de ciseaux, elle courut couper des fleurs dans le jardin. Quand elle revint, les bras alourdis par un gros bouquet, elle sifflotait. La balançoire, suspendue très bas à l'usage d'une Catherine et d'un Nicolas enfants, l'attira ; elle se laissa tomber sur la planchette, retenant paresseusement les fleurs répandues sur sa jupe. Du talon, elle imprimait de légers mouvements à la nacelle. L'odeur des fleurs et plus encore des tiges, des sèves, la protégeait. Elle retrouvait, l'ayant perdu sans s'en apercevoir, le pouvoir de ressentir des émotions gaies grâce à une fleur, un nuage, une abeille.

— Tiens, voilà des œufs, un camembert, du beurre, du pain et puis des radis, dit Pierre Langlois. Je les ai mis sur la note de tes parents, sauf les radis. Je te les offre. Je viens de les arracher. Ne les épluche pas, je les ai bien lavés.

Pierre Langlois avait changé ; au style pêcheur qui exigeait les cheveux en brosse il avait substitué un style guitariste avec ondulante chevelure. Mais elle retrouvait les fossettes, le menton en galoche, les très petits yeux bleus, les bonnes épaules du garçon qui, depuis qu'elle existait, était associé à l'été. La pureté de leurs relations la comblait. Elle aurait inspiré un conte à l'un des hebdomadaires pour petites filles qui survivaient au grenier. Agreste post-scriptum à ce conte : les cordes de la balançoire lâchèrent et Catherine, ayant chu de vingt centimètres, se répandit dans l'herbe en laissant aller la jupe pleine de fleurs.

Après le départ de Pierre, Catherine se donna le plaisir d'un pique-nique devant la maison. Elle en avait longtemps rêvé, mais sa mère, sur ce point, s'était toujours rangée à l'avis de M. Daubigné qui soutenait qu'on était mieux dans une salle à manger que dans la nature et que, si les hommes avaient construit des maisons, c'était par dégoût de l'herbe, matière sale et piquante où se promènent de petites bêtes noires. Mal installée sur un coude, elle fut, pendant ce repas bucolique, obligée parfois de se défendre pour ne pas donner raison à son père. Ce qui importait, c'était qu'elle était en train d'effacer sa nuit.

Sur les planchettes de bois blanc qui dans sa chambre tenaient lieu de bibliothèque elle était allée chercher quelques-uns des livres à travers lesquels s'était passée son enfance : un recueil de poèmes de Prévert où les porte-plume, comme le nom l'indique, volent, du Jack London où, dans la neige, entre chiens et loups, l'homme affamé et transi recompte les allumettes qui lui restent, des vies et des souvenirs de pilotes de guerre et un *Grand Meaulnes* que la puberté avait jeté en conclusion comme un trouble. D'ailleurs, Catherine s'était refait le grand Meaulnes selon son rêve ; le héros découvrait le château en traîneau, après avoir mangé sa dernière tablette de pemmican, puis repartait à la recherche du château en hélicoptère. Vite, l'héroïne avait pris la place du héros et c'était celui-ci qui au fond du château attendait d'être débusqué par elle. Car, en ce temps-là, Catherine poursuivait son rêve de devenir pilote de chasse ou d'essai et d'épouser un pianiste. Le plaisir de lire en mangeant la consola de la dureté de l'herbe. Dans sa famille, lire en mangeant était du dernier vulgaire ; par la suite, déjeunant le plus souvent au restaurant avec Marielle, dînant avec Marc, elle avait été freinée dans son vice. Bonheur supplémentaire : elle fit pipi sous un pommier, les fesses caressées par les brins d'herbe, audace qui l'avait toujours enchantée mais que toujours elle ne s'était permise qu'avec inquiétude, craignant les regards des fenêtres. Elle se reculotta tranquillement, ne sachant si elle regrettait l'interdit délicieux à enfreindre ou si elle appréciait plus sa liberté, mais somme toute contente.

L'air s'était épaissi, elle bâilla, puis monta s'allonger sur son lit. Décidée à resserrer les amarres avec son enfance, elle ouvrit, après les livres, le journal qu'elle avait tenu entre treize et dix-sept ans.

Un jour, sans raison, son père lui avait dit : « Tu

devrais tenir ton journal. » Elle avait répondu : « Maman le trouverait. » — « Cache-le intelligemment. » Le cahier destiné à l'écriture du journal, elle l'avait aussitôt acheté et lui avait trouvé deux cachettes, à Paris derrière le rideau d'une cheminée, à Brévinville sous la doublure déchirée d'une vieille malle. Un peu plus tard, elle avait dit à son père : « Ça y est, je le tiens, mon journal. » — « Il y aura des moments où tu en auras assez. Impose-toi de continuer. » Encore qu'elle fût assez fière de certains passages, elle avait apprécié que son père ne lui demandât pas de lui en lire un morceau. Elle s'était sentie respectée et confirmée dans son existence.

Certains textes étaient escortés en marge par un pointillé rouge. Elle sourit de la probité avec laquelle elle avait tenu à signaler les paragraphes où elle avait prêté une réalité à ses rêves. La marque rouge signifiait : ne me croyez pas. La vie parallèle que par moments elle s'était inventée était le négatif de celle qu'elle menait : « Ce soir, Mme de L... a été superbe et le salon présentait un coup d'œil charmant grâce à une quantité de jolies femmes ; la ravissante Clio a joué de la harpe à merveille. » « Cette nuit, après mon bain, mon corps et mon visage sont devenus subitement si jolis que dans la glace j'ai passé vingt minutes à regarder mon âme à travers eux. Ma femme de chambre m'a dit : *Mademoiselle Sabine, je voudrais qu'une femme qui serait votre rivale vous voie en ce moment et rende les armes face à votre perfection.* Ce sont des instants privilégiés que ceux durant lesquels je ne doute pas de moi. » Elle s'était inventé un héros qu'elle appelait le bien-aimé. « J'attends ton rire clair, ta caresse profonde, tes baisers qui font mal, mon bien-aimé. Tu parles comme Boris Vian, ta voix ruisselle, tu as des lunettes, tu marches comme un fauve, tu as un art du toucher complexe et cruel, tes doigts étranglent savamment. » Souvent, le stigmate rouge visait les sentiments qu'elle s'attribuait : « Un peut-être me fait frissonner...

mon impatience nuit à la qualité de ma mélancolie. Enfant songeuse et triste, les yeux clos, je suis prête à mourir tout le long de ma vie... Je suis faite pour l'ombre, le deuil et le mystère, les roses d'hiver fanées dans la cendre, les douloureuses ardeurs de l'automne. Inaccessible, je jouerai de l'accordéon et je boirai le vin des étoiles dans une perpétuelle solitude. »

Plus âgée, vers dix-huit ou vingt ans sans doute, Catherine avait relu son journal et avait signalé en rouge les mensonges que lui avait inspirés sa crise de romantisme ; en rouge aussi, elle avait formulé quelques observations qui se voulaient supérieures et lucides, mais reflétaient le regret enfantin de ne pas être un garçon : « Ce n'est pas faux, c'est femme. L'obsession de l'avenir, du bonheur, du destin, est naturelle aux femmes et aux faibles. »

Le reste du journal était précis et visait à rendre sobrement et exactement le quotidien. Catherine décrivait une nouvelle robe, un repas qu'elle avait trouvé bon, une partie de pêche, relatait des conversations avec Marielle, analysait les caractères de ses camarades, de ses professeurs, de ses flirts. Elle n'évoquait jamais celui de ses parents, sauf de Nicolas qui apparaissait toujours ridicule et rustaud.

Ce que Catherine cherchait dans les petits cahiers multicolores qui jonchaient le lit autour d'elle, elle l'avait trouvé : la confirmation de sa pureté originelle ; le droit de refuser comme contraires à sa nature les abysses où on l'entraînait ; le solide plaisir de se retrouver saine en un lieu préservé, dans une maison où jamais les troubles du sexe ne l'avaient salie. Elle résistait au sommeil, tenant pour un principe qu'on ne doit pas dormir dans la journée, et ne s'y abandonna qu'en se rappelant brusquement qu'elle n'avait pas fermé l'œil de la nuit.

La chaleur était épaisse, humide. Catherine s'enfonçait pesamment. Quelques heures plus tard, elle perçut qu'elle remontait avec la même lenteur harassée vers la surface. Par l'entrebâillement de ses paupières, elle reçut une lumière cendrée, amortie par le crépuscule, puis découvrit que sa main était glissée sous sa jupe. Elle referma les yeux et laissa l'événement se poursuivre jusqu'à son terme. Pendant les derniers spasmes, une plainte lui échappa qu'elle prolongea volontairement.

Assise sur le bord du lit, elle regardait droit devant elle sans rien voir. Le chœur des oiseaux exaspérés par la chute du jour traversait ses oreilles. Elle retrouvait le sexe qu'elle avait cru fuir ; la pureté de la chambre, l'innocence de la maison, l'honnêteté de son enfance, s'en étaient allées comme une fable. L'abandon auquel elle venait de se laisser aller, elle s'en était rendue coupable dans ce lit, à l'époque où elle avait préféré noter dans son journal ses extases devant l'automne et les étoiles. Pis, elle revit Marielle couchée contre elle. Elle se demanda comment, la veille, elle avait pu recevoir dans son bureau Marcel Perrette sans se rappeler que, six ou sept ans plus tôt, alors que leurs parents jouaient au bridge en bas, il l'avait prise dans cette chambre. Préparant le même examen, ils avaient travaillé en camarades comme d'habitude, puis, au moment de se quitter, s'étaient donné un baiser involontairement proche de la bouche et Catherine s'était retrouvée sous ce garçon qu'elle n'avait jamais désiré. Le lit était si bruyant qu'elle avait eu la certitude qu'en dessous les bridgeurs les entendaient. Dans le couloir, elle avait reconnu le pas de Nicolas. La peur que la porte s'ouvrît lui avait donné un déplaisir puissant comme un orgasme.

Sous les pommiers, elle retrouva la nuit. Les oiseaux s'étaient tus, relayés par la rumeur de la marée montante.

Dans la cuisine, le bruissement des insectes la harcela. Elle dînait sans faim, par principe. Après un œuf à la coque, elle avala les fraises que Pierre Langlois avait apportées pendant qu'elle dormait. Même cette attention concourut à salir la clarté de Brévinville. Elle se rappela qu'à treize ans, quand, agenouillée, elle arrachait des asperges avec Pierre, elle aimait sentir le regard du garçon sous sa jupe. Quelques années plus tard, au retour d'un bal du 14-Juillet, elle lui avait permis des caresses précises et même de lui retirer son blue-jean. Cela s'était passé à l'arrière d'une voiture pendant qu'à l'avant Marielle accordait au fils du notaire des faveurs sans doute plus poussées.

Elle se coucha précipitamment, voulant passionnément s'endormir pour s'absenter. Le clocher du village ponctuait l'écoulement du temps avec une clarté et une force qui donnaient à supposer un bon vent du nord. Celui-ci bousculait les feuillages et les volets qui tapaient contre la fenêtre. L'occasion était bonne de se calfeutrer dans une des cahutes de Jack London au fond de la vallée blanche, face à un lac balayé par la tempête. Mais les draps étaient doux, tièdes et le corps de Catherine très chaud, trop lisse, appelait des caresses plus qu'il n'évoquait l'Alaska.

Dans le cabinet de toilette, elle trouva les somnifères. La boîte était pleine. Les vingt petits faiseurs de sommeil dormaient dans le papier d'argent. Il suffisait de les absorber tous pour oublier définitivement la mauvaise odeur du veilleur de nuit de l'hôtel. Elle se demanda si Alavoine avait hésité quand il était arrivé en vue de la mort. Elle dégageait un à un les comprimés qui jaillirent nus et jaunes de leurs robes brillantes. Il étaient tout petits. Quelques lampées d'eau aidant, les vingt seraient vite avalés.

A l'étage du dessous, dans le secrétaire bancal, il y avait le revolver avec lequel Mme Daubigné avait failli massacrer tout le monde. Catherine se rappela la nuit où sa mère avait inventé le passage du rôdeur et brandi l'arme. Nicolas pleurait, cet imbécile. Je me le rappelle très bien, ce rôdeur, il était rude et tendre et marchait pesamment comme Alavoine. Si on se tue avec un revolver, est-ce qu'on entend la détonation ? Alavoine l'avait-il entendue ? Catherine détestait le 14-Juillet à cause des pétards dont l'éclatement lui donnait de la fièvre.

Un oiseau de nuit prolongea son cri sceptique. Catherine n'avait jamais eu peur des chouettes. Elle en avait même touché une dont le plumage était chaud. Alavoine ressemblait un peu à une chouette.

Elle fouilla dans son sac. Il eût été sot de disparaître sans céder à la curiosité d'ouvrir la lettre ultime d'Alavoine. Elle déchira l'enveloppe.

Anatole mon cher vieux,

Catherine s'attendait à tout, sauf à s'appeler Anatole. Elle mit un moment à comprendre qu'Alavoine, en glissant les lettres dans les enveloppes, avait fait une erreur. Quand elle était petite, les adultes lui avaient appris, sans y croire eux-mêmes, à respecter toute lettre destinée à un autre et une bonne part de ce qu'on lui avait inculqué alors avait tenu bon ; elle n'aurait peut-être pas lu la lettre si, en l'entrouvrant, elle n'était pas tombée sur son prénom à la fin d'une ligne.

Anatole, mon cher vieux,

Si tu reçois cette lettre, j'aurai fait volontairement en sorte de rendre mon âme. Rappelle-toi, sur les flancs des vases antiques, ces mourants qui exhalent par la bouche la petite figurine, l'eibolon, qui est leur soi enfin libéré.

J'avais quinze ans quand ma tante m'alerta : elle priait chaque jour Dieu pour qu'à la résurrection des corps ceux des femmes réapparaissent sans vagin — sans cette brèche qui les voue à souhaiter la victoire et la domination d'un envahisseur, donc qui nie l'intégrité de leur âme. Plus tard, avec Plotin et Porphyre, j'ai étendu le scandale de l'existence du sexe à l'homme, scandale lui-même inhérent à un autre, celui de la création qui emprisonne notre âme dans un corps et la prostitue à ce cadavre-fumier.

Tu as fort bien écrit sur Platon, sur Plotin, sur les

néo-platoniciens et les gnostiques, mais en les considérant comme des faiseurs d'idées et en te considérant comme un historien des idées. Tu penses celles-ci sans imaginer qu'on les puisse vivre. Pour toi, Platon fait semblant de croire que la création est un événement historique datable et tu penses qu'il n'accordait lui-même au Timée que la valeur d'un mythe (1). *Je me demande, moi, si Platon n'a pas, pour vivre, été obligé de croire que Dieu, qui ne pouvait créer que des êtres éternels comme lui, avait confié à une divinité subalterne le soin de fabriquer les corps d'une durée de vie limitée. Ce n'est pas le goût des idées mais une angoisse pressante qui a établi chez les néo-platoniciens et les gnostiques le double règne d'un dieu des âmes et d'un démiurge de la matière jusqu'à en arriver à les représenter comme ennemis.*

Je vis le conflit du dieu et du démiurge, je le vis sans être convaincu de sa réalité parce que j'ai besoin de ce thème dualiste aussi bien pour respirer que pour fixer l'instant où je ne respirerai plus.

En ce moment, j'ai remis à plus tard l'acte qui me libèrerait du règne du démiurge parce que je m'abandonne à l'illusion qu'il y a des lieux privilégiés où une entente se produit entre Dieu et le démiurge. Une femme nommée Catherine m'en donne la certitude, c'est-à-dire l'illusion. Que celle-ci vienne à se déliter, je reprendrai mon projet et tu recevras cette lettre. Mais ne me crois pas assez sot pour gémir parce que le monde n'est pas aussi pur qu'il devrait être et élever des imprécations à partir d'un idéal bafoué ! Et, si tu reçois cette lettre, ça signifiera tout bonnement que je me suis aperçu que j'en avais définitivement plein le dos. Vale.

---

(1) Dans une note écrite postérieurement avec une encre différente (verte au lieu de noire), Alavoine avait ajouté : « De même, Freud croyait que le meurtre du Père avait eu lieu historiquement et ne tenait aucun cas des observations des ethnologues. »

Elle avait lu tout en faisant glisser les comprimés d'une main dans l'autre comme sur une plage on joue avec du sable. Pendant que la lettre glissait à terre, elle les secoua dans sa main. Le vernis doré dont les parait la lumière de l'électricité imitait l'éclat maléfique d'un trésor qui attirait et repoussait Catherine alternativement à la cadence du sang qui lui battait dans les oreilles.

XVIII

Alavoine se hissa avec lenteur sur la balustrade et posa le pied sur la terrasse. Malgré la nuit, il était facile à reconnaître et Marielle ne ressentait aucune surprise parce que, dès le début de l'inondation, elle avait su qu'il apparaîtrait.

Quand l'eau avait commencé à monter dans l'avenue Mozart, des rats avaient traversé la terrasse, fuyant l'inondation et précédant Alavoine comme un troupeau son berger.

Les réverbères au fond de l'eau continuaient d'éclairer et une clarté sous-marine baignait la terrasse et la chambre où Marielle attendait. Elle était agenouillée sur l'un des lits. Il y avait une dizaine de lits rangés comme des voitures dans un parking. Ayant traversé la terrasse en diagonale de son pas de scaphandrier, Alavoine entra dans la chambre, monta sur le premier lit et se rapprocha en sautant péniblement de lit en lit.

— Non ! cria Marielle.

C'était un cri intérieur. Elle sentait qu'aucun son n'échappait de sa bouche. Elle voulait désespérément s'enfuir, son corps était inerte.

A mesure qu'il approchait, Alavoine rétrécissait. Parvenu au lit le plus proche, il n'était guère plus gros qu'un grand pot de Nescafé. Ce fut la comparaison qui vint à l'esprit de Marielle. Du Nescafé décaféiné avec une petite tête et de petites pattes comme un rat.

Une seule liberté de mouvement restait à Marielle, celle de ses doigts qui caressaient son phallus. Cette caresse lui donnait un plaisir qui nourrissait sa peur. Elle savait qu'Alavoine était décidé à lui arracher ce phallus qu'elle possédait enfin et qu'elle méritait depuis toujours. Avec ses griffes, il venait l'arracher pour laisser à sa place une plaie.

Comme il sautait, Alavoine tomba et disparut entre les deux lits. Elle l'entendait courir sous le sommier. C'était le moment de l'écraser. Elle réussit à bouger, trouva sous sa main le cône métallique de sa lampe mobile et appuya sur le bouton. Assise sur son lit, elle contempla sa chambre qui avait repris son aspect habituel.

Elle ne goûtait pas le soulagement d'avoir échappé à un cauchemar. Puisqu'elle pouvait crier maintenant, elle cria :

— Non !

Elle ferma les yeux, ce qui est inutile lorsque l'image que l'on veut chasser est à l'intérieur de soi. Précipitamment elle les rouvrit. Le téléphone était à la portée de sa main. Elle décrocha, composa le numéro et entendit la sonnerie. Elle resta suspendue à cette sonnerie comme si sa vie en dépendait. Elle désespérait d'entendre le déclic quand il se produisit. La voix de Catherine répétait « allô ». Marielle respirait fort. Enfin elle réussit à dire :

— Ah, Catherine, tu es là...

— Marielle !

— Je te réveille ? J'avais tellement besoin d'entendre ta voix.

— Mon absence a fait un drame au bureau ?

— Aucun. Ne t'inquiète pas.

— Alors, attends une seconde, je suis descendue dans le noir, je vais allumer.

Catherine posa l'appareil qui était installé sous l'escalier dans le salon, tâtonna jusqu'au commutateur et revint.

— Comment as-tu appris que j'étais à Brévinville ?

— J'en étais certaine, mais je ne sais pas pourquoi. Tu dormais ?

— Tu veux que je rentre demain ?

— Reste quelques jours si tu en as envie. Je t'appelle juste pour être rassurée par ta voix.

— Ma voix te rassure ?

— Tu ne t'en étais jamais aperçue ?

Après un silence, Marielle lança :

— J'étais vraiment mal. Maintenant ça va. Je pourrai dormir.

— Je serai au bureau après-demain. Mon absence a dû être très gênante.

— Je te dis que ça s'est très bien passé ! Ça te vexe ?... Je te taquine. On a hâte de te revoir. Cet après-midi, Yvette était tellement énervée par ton absence qu'elle a pleuré !

— Pauvre Yvette !

— Et les autres, qu'est-ce que je leur dis ?

— Quels autres ?

— Tous ! D'abord Marc qui est dans tous ses états !

— Il est dans tous ses états ! Tu es sûre ?

— Et puis tes parents. Jusqu'à Gonzague qui a appelé dix fois au bureau.

— Il a vraiment appelé dix fois ?

— Et ils vont recommencer demain.

— Dis-leur que je rentre.

— Tu me téléphones dès que tu rentres !

— Je te promets.

— Je t'embrasse, Catherine, bonne nuit.

— Bonne nuit aussi, je t'embrasse.

A la cuisine, Catherine dévora une tartine de camembert escortée d'un verre de vin rouge. La fenêtre était ouverte et une branche d'arbre bien feuillue enlaçait une étoile bien claire. Elle remonta se coucher et s'endormit aussitôt sans s'en apercevoir.

Le ciel était d'un bleu franc quand elle poussa les volets. Pierre Langlois la trouva dans le jardin assise sur le banc, prenant son café au lait en plein soleil. Il était drapé dans un grand tablier bleu et traînait une bêche.

— Je rentrerai par le dernier train, expliqua-t-elle. Je m'offre encore une bonne journée de vacances.

— Tes parents seront là dans quelques jours, je me dépêche de finir le jardin. Les pneus de ton vélo, je les ai gonflés si des fois tu veux le prendre.

Elle le remercia, finit sa tasse en bavardant, puis gravit les marches du perron en sachant fort bien que le soleil la déshabillait sous les yeux de Pierre. Qu'il ignorât qu'elle le sût lui donna un plaisir qu'elle ne jugea pas hypocrite, mais d'une féminité si profonde qu'elle le considéra invulnérable à la mode de l'égalitarisme sexuel.

En se coiffant, elle décréta que son lit était brave et innocent malgré les plaisirs qu'elle y avait pris, que si elle avait oublié l'étreinte de Marcel Perrette c'est parce qu'en soi un acte sexuel peut n'avoir rien d'inoubliable donc d'indélébile. Elle éclata de rire en se rappelant que, l'avant-veille, elle avait conseillé à Perrette de remonter sa braguette et décida qu'il était très agréable d'être une femme et sûrement aussi d'être un homme et d'être sur terre.

Sur la route, elle pédalait avec enthousiasme. Elle savait par cœur le dessin de chaque tournant, la valeur de chaque côte et le paysage qui défilait venait s'adapter comme un calque à celui qu'elle avait dans la tête. Quand elle dépassa le calvaire de granit, elle ralentit pour recevoir le parfum qu'elle attendait, celui du chèvrefeuille. Elle descendit et détacha de la haie une fleur dont elle glissa la tige entre ses dents.

Elle recouvrait le pouvoir, grâce à un petit plaisir, de s'élever sur une vague de bonheur. Ce parfum prouvait que la vie était délectable. Le mot *chèvrefeuille* était le plus beau du monde. Elle l'avait pensé toute petite et aimait en être toujours certaine.

La route montait pour atteindre une crête de la même hauteur que la falaise, d'où une pente douce menait à l'estuaire et au port. Catherine pédalait « en danseuse », les cuisses battues par la jupe qui brassait un courant d'air tiède. Un garçon en vespa, après avoir doublé, se retourna. Regarde-moi tant que tu veux, je le sais que j'ai de belles jambes. Sertissant la crête, le mur du cimetière apparut, signifiant que le temps de compter jusqu'à dix la mer serait en vue. Les coups de vent de la nuit ne l'avaient pas troublée. Elle apparut lisse et brillante comme les toits d'ardoise du village. La selle se glissa de nouveau entre les cuisses de Catherine qui se laissa descendre au chant régulier de la roue libre. Une tonique odeur de bitume chaud montait de la route. J'aimerais bien faire l'amour, mais je peux m'en passer, je suis contente.

Bien que le village de Brévinville et le port de Borcaux ne fussent distants que de cinq kilomètres, entre les terriens et les pêcheurs l'altérité était complète et, bien que les vacances d'été fissent des uns et des autres de semblables exploitants du tourisme à peine commençaient-ils, sous une demi-réprobation, à se marier ensemble. Catherine avait chez les gens de Brévinville des copains qui ne connaissaient pas ses copains de Borcaux. A Brévinville, l'éventualité d'un coup de vent ou d'une pluie concernait les cultures, à Borcaux elle était liée à la lutte sur la mer. Les gens de Brévinville, même soldats, ne s'en allaient que dans les terres ; ceux de Borcaux avaient rapporté des coraux océaniens et des masques de Côte d'Ivoire, poussiéreux, qui encombraient leurs maisons.

Catherine entra au café Blot qui faisait crêperie en été. Elle subit avec plaisir les embrassades de la famille Blot, commanda un blanc, ferma ses oreilles pendant tout le temps où il lui fut démontré que le retard de Borcaux sur Brévinville allait être rattrapé, ce retard étant absurde puisque les gens aujourd'hui préfèrent passer leurs vacances au bord de la mer qu'en retrait : le lotissement avait poussé, on finissait de construire deux hôtels sous le cimetière dont l'un ouvrirait cette saison, une colonie de vacances était prévue ainsi qu'une résidence le long de l'estuaire, il suffisait de couper les arbres devant la chapelle pour faire un parking et il y aurait même un sens interdit à partir du 1er juillet.

— Est-ce que vous pouvez me mener au Verdou ?

Munie d'un sandwich et d'une bouteille de bière, elle descendit avec Bernard Blot, le fils aîné, dans le bateau de pêche qu'elle connaissait bien et, en cinq minutes, ils atteignirent le rocher du Verdou où elle avait passé tant d'heures avec Marielle et parfois Nicolas quand elles n'arrivaient pas à se débarrasser de lui. Bernard, qui avait deux ans de moins que Catherine, avait toujours été sensible à elle. Mais il ne la tutoyait pas comme Pierre Langlois et ne s'était jamais permis de privautés. Quand il lui avait annoncé son mariage, elle avait, l'espace d'une seconde, lutté avec un mouvement de dépit qui aussitôt après l'avait amusée. Tous les mariages de ses anciens soupirants, de simples camarades même, la titillaient comme une offense et ce mouvement de vanité, qui était peu dans son caractère, lui plaisait parce qu'elle y trouvait la persistance de ses rêveries enfantines.

L'îlot rocheux, face au large, surplombait des fosses assez profondes, mais du côté de la côte, il s'achevait par une grève qui parfois, à marée basse, le reliait à la terre. Bernard pria Catherine de sauter quand le fond sableux se rapprocha. Elle s'assit sur le bord et se laissa glisser dans l'eau en soulevant sa jupe. Il la regarda marcher dans l'eau jusqu'au rivage où elle se retrouva pour lui crier au revoir.

Dès que la barque se fut éloignée, Catherine, qui s'était assurée que sa solitude était complète, se dévêtit. Dans quelques jours, les vacanciers planteraient leurs parasols et des moteurs de hors-bord crépiteraient ; elle s'enorgueillit du privilège d'être nue.

L'eau était fraîche, mais en peu d'instant son contact devenait agréable. Catherine s'était allongée sur le dos, laissant les petites vagues plates ruisseler sur elle, puis la découvrir. C'était Marielle qui, l'année du bac, l'avait incitée à se baigner sans maillot, se gardant d'en faire autant et la surveillant avec une vigilance protectrice.

Catherine nagea jusqu'à la fatigue, puis revint s'allonger sur la serviette qu'elle avait tirée de son sac. Il faisait très chaud. La journée s'écoulait insensiblement. Les mouettes qui passaient au-dessus d'elle n'étaient pas vénéneuses comme celles qui frôlent les fleurs de pommiers sous l'orage : c'étaient d'honnêtes oiseaux blancs sur un honnête ciel bleu.

A petits pas, elle foula le sable clair, presque blanc, en de rares endroits injecté de vase noire ou taché de goudron, en d'autres saupoudré d'or. Comme elle en gardait la tradition depuis son enfance, elle effleura de son pied la peau dure et scandalisée des étoiles de mer. Puis elle dévora son sandwich, but sa bière et déchira joyeusement quelques figues que Mme Blot avait glissées dans le sac. En fumant une cigarette, elle relut un peu du Jack London qu'elle avait emporté, savourant ensemble la peur que le loup ne rattrapât l'homme et la certitude de savoir qu'il ne le rattraperait pas.

Elle s'aperçut qu'elle avait dormi. Elle continuait de récupérer la nuit blanche de l'hôtel de Byzance dont le souvenir tout à coup la fit rire. Elle revit son attirail de putain gisant épars sur la moquette quand elle était revenue se changer, avant de filer à la gare, et elle se demanda comment elle avait pu prendre cette comédie au tragique. Même le moment où elle avait ouvert la porte au concierge était un souvenir auquel elle tenait. Deux barques passèrent, mais assez loin pour que Catherine pût juger sa pudeur sauve. Elle se baigna de nouveau, s'abandonna de nouveau à la chaleur et retrouva un geste coupable dont la culpabilité lui parut délicieuse. Marc, je te raconterai que j'ai fait ça toute nue au bord de la mer. C'est pour te le raconter que je le fais. Je t'aime, Marc.

Le grondement assez proche d'un moteur l'inquiéta. Elle lutta pour sortir du tunnel où le plaisir l'enfermait, souleva la tête et entre ses genoux, reconnut la barque de Bernard qui venait la rechercher. La barque était encore loin. Avec fièvre, Catherine s'engouffra de nouveau. Son plaisir était aiguisé par la peur qu'il ne parvînt pas à son terme. Enfin ses soupirs devinrent un cri. Elle resta crispée quelques secondes, puis se dressa et se rhabilla avec précipitation. La barque était parvenue au bord de la plage, mais, la mer s'étant beaucoup retirée, Catherine dut courir un moment sur le sable humide qui enfonçait sous ses pas en chuintant. Elle entra dans l'eau. Bernard l'aida à se hisser tout essoufflée.

— Ce que vous êtes rouge !

— C'est le soleil, répondit-elle en lui posant un baiser sur le nez.

Pendant le trajet, ils ne se parlèrent pas. Le silence seyait à Bernard qui avait de beaux yeux. A cause de la marée descendante, ils accostèrent au bout de la jetée, puis regagnèrent ensemble le bistrot. Mme Blot entraîna Catherine vers la cuisine et lui emplit une bassine d'eau où elle se lava les jambes qu'un sable vaseux avait souillées. Avec un peu de pétrole, elle effaça sur ses pieds les taches de goudron. Il y avait là Mme Blot, sa fille Marguerite et Paulette, la femme de Bernard, plus une petite fille de quatre ans qui avait mis dans un verre d'eau le chèvrefeuille oublié par Catherine. Cette bonne atmosphère féminine plaisait à Catherine qui s'attarda avant de remonter sur sa bicyclette.

En vingt minutes, sous un soleil encore très chaud, elle regagna Brévinville. Elle reconnut les gestes qui lui étaient familiers pour appuyer sa bicyclette à la façade de l'église, monter en diagonale les marches du parvis, manœuvrer la poignée hoquetante et tremper ses doigts dans le bénitier. Petite, elle avait inquiété son père par sa ferveur. Elle passait des heures dans l'église à disposer des fleurs sur les autels et même à repasser des surplis.

Le facteur montrait la bicyclette à Marc qui était au volant de sa voiture.

— Je l'ai vue passer dessus il y a deux minutes. Si elle l'a posée là, c'est qu'elle fait des courses dans le coin.

Après avoir rangé sa voiture sous les arbres, Marc suivit la façade de l'église et s'adossa à côté de la bicyclette. La crainte lui vint, si Catherine avait décidé de le fuir, qu'elle s'esquivât en l'apercevant. Il battit en retraite sous la halle d'où il pouvait surveiller discrètement la bicyclette. Les gens le regardaient, certains qui devaient le connaître le saluaient, il avait l'air d'espionner sa femme. Il décida de se rasseoir dans sa voiture.

Après une journée où chaque minute lui avait coûté des heures à franchir, Marc n'avait guère dormi de la nuit. Quand, dans la matinée, il avait été rassuré par Marielle, il s'était précipité sur un steak, n'ayant pas mangé depuis l'avant-veille. La route lui avait semblé longue, mais son impatience était joyeuse et il se demandait comment il avait pu surmonter la journée précédente où il lui était arrivé d'éprouver la certitude que Catherine n'était plus. Le supplément d'attente qu'il subissait, le regard braqué sur la bicyclette, le fatiguait comme la fin d'une course ; il enfonçait ses ongles dans ses paumes.

Elle était apparue sur les marches de l'église. Il la regardait descendre, doutant encore de l'évidence. La veille, errant à travers l'île Saint-Louis, il avait souvent cru reconnaître Catherine. Son cerveau avait décomposé Catherine en une multitude de détails et, que l'un d'entre eux apparût, l'illusion qu'elle apparaissait se produisait. A cause d'un sac identique à celui de la jeune femme, il la reconnut une seconde dans une rousse deux fois plus grande qu'elle, puis dans une contractuelle qui enjambait le trottoir avec un élan excessif, et même en Tilly parce qu'elle portait un jean retroussé en bas comme Catherine parfois.

En sortant de la voiture, Marc rabattit la portière dont le claquement attira l'attention de Catherine, rêveuse sur la dernière marche. Elle le regarda approcher. Elle ne présentait pas son apparence habituelle, portant du rose et du bleu ciel et ayant conservé sur la nuque la couette qu'elle s'était faite pour le bain, et Marc découvrait qu'elle n'existait pas par des détails mais par une manière d'être, un dessin qui lui était propre.

— Alors, je ne peux même pas jouer à la fille tranquillement, tu viens me relancer jusqu'ici !

— Ah, Catherine, si tu savais !

Elle s'inquiéta, le croyant porteur d'une nouvelle grave, mais comprit vite qu'il évoquait les affres qu'il avait subies. Elle rit et glissa son bras sous le sien.

Elle l'avait entraîné derrière l'église, dans un bistrot nommé « le Boui ». On disait aussi « le Boui du Sanéchal » parce qu'il était tenu par un quadragénaire tatoué qui s'appelait Sanéchal et parlait de lui à la troisième personne : « Sanéchal sent venir sa crise de goutte, probable qu'il n'ouvrira pas demain. » Cet homme qui n'aimait vivre que dans l'infraction avait séduit Catherine ; il servait de l'absinthe à ses intimes et, après la fermeture de la chasse, du gibier dans sa petite arrière-salle. Né à Borcaux, brouillé avec sa famille, il n'avait rien trouvé de plus éclatant pour renier ses origines que de s'établir à Brévinville.

Il fit des grâces bougonnes à Catherine qui y allait de tout son charme et bavardait fougueusement avec les habitués. Elle savait qu'elle irritait Marc en jouant à l'enfant du pays ; dans le Midi, elle-même avait raillé la vanité que certains de ses amis tiraient de leurs bonnes relations avec les joueurs de boules indigènes.

— Quand il servait dans la marine, Sanéchal a

déserté. Tu ne l'as jamais entendu raconter comment il s'est réfugié pendant plusieurs jours et plusieurs nuits dans le métro à Paris ?

— Si.

— La nuit, il se planquait dans les tunnels pour dormir. Le jour, il vagabondait au hasard des lignes.

— Je ne suis pas venu souvent à Brévinville, mais tu le lui as déjà fait raconter trois fois.

— J'aime bien cette histoire. On lui offre un verre ?

— Si tu y tiens.

Sanéchal s'assit devant un rouge et, à l'incitation de Catherine, raconta comment il s'était fait une certaine idée de Paris en roulant sous la terre.

— Vous croyiez, s'écria Catherine avec exaltation, qu'il y avait un arc de triomphe étincelant sur la porte Dorée, que la porte des Lilas croulait sous les fleurs et la place Blanche sous la neige, qu'il y avait des stations vouées à la gaieté, à la plaisance, à la concorde...

— Place des Fêtes, Bonne Nouvelle, Couronnes, Bel-Air, Liberté, acheva Sanéchal qui connaissait son répertoire.

Dès qu'il se fut éloigné, Marc dit à Catherine :

— Ne me refais plus le coup de disparaître. Il faut que tu saches que je ne vis plus.

— Pourquoi ?

— Je ne peux pas vivre quand j'ai peur que tu aies cessé de vivre. Ou que tu subisses des malheurs...

Il la regarda.

— Ça t'amuse ce que je te dis ? demanda-t-il.

— Depuis ce matin, je suis de bonne humeur. J'ai bruni.

— Déjà, quand tu étais en Tunisie et que tu n'étais pas rentrée à l'hôtel à cause de l'inondation, j'avais failli en crever. Catherine, je veux que tu saches que j'ai téléphoné hier à l'avocat et que j'ai fait arrêter et annuler la procédure en divorce.

— Tu me croyais morte, alors tu estimais le divorce superflu ? Regarde comme j'ai bruni.

Protégée par la table, elle lui montra ses genoux, puis découvrit ses cuisses si haut qu'apparut la pointe d'une toison sombre et épaisse. Elle ne regardait pas Marc, mais Sanéchal qui rinçait des verres en leur tournant le dos. A l'époque où elle avait cessé de souhaiter devenir pilote, elle avait rêvé du visage toujours mal rasé de Sanéchal. Comme il était un peu rebouteux, on le faisait venir pour guérir Catherine d'un lumbago. Avec ses grosses mains sales il soulevait la chemise de la fillette. Des mains sales comme celles de Gonzague.

— Allons faire l'amour, dit Marc.

— A Brévinville je ne veux pas.

— Prenons la voiture, rentrons à Paris.

— J'ai envie que tu me battes.

— Je te battrai.

— Reprenons un verre.

Marc cria :

— Monsieur Sanéchal, la même chose !

A peine les verres furent-ils sur la table que Catherine vida le sien d'un trait. Elle se leva et sortit par une petite porte qui donnait sur une cour encombrée de détritus. Au milieu de celle-ci s'élevait une cabane qui portait fièrement le chiffre 100 en goudron. Elle entra, s'accroupit dans un grésillement de mouches, se releva et traversa prestement la cour pour sortir dans la rue par un couloir encombré de vieux pneus.

A peine dans la rue, elle se mit à courir vers sa bicyclette. Cinq minutes plus tard, elle se précipitait dans la villa où elle échangeait son sac de plage contre un sac de ville. Puis elle déboucha chez les Langlois et elle obtint de Pierre qu'il l'amenât en voiture à la gare, puis qu'il revînt fermer la villa. Un train partait cinq minutes plus tard pour Lisieux, elle le prit. Le ciel était encore transparent et ardent, mais l'ombre avait envahi la campagne qui défilait lentement. Le petit train s'arrêtait dans toutes les gares.

A Lisieux, il lui fallait attendre cinquante minutes le train de Paris. Elle en profita pour aller manger des œufs sur le plat au buffet. Puis elle s'attarda aux toilettes pour se recoiffer et se maquiller. Elle souriait en montant dans le train de Paris.

Autour d'elle il n'y avait que des hommes. Ils n'étaient ni beaux ni même attrayants, mais deux d'entre eux appuyaient leurs regards sur la jeune femme jolie qui était très satisfaite d'être une jeune femme jolie et rêvait d'un air digne.

A la gare Saint-Lazare, elle se méfia et rit de plaisir quand elle découvrit que sa prudence se justifiait : Marc se tenait à l'extrémité du quai, le regard aux aguets. Elle avait calculé qu'il mettrait un quart d'heure à s'étonner de sa disparition et à retrouver sa trace dans Brévinville, un autre quart d'heure à apprendre qu'elle avait pris le train et elle avait deviné qu'il arriverait à la gare Saint-Lazare avant elle.

Cachée par des chariots de bagages, elle atteignit l'autre quai. Elle se retourna et, à travers les mouvements des voyageurs, elle aperçut encore la silhouette de Marc à qui du bout du doigt elle envoyait un petit baiser avant de reprendre la fuite.

Il était encore temps de sauter dans l'un des derniers métros, mais Catherine se trompa d'escalier. Tombant tout à coup au milieu de Paris, elle fut étonnée par les lumières et le souffle de la capitale comme si elle l'avait quittée depuis très longtemps. Elle se réfugia dans un taxi, tout en se promettant d'entrer dès le lendemain dans une ère d'économies.

Les femmes confondent volontiers leur bon plaisir avec le destin. Catherine s'abandonnait au mouvement de la voiture en se disant que, si elle ne *le* trouvait pas, ce serait un signe devant lequel elle s'inclinerait.

En descendant du taxi, elle commença à se voir à la troisième personne. Une jeune femme coupable débarque à la porte de son amant.

Devant la porte cochère elle hésita. Un des battants était entrouvert. Elle le poussa et se décida à entrer. Elle ne trouvait pas la minuterie ; sous sa paume, le mur était apre et gras. A pas courts, dans les ténèbres, elle revint vers la ligne de clarté que produisait l'entrebâillement de la porte. Elle s'arrêta parce qu'elle avait distingué la blancheur d'un bouton électrique. Elle appuya. L'entrée et l'escalier lui parurent plus sales qu'au jour. Les murs étaient badigeonnés à hauteur d'homme d'un marron maculé et, au-dessus, d'un beige que l'humidité tourmentait. Elle faisait de nouveau un pas vers la porte quand elle entendit marcher sèchement sur le trottoir.

Elle se précipita vers l'escalier et l'escalada jusqu'à la porte de Gonzague. Essoufflée, elle souleva le paillasson. Elle le laissait déjà retomber quand elle se rappela que la clé était dissimulée sous l'autre extrémité. Elle l'y trouva et la glissa dans la serrure. Elle la regardait briller. La clé s'éteignit brusquement. L'escalier était retombé dans l'obscurité.

Elle avait tourné la clé dans la serrure et se glissait dans l'atelier. Le plancher craquait sous ses chaussures.

Gonzague regardait la femme entrer. La clarté du réverbère qui pénétrait par les fenêtres lui permettait de distinguer que le visiteur était une femme.

Il sut que ce n'était pas Tilly.

La femme s'arrêta à quelques pas du lit, puis se rapprocha et appuya un genou sur le bord du lit.

— C'est toi, Catherine ?

— Retire donc cet affreux maillot.

Il obéit. Le maillot passa devant ses yeux qui retrouvèrent ensuite le spectacle de couleur pastel qui habillait Catherine.

— Où étais-tu, Catherine ? Je m'inquiétais...

Elle garda son genou sur le lit et se cambra pour retirer son pull et son soutien-gorge. Son buste apparut clair, et les seins se profilèrent plus pâles que le buste sous la lumière du réverbère.

— Tu es venue.

— Oui je suis là.

Elle se déhanchait pour aider la jupe à glisser le long

de ses hanches. Un ventre bombé apparut, suivi d'un sombre triangle de fourrure. Puis Catherine se pencha pour recueillir sa jupe à ses pieds et dégager ses chaussures. En se penchant, elle avait offert sa croupe au regard de Gonzague et, quand elle se redressa, elle évita de lui faire face et resta un moment silencieuse, immobile. Puis, à l'aveuglette, elle tendit un bras derrière elle, vers le jeune homme qui saisit l'objet confus qu'elle lui tendait, dont les tentacules avaient la couleur de la chair. Entre ses doigts il reconnut la matière d'une fleur.

— Tu aimes le chèvrefeuille ?

Il admira la chute des reins de la jeune femme qu'il effleura avec une des crosses de la fleur. Elle frissonna et se retourna brusquement. Elle cachait avec ses mains ses seins et son ventre et, par pudeur, se tenait penchée en avant, fléchissant une jambe devant l'autre pour mieux se protéger.

— Tu as passé une nuit dans mon lit, je viens en passer une dans le tien. C'est uniquement de la tendresse, ne va rien imaginer d'autre. Je peux entrer ?

Il écarta le drap et elle s'allongea contre lui. Spontanément elle lui baisa aussitôt la bouche en lui caressant les reins. Timide, il retenait sa main qui de la nuque hésita à glisser sur les reins, puis à s'attarder dans les régions infiniment douces qu'elle découvrait au revers des cuisses. Il écartait son ventre pour dissimuler à Catherine l'évidence de son désir.

— Catherine...

C'était un appel au secours. Il voulait tenir sa promesse tacite et craignait de n'en avoir pas le courage.

— Fais attention, balbutia-t-il.

Elle s'était laissée glisser sous lui, largement ouverte, l'étreignant de ses genoux. Il se souleva sur les avant-bras pour s'écarter de cette tentation béante. Pour fortifier son courage, il se répétait que le désir était plus complet que la possession. Il ne se convainquit pas et implora :

— Tu veux bien ?

— Non !

Il s'arracha et se rejeta sur le côté, fuyant son contact. Mais il la retrouva aussitôt dans ses bras.

— J'en meurs d'envie, souffla-t-elle, c'est toi qui dois me protéger.

Il en éprouva de l'indignation. Elle lui en demandait trop. Du coup, son émotion disparut, Catherine qui se pressait contre lui s'en aperçut et ses doigts, avec des sursauts de timidité vite vaincus, se hasardèrent à la recherche du désir défaillant.

— C'est tout tendre, on dirait un petit coquelicot.

Elle sentait sous ses doigts une tige s'évader du coquelicot. Ses lèvres musardèrent sur la poitrine et l'abdomen du jeune homme, puis dans sa bouche la tige s'effila et se durcit, se fit outil de pénétration, arme.

Elle s'était hissée sur lui, l'avait introduit en elle et elle imprimait les mouvements tout en baisant la bouche qui était sous la sienne. Ce fut bref, elle se rejeta en arrière et retomba allongée à côté du jeune homme qui se jeta sur elle.

— Mon amour ! cria Gonzague.

La pénétration fut plus profonde, les coups frappaient avec force, certains faisaient même un tout petit peu mal. Gonzague était plus long que Marc et semblait plus dur, peut-être parce qu'il était plus mince. C'était divin de penser à Marc en s'offrant aux coups d'un autre.

— Catherine, je t'aime...

— Bourre-moi fort.

Elle se défendait contre la volupté physique, voulant conserver plus longtemps la conscience de ce qu'elle subissait. Enfin elle céda et même aida les doigts maladroits de Gonzague. Ses cris durèrent, culminèrent. Quand elle revint à elle, Gonzague usait avec une fièvre haletante ses dernières forces. En s'épanchant, il délivra une légère plainte que Catherine trouva mignonne.

Elle s'ouvrit encore plus largement pour recueillir ses effusions.

Ils s'étaient endormis en chien de fusil, lovés l'un contre l'autre. Quand Gonzague s'éveilla, un grand jour baignait la pièce. Pendant le sommeil, le corps de Catherine s'était éloigné et gisait au travers du vaste lit, un pied suspendu au dehors.

Ce corps, il le regardait sans y croire. Le volume de son bonheur l'étouffait. Ce n'était pas un corps mais une preuve, il n'aurait pas su dire de quoi. De sa vie, pour la première fois, un événement dépassait son espérance. La certitude qu'il n'oublierait jamais cet instant le frappa plus encore qu'elle ne le charma. Pour la première fois, il avait le droit de contempler en possesseur ce visage prolongé en un corps non masqué. Les yeux étaient clos, la bouche entrouverte poussait une respiration régulière et liée. Rien ne marquait le sommeil dans le corps qui était tout simplement jeté, comme il aurait pu l'être au soleil.

Elle bougea, plongeant son nez dans le traversin et détachant ses jambes. Il se pencha, rapprocha sa bouche du ventre de Catherine, respira les odeurs secrètes.

Son parti était pris. Il se remettait à la gravure. Pour rendre ce ventre fendu et touffu, il avait besoin de la morsure bouclée du burin sur le cuivre.

Sous le burin presque immobile, il imagina le déplacement incessant de la plaque et la naissance des volutes. Outre les difficultés de l'apprentissage, il avait été détourné de la gravure par l'empire excessif des recettes qui prétendent rendre des matières aussi différentes que l'eau, la pierre, le ciel, par l'utilisation rituelle des mêmes signes, le point, la droite, la courbe. Il avait pressenti que, malgré l'autorité des recettes, chaque matière pouvait être considérée comme un cas particulier produit par un moment donné ; qu'à un certain degré d'usure, d'humidité, sous un éclairage matinal, la pierre pouvait être traitée comme une eau stagnante et que l'eau elle-même présentait des surfaces si diverses que, pour la retrouver, il fallait tantôt emprunter aux manières dont on rend le ciel, tantôt à celles dont on figure l'herbe quand elle est fournie, floconneuse, mobile, à la fin de juillet. Maintenant, il savait qu'en gravant le ventre de Catherine il aurait à rendre toutes les matières du monde sous tous les éclairages. Cette toison triangulaire et creusée, posée sur la chair rebondie des cuisses et de l'abdomen, vallonnée et nacrée des aines, impliquait l'univers.

Mais le bleu des prunelles de Catherine impliquait toutes les couleurs ! Elle venait d'ouvrir les yeux. Gonzague n'avait plus envie que de peindre. Elle dit :

— C'est toi...

Elle s'étira. Il la saisit dans ses bras. Elle lui rendit ses caresses, puis posa ses pieds sur le plancher.

— Qu'est-ce que tu veux, Catherine ? Du café ?

Elle s'étira de nouveau en scrutant, par la fenêtre, la lumière extérieure qui était blanche et brumeuse et assez aveuglante.

— Quelle heure est-il ?

— Mon réveil marque huit heures, mais il avance un peu.

Elle se leva et enfila ses chaussures. Puis elle attacha son soutien-gorge.

— Tu ne veux pas prendre une douche ?

— Je la prendrai chez moi.

— Catherine, tu regrettes ?

— Oh mais non ! Pas du tout !

— Pourquoi te rhabilles-tu ? Tu t'en vas ?

— On se reverra !

Assis sur le lit, enveloppé jusqu'à la taille dans le drap, il la regardait d'un air triste, presque boudeur.

— Tu es très mignon, mais je suis pressée !

En dernier lieu, elle passa sa jupe, puis secoua ses cheveux sans recourir à une glace.

— Mais quand se revoit-on ? demanda-t-il. Pour déjeuner ?

— Non, pas pour déjeuner.

— Ce soir ?
— Ce soir à neuf heures, si tu veux.
— Plus tôt.
— A sept heures chez moi.
Elle se pencha, lui déposa un baiser sur l'épaule ; elle s'attarda à lui caresser les bras. Il cherchait son regard sans le trouver.
— Catherine...
Elle se laissa tomber sur le lit. Au bout d'un instant elle lui enfonça les ongles dans le poignet. Elle chuchota et il crut entendre qu'elle lui demandait de la prendre vite. En même temps elle l'attirait dans ses bras.
— Non, non, souffla-t-elle, ne me déshabille pas.
— Ta jupe sera toute froissée !
— Trousse-la, froisse-la, chifonne-moi toute !
Il se laissa emporter par un élan brutal. Quand enfin ils se séparèrent, tous deux ruisselaient de sueur, surtout Catherine prisonnière de ses vêtements. Un violent rayon de soleil écrasait le lit. Catherine demeura quelques instants allongée, les yeux clos, dénudée jusqu'à la taille. Puis les mâchoires serrées, d'un coup de rein, elle se remit sur ses jambes. La jupe retomba toute bouchonnée vers ses genoux. Sans s'en inquiéter, la chevelure en tempête, le pull bâillant au-dessus de la ceinture, elle courut vers la porte.
— A tout à l'heure...
La concierge, debout sur le pas de sa loge, la regarda avec insistance descendre les dernières marches de l'escalier et sortir. Dans la rue, elle entendit sonner les cloches de l'église Saint-Louis-en-l'Ile. En entrant dans l'ascenseur, elle perdit une chaussure qu'elle remit pendant le trajet de l'appareil pour ne pas perdre un instant ; accroupie, tout en se rechaussant, elle caressa du doigt la sueur qui brillait sur ses cuisses.
En entrant dans la chambre, elle vit d'abord Marielle qui était assise sur une chaise avec la posture et l'expression d'une cliente qui attend dans le salon d'un den-

tiste. Marc était assis sur le lit, accoudé à l'oreiller, les jambes pendantes ; il n'était pas rasé et le bleuissement de la barbe se marquait plus durement sur son visage que sur celui de Gonzague.

— Alors, tu avais encore disparu ! dit Marielle. Je suis venue parce que Marc, te croyant chez moi, m'a téléphoné.

— Je vois, dit Catherine.

Marielle s'était levée. Elles s'embrassèrent.

— Tu as des nouvelles chaussures !

Les pieds nus de Marielle plongeaient dans de gros sabots qu'elles contemplèrent toutes les deux avec intérêt.

— Ça te va très bien, dit Catherine.

Marc, toujours accoudé à l'oreiller, drapé dans sa robe de chambre, regardait les deux femmes regarder les sabots.

— Qu'est-ce que tu as fait cette nuit ? demanda-t-il.

— Il s'en doute, dit Marielle. Et ça se voit !

Avec la démarche d'un visiteur dans un musée, Catherine traversa la chambre en jetant de petits regards autour d'elle. Elle s'arrêta devant un fauteuil sur lequel étaient répandus les vêtements de Marc. Elle souleva le pantalon et en détacha la ceinture. Puis elle se dirigea vers le lit et s'en vint heurter les jambes pendantes de Marc. Elle lui tendit la ceinture qu'il prit machinalement.

— C'était qui ? demanda-t-il.

— C'était bien, répondit-elle, et je n'ai pas agi sur ton ordre, donc...

Elle s'allongea sur les genoux de Marc et remonta sa jupe aussi haut qu'elle put.

— Je ne t'ai pas obéi, dit-elle d'une voix étouffée par l'épaisseur de l'oreiller où son visage était enfoui.

Marielle se tenait debout devant eux, son regard dirigé sur Marc qui avait enroulé plusieurs fois la lanière de la ceinture autour de sa main et hésitait, le visage sans expression.

— Si tu me battais un peu, souffla Catherine, je ne l'aurais pas volé...

La physionomie de Marc restait figée ; il contemplait les fesses humides qui lui étaient abandonnées.

— Je suis toute pleine de lui ! cria Catherine en bougeant comme un poisson.

— Tiens !

Cette exclamation, le sifflement de la ceinture, le petit cri de Catherine furent presque simultanés.

JOURNAL INTIME DE M. DAUBIGNÉ

20 juin

A mon retour de Cannes, le visage de Rose. Il était tendu et j'ai craint que le gynécologue n'ait tenu de mauvais propos. Non, au contraire : il ne lui a même imposé qu'un seul médicament et lui déconseille seulement les bains, quand elle sera à Brévinville. Mais, en me répondant, Rose ne s'est pas déridée. J'ai cru en la bataille, et avec joie. Je voulais revendiquer mon voyage à Cannes et imposer ma révolution. Je m'étais encore mépris. Catherine a fait une fugue. Rose l'a prise au sérieux.

On sait à travers Marc et Marielle qu'elle a pris un taxi à l'aube. Depuis, elle n'a mis les pieds ni chez elle ni au bureau. Marc est fou d'inquiétude. C'est du Courteline ! Il téléphone dans les centres anti-poison et dans les endroits de ce genre. Boubouroche ! Rose, elle, ne dramatise nullement, mais craint que la pauvre Catherine, désespérée par son mari, multipliant les maladresses, ne le perde définitivement.

Il me plaisait de voir Rose s'égarer dans son brouillard, mais je n'ai pu résister au plaisir de lui montrer que j'étais mieux informé qu'elle. Je lui ai raconté comment j'avais surpris sa fille et ce Gonzague et j'ai conclu que sans doute la malheureuse était partie à la vadrouille avec son tzigane. Rose n'avait jamais remarqué ce garçon dans le quartier, je le lui ai décrit, sans rien cacher de sa crasse, de sa vêture et de sa manière de regarder les hommes de ma génération, comme si les gens de mon âge constituaient pour lui et ses congénères une peuplade ennemie. Rose qui, depuis mon arrivée, ne s'était pas départie d'un air d'accablement qui ne lui va pas, parut se ranimer ; elle me reprocha de ne pas l'avoir prévenue quand il était temps ; elle éprouva même, à me rendre responsable de la situation, une volupté qui ressemblait à de la folie, se trahissant par une crispation du visage qui, tant se mêlaient la jubilation et la souffrance, ressemblait à celui d'une personne qui se serait grattée jusqu'au sang.

Réintégrant peu à peu son calme, elle a laissé échapper une des causes de son émotion : elle se demande comment, si, le scandale prend corps, présenter la situation à ses amies. D'où la fureur qui l'a prise dès que je lui ai fait le portrait de Gonzague. Tout ce qu'elle a retenu de lui, c'est qu'il était imprésentable et ne pouvait faire un mari de rechange pour Catherine. Là-dessus, j'ai eu Marc au téléphone, avide de savoir si nous avions des nouvelles. Après avoir raccroché, j'ai fait remarquer à ma femme qu'il semblait craindre un geste fatal de Catherine. Avec un mince sourire compétent et indulgent, celui d'un grand joueur d'échecs devant la combinaison ourdie par un de ses élèves, elle m'a répondu qu'en effet elle avait cru à une tentative de Catherine de récupérer Marc par un chantage au suicide, mais que j'avais détruit cet espoir en lui révélant l'existence de l'amant. Je n'ai pu me retenir de lui demander si elle ne craignait pas que Catherine, déchirée entre son mari et son amant, ne nourrisse pour de bon un projet funeste ; je voulais être rassuré et je comptais lâchement sur le gros bon sens de Rose. Celle-ci, en effet, haussa les épaules et m'assura que Catherine était aussi incapable que moi de se suicider.

Elle ajouta une confidence qui était peu dans sa manière : seule de nous tous, elle aurait pu trouver l'énergie de se tuer dans certaines circonstances, n'étant freinée que par la tradition de sa famille où ces choses-là ne se font pas. Peut-être Nicolas, qui avait du caractère, était-il, lui aussi capable de trancher dans le vif, mais à la réflexion, rien n'était moins certain car l'éducation et l'exemple que je lui avais donnés avaient amolli sa nature. Emportée par son élan, Rose en est venue à soutenir que Catherine avait été perdue par son fatal penchant à subir mon influence à moi, plutôt que celle de sa mère.

Il fut trop tentant pour moi de prendre une mine vexée. L'ayant prise, j'observai que, si mon influence était nocive, il était bien dommage que vingt ans plus tôt je ne me sois pas esquivé pour la laisser élever les enfants sans moi. Elle a eu une répartie qui partait du cœur et je la transcris littéralement : « Mon pauvre ami, qu'est-ce que tu serais devenu tout seul ? » J'ai crié : « J'aurais été heureux ! » Aussitôt, je craignis d'être allé trop loin dans la cruauté, mais Rose me rassura en souriant avec attendrissement : « Tu crois ça, grande bête ! Mais je te connais : à peine libre, tu aurais laissé quelque horrible créature du genre Germaine te mettre le grappin dessus. »

Tout s'est passé pour moi comme si horrible créature *s'appliquait non seulement à Germaine, mais à Celui qui n'est plus. A la pensée que Rose Le traitait d'horrible créature, je me suis étranglé. Je lui ai crié que l'horrible créature valait cent mille fois mieux qu'elle. Je lui ai certifié que, lorsque je verrais ma mort approcher, ce ne serait pas auprès d'elle que je terminerais ma vie. Elle s'est de nouveau attendrie et m'a cherché des excuses avec une indulgence offensante : à l'entendre, je suis victime de ma faiblesse de caractère et incapable de supporter l'épreuve que nous inflige Catherine. « Je me dérobe à la réalité en perdant la tête. » Puis, tout uniment, Rose a repris les hypothèses que nous avions déjà avancées et les a déposées comme ses conclusions personnelles : Catherine, menacée d'abandon par son mari, tente de le rendre jaloux en utilisant Gonzague et de l'angoisser en disparaissant, et l'état où elle a mis Marc justifie ce calcul.*

Nous avons dîné avec beaucoup de retard, puis, tout en regardant la télévision (sans le son), Rose m'a communiqué les conseils que son amie Mme Raviard lui avait donnés, de la part de son mari, pour modifier notre portefeuille par rapport à l'inflation. Après avoir reçu encore un autre coup de téléphone de Marc, nous nous sommes dit bonne nuit. J'ai tenu mon journal dans mon cabinet de reliure et je vais aller me coucher à mon tour. Je pense surtout à Catherine. Je me sens responsable d'elle, et ému par elle depuis que Rose m'a fait découvrir que ma fille avait toujours été plus sensible à moi qu'à sa mère.

Rajouté à trois heures du matin : à travers la porte, j'ai nettement entendu Rose pleurer. Sur qui ? Sur Catherine ? Sur nous ? Sur elle ?

Avant mon départ pour le bureau, deux coups de téléphone, l'un de Marc, l'autre de Marielle. Catherine est à Brévinville d'où elle rentrera probablement ce soir. Marc part la chercher. « Qu'est-ce que je t'avais dit ! », s'est exclamée Rose, égale à elle-même.

21 juin

Ma mère aussi était égale à elle-même. Une guerre mondiale ne l'atteindrait pas. Elle continue de tourner avec la terre. Elle est un train qui fonce à travers un paysage ensoleillé, tous les stores baissés, aveugle, consumant ses dernières pelletées de charbon. Cela est un signe de mon âge d'imaginer toujours à la tête d'un train une locomotive à vapeur. Je l'ai fait observer à Germaine qui m'attendait dans la voiture. Elle m'a répondu que j'étais jeune de caractère, bien plus jeune que des tas de jeunes, et que, pour être tout à fait à la page, il suffirait que je noue mes cravates plus large, que je dise voiture *et non automobile ou auto. Sans fournir d'explication, j'avais annoncé à Rose que je rentrerais tard. Germaine m'avait préparé un agréable dîner. Nous n'avons pu nous empêcher de parler souvent de Lui. Il reste lié à tous les gestes que nous faisons dans cette maison. Quand je suis rentré, à deux heures du matin, les fenêtres du troisième étaient éclairées, ce qui indiquait assez que Catherine et Marc étaient revenus.*

J'ai failli éveiller Rose pour lui annoncer cette nouvelle tout à fait apaisante, mais cela m'aurait obligé à tenir toute une conversation avec elle. Je me couche en glissant des boules Quies dans mes oreilles afin que, si elle pleure, je ne l'entende pas.

En rentrant du bureau pour déjeuner, j'ai trouvé Catherine qui était descendue en robe de chambre. Elle venait emprunter de la viande à sa mère pour nourrir Marc et Marielle. Bien que nous soyons vendredi, ils ont décidé de passer tous les trois une journée de farniente. Je serais assez de l'avis de Rose : il est probable que c'est Marielle qui les a réconciliés et qu'elle parachève son œuvre en passant la journée avec eux. Je suis obligé de reconnaître que cette fille a de la force de caractère et que son amitié est un bienfait pour Catherine. Je ne peux pas, comme Rose, aimer complètement Marielle parce qu'elle me donne l'impression d'être de ces gens qui savent le prix de tout et ne connaissent la valeur de rien. Sans doute suis-je trop sévère à cause de l'allergie que le contact de Rose m'a donnée pour les femmes de tête. Je préfère une nature comme celle de Catherine parce que je découvre de plus en plus nos ressemblances. Il est presque certain qu'elle agit avec Marc comme moi avec Rose et que, grâce à la complicité de Marielle, elle a dissipé les soupçons de ce pauvre garçon auprès duquel elle mènera toujours une double vie.

Incidemment, Catherine m'a raconté que, la veille, elle était allée avec Marc prendre un verre au « Boui du Sanéchal ». Elle sait mon antipathie pour ce tenancier qu'elle adore, mais elle ne sait pas ce que cet homme a osé, il y a quelques années, quand j'avais Germaine à Borcaux. Il est venu me demander de l'argent en échange de son silence. Je lui ai répondu que, si jamais Rose venait à apprendre la vérité, je le tiendrais, lui, pour responsable. Dans un secrétaire délabré que j'avais relégué à Brévinville, j'avais gardé dans le seul tiroir qui ferme à clef un vieux colt auquel tiennent compagnie un fume-cigarette d'ambre et des hameçons. Je l'ai conduit très poliment jusqu'au secrétaire et je lui ai montré l'objet que j'utiliserais « le cas échéant, monsieur Sanéchal, et à mon vif regret ». Le soir, je n'ai pas mentionné cette scène dans mon journal parce que je la savais inoubliable. On passe son temps à agir selon son caractère et à faire des choses qui vous ressemblent, qu'on oublie, mais les rares moments où l'on sort de soi restent gravés. Or, j'étais à ce point sorti de moi que, tout en parlant à Sanéchal, j'étais spectateur et je m'admirais comme, adolescent, j'avais admiré au cinéma Louis Jouvet ou Eric Von Stroheim quand ils retournaient une situation en imposant leurs vues avec un ascendant calme et irrésistible.

Aujourd'hui, je me demande pourquoi, contrairement à mon habitude qui est de louvoyer, j'en avais imposé à Sanéchal par l'extrême de ma détermination. Je me le demande parce que je tiens enfin la réponse : je n'aurais défendu ni Rose, ni Germaine, ni moi avec cette autorité et cette conviction si la menace avait visé séparément l'un de nous. C'est la mise en péril du triangle qui m'a armé du colt et d'un certain regard, comme si la situation dont depuis vingt ans je prétends souffrir m'était aussi indispensable que l'air. Ce qui, depuis quelques semaines, menace de la déséquilibrer — au profit de Germaine, et serait-ce au profit de Rose, l'effet serait le même — m'inquiète comme un début d'asphyxie. Des rares confidences de mon père, une seule m'avait frappé : un homme peut être heureux avec n'importe quelle femme à condition de ne guère l'aimer et de ne pas en aimer trop une autre. A la lumière de cette formule, je me croyais malheureux en ignorant que, pour protéger mon isolement intérieur, ma nature avait besoin du frein de la contradiction.

Après le déjeuner, Rose, rassurée sur Catherine, est partie rendre visite à ma mère. Au lieu de filer au bureau, je m'attarde, heureux d'être seul dans l'appartement comme je l'étais à dix ans quand mes parents sortaient, comme je le suis chez Germaine pendant qu'elle fait une course. Mon bonheur était parfait quand elle me laissait avec Lui. Nous savions profondément que nous étions l'un près de l'autre, trouvant les mêmes égards pour respecter l'un chez l'autre ce double plaisir d'être en même temps seuls et en compagnie de l'Aimé qui produit le bonheur et qui a produit mon malheur à l'instant où j'ai entendu l'atroce plainte de Celui qu'étouffe le sang coulant plus vite qu'il ne peut l'avaler. Tu sanglotais autant d'indignation que de douleur, indigné, étonné, qu'il ait pu t'arriver une pareille chose alors que nous étions si proches. Flamboyantes, les taches qui t'annoncèrent sur les pavés sombres annonçaient le désastre. Le sang n'est rouge qu'en jaillissant ; à l'état heureux, il coule noir dans des tunnels, indolore et silencieux. Sous une enveloppe colorée, nous sommes ténèbres. Il faut le drame pour que l'intérieur de notre corps prenne des couleurs et que les poumons se révèlent bleus et la rate violette. Mon Chéri ! Ces deux mots que j'avais dits à Rose (par impatience), à Germaine (par câlinerie et quelquefois par calcul), à Catherine et à Nicolas (par routine), sont nés purs quand je te les ai adressés ; tu ne les as pas entendus, tu mourais pendant que je te les criais en chuchotant.

Une pareille douleur sera épargnée à Catherine dont j'admets qu'elle a mon caractère, mais atténué. Désormais, Marc lui laissera la bride sur le cou et s'absorbera dans les grandes entreprises où Marielle a su l'introduire en actionnant Bertrand de Saint-Presse que ce dadais n'avait jamais songé à utiliser. C'est du moins ce que tout à l'heure Catherine annonçait fièrement à sa mère. « Marc quitte sa banque et se lance. » Rose, aussitôt après, prophétisait que, si ces beaux projets se réalisaient, Catherine ne tarderait pas à cesser de travailler. Je le croirais volontiers. Catherine n'a jamais travaillé que par docilité et, dès qu'elle aura l'occasion de s'abandonner à sa nonchalance et à sa paresse, elle sautera dessus.

Pourquoi tenter de se croire immortel en imaginant qu'on se prolonge dans ses enfants et qu'à travers eux on poursuivra sa propre vie ? Quand je m'étais foulé une cheville à Brévinville, j'avais esquissé un petit tour dans le jardin et, pour reposer ma marche, j'avais appuyé une main sur la fourche d'un jeune charme et l'autre sur l'épaule de Nicolas. Cet arbre, c'était moi qui l'avais planté et Nicolas aussi je l'avais planté. Devant nous, Catherine, feignant d'ignorer ma fatigue, jouait à jouer avec un jeune chien qui lui mordait les jupes. Le charme supportait ma pesée avec indifférence, Nicolas, raidi par une impatience contenue, me conseillait d'aller m'asseoir. Nous nous sommes dirigés vers un fauteuil d'osier. Nicolas me remorquait trop vite, pressé qu'il était d'en finir. A la dernière seconde, Catherine est accourue pour aider son frère à m'asseoir en m'appelant « son petit papa ». Puis ils ont filé, soulagés. J'ai essayé de me jouer la comédie du père déçu alors que je n'étais nullement mortifié, car c'était aussi une comédie que je m'étais donnée en jouant au vieux père soutenu par ses enfants ; je ne songeais qu'à la manière de rejoindre Germaine malgré ma foulure, satisfait de ne la retrouver que pour un temps limité et de me savoir protégé contre les excès de mon cœur par la constante pression des contraintes.

XIX

Gonzague avait passé une matinée d'une paresse triomphale. Quand Tilly débarqua, elle le trouva toujours allongé sur le lit. Elle portait une vaste robe gitane, trop longue, qui balayait le plancher. Elle avait échangé pendant la nuit son overall en jean contre cette robe marocaine dont elle était folle.

— Cette nuit, on était neuf dans une petite piaule du Marais. On a à peine dormi.

Elle fouilla dans un tiroir, dénicha du fil et une aiguille et s'assit pour faire un ourlet à sa robe.

— Catherine aurait pu être ici, dit tout à coup Gonzague. Qu'est-ce qu'elle aurait pensé en te voyant débarquer sans crier gare ?

— Si l'une devait en vouloir à l'autre, ça serait plutôt moi, non ?

Elle ajouta :

— Entre nous c'est fini, d'accord, tu as dit qu'on était copains. Qu'on tombe chez un copain, c'est normal.

Au bout d'un instant, elle poursuivit :

— Ce n'est peut-être pas normal pour Catherine. Mais tu ferais mieux de l'affranchir plutôt que de te laisser faire la loi.

Renfrogné, Gonzague alla se raser et se doucher. Il

se lava la tête avec application, s'habilla et jeta un regard impatient à Tilly.

— Ça y est, j'ai fini.

Elle se déploya, et évolua en faisant tournoyer la robe autour de ses jambes.

Après avoir médité, Gonzague retira son T.-shirt à la gloire de M. Natural et le remplaça par un autre plus foncé qui célébrait Bob Dylan et le pop.

— Moi, je suis sûre que j'ai fait une bonne affaire. En plus de la robe, j'ai eu deux albums terribles de Crumb. Tiens, regarde.

Elle ouvrit un baluchon d'où elle sortit les albums de bandes dessinées.

— Toi aussi, Gonze, tu devrais dessiner des comics. Cette nuit, tu sais, on a drôlement discuté. Après, on a fumé. Il y a un mec qui a démontré que le rock c'était facho. Un autre mec a expliqué le bouddhisme tibétain. Il faut aller là-bas. C'est urgent d'aller au Tibet.

Elle le regarda traverser la chambre.

— Autrefois tu marchais comme nous. Maintenant tu marches comme un flic.

Elle avait empoigné les draps et commençait de faire le lit.

— Mets-moi de la mosik...

— Laisse ce lit tranquille !

Il lui arracha le brin de chèvrefeuille chiffonné et le disposa dans un verre à dents plein d'eau. Elle alla mettre un disque d'Herbie Hancock dont elle porta la puissance au maximum.

— En tout cas, je ne te gênerai pas dans les prochains mois, cria-t-elle. J'ai découpé des annonces underground.

Elle se pencha sur son baluchon, y cueillit des bouts de magazine et lut :

— Trois mecs ayant loué une ferme dans l'Ardèche cherchent quatre ou cinq mecs et nanas pour venir y faire du tissage. Nana cherche une autre nana pour l'aider à faire des bijoux en Provence. Mec disposant d'une maison en Bretagne recevrait mecs et nanas participant aux frais et leur apprendrait la broderie afghane, le breton et l'élevage des animaux. Nana paumée cherche deux mecs et une nana pour aller aux Indes en stop. Nénettes et enclumes s'abstenir.

Elle leva le nez :

— Elle ne voudrait pas de toi. Depuis que tu t'es laissé flipper par Catherine, tu deviens vachement sinistre, une vraie enclume.

— Si on n'aime pas les nénettes, avec toi on est servi !

Elle réduisit la puissance de la musique :

— Justement, cette nuit, ils ont dit que j'avais l'air d'une nénette à première vue, mais que j'étais tout le contraire. Parmi eux, il y a un mec qui est tout prêt à partir avec moi aux Indes.

— J'y ai été, aux Indes, pour reconstruire un village. Quand il a brûlé, on a été soulagé. Le tissage, j'en ai fait dans les Cévennes. On élevait les bêtes aussi. Elles ont crevé. Et nos pagnes, on n'en a pas vendu la moitié et encore on a eu des histoires parce qu'ils déteignaient. On s'est tous engueulé et on est rentré chacun de son côté, en stop.

— Tu ne veux plus entendre parler que de Catherine, toi !

— J'aime mieux penser à elle que d'en parler.

La musique avait cessé. Tilly écouta sonner deux heures.

— Tu viens manger quelque chose au tabac ?

— Non.

— Moi, j'ai filé rancard à un des mecs de cette nuit. Il doit m'apporter des infos sur la route, la bouffe, l'hébergement aux Indes.

— Va retrouver ton glandeur.

— Alors, prête-moi cinq francs pour le sandwich.

Elle prit la pièce, boucla son baluchon et gagna la porte en faisant frissonner sa robe.

— D'accord, cette robe, elle coûte pas des masses, mais elle est cool et elle fait un joli bruit en marchant.

Avant de sortir, elle leva la main et cria :

— Salut !

Il fit le lit, heureux d'être seul. Pendant une heure, il rangea et nettoya son atelier. Il rêvait aux modifications de l'atelier qui pourraient plaire à Catherine. Il conclut que pour aménager cette pièce, pour offrir des soirées et des cadeaux à Catherine, il fallait de l'argent et s'installa devant sa table à dessin pour terminer la couverture d'un livre policier qu'on lui avait commandée huit jours plus tôt.

L'éditeur ne tenait pas à ce que les maquettistes lisent les manuscrits des romans policiers. Il leur remettait une petite note vague, se bornant même parfois à leur résumer oralement quelques passages du livre, voire à ne leur donner que quelques indications sommaires : « Je voudrais un bout de palmier, un ciel très bleu, une tache de sang très rouge sur un parebrise et une blonde un peu nue qui a peur. » C'était sur ce thème que Gonzague avait commencé son travail. Il était assez satisfait des effets de fêlure sur le verre tout en mesurant ses infériorités : il imaginait la grâce juste du pinceau de Watteau ou l'exactitude frappante d'un hyperréaliste. Soudain l'hyperréalisme le tenta comme un style apte à rendre certains moments de la vie de Catherine, mais sa pratique exigeait une technique qui lui manquait encore. La perspective de devoir apprendre pour rendre son pinceau digne de Catherine l'enchanta.

Le temps s'écoulait insensiblement. Il peignait avec application, avec plaisir. Le nez et les arcades sourcilières de la blonde épouvantée menaçaient de ressembler à ceux de Catherine, il les corrigea, ne voulant à aucun prix compromettre la jeune femme dans cette couverture. Il travaillait à la gouache, mais de temps en temps il en rehaussait la mollesse à l'huile.

Il ne lui restait plus qu'à faire les lettres, besogne

précise et reposante. Le nom de l'auteur, B.E. Brandy, venant sur le bleu du ciel, il décida de le vêtir d'orange et retrouva la couleur exacte de la robe neuve qu'un soir Catherine arborait au tabac.

Il lui restait à occuper l'heure qui le séparait encore de son rendez-vous avec elle. Il se nettoya les doigts à l'essence de térébenthine, se tailla les ongles, coiffa longuement ses cheveux qui avaient enfin séché. Chagriné par l'odeur de térébenthine qui s'attachait à ses doigts, il courut chercher rue Saint-Louis-en-l'Ile un flacon de parfum dans l'espoir de la masquer. Il l'exalta. Il résolut de marcher sur le quai en agitant les doigts pour les aérer. Il faisait chaud et éclatant. Derrière Notre-Dame, le ciel commençait de se dorer, strié par les prouesses des hirondelles.

Il arriva devant l'immeuble de Catherine avec plusieurs minutes d'avance et, pour perdre du temps, monta l'escalier à pied et lentement.

— J'arrive ! cria une voix féminine.

Plus d'une minute se passa avant que la porte ne s'ouvrît. Un instant, frappé par l'apparition d'un visage qui n'était pas celui qu'il attendait, il crut s'être trompé d'étage. Puis il reconnut la jeune femme avec qui il avait rencontré Catherine deux ou trois fois.

— Salut, je suis Marielle. Entrez.

Il la prenait pour une messagère de mauvaise nouvelle, mais elle ajouta :

— Catherine vous attend. Elle m'a prêté une chemise de nuit qui est beaucoup trop longue pour moi.

Pour marcher, elle la soulevait à deux mains. Ils pénétrèrent dans la chambre. Un corps était allongé nu sur le lit qu'il distinguait mal parce que de lourds rideaux étaient tirés devant la fenêtre. La pénombre était celle d'une chambre de malade. Soutenue par le souffle de l'orgue, une voix qui était inhumaine parce qu'elle ne semblait produite ni par un homme ni par une femme régnait en sourdine. Comme sous l'effet d'un stupéfiant, Gonzague recevait successives et déconnexées toutes ces perceptions.

La chemise avait glissé sur la moquette et Marielle s'était agenouillée au bord du lit.

— Catherine a reçu une correction méritée, dit-elle.

Elle saupoudra de talc les fesses meurtries et l'étala avec la paume de la main.

— Ce n'est pas Catherine ! murmura-t-il sans espoir.

Le corps bascula sur le dos et Gonzague reconnut Catherine. Elle gardait les yeux fermés. La voix non terrestre se hissa au-dessus de l'orgue pour gémir : « Et egressus est a filia Sion omnis decor ejus. »

Catherine ouvrit les yeux et sourit.

A vingt ans, Gonzague avait goûté d'un hallucinatoire dont le souvenir l'épouvantait. Pendant tout le temps où il était resté sous l'empire du produit, il s'était répété « ce n'est pas vrai » sans pouvoir s'empêcher de tenir son rôle dans le phantasme.

Il suivit les gestes de Marielle qui, ayant empoigné les genoux de Catherine, lui écartait largement les cuisses.

— Catherine vous attend, monsieur.

« Ce n'est pas vrai » pensait Gonzague, sans résister au scénario du cauchemar. Marielle, qui s'était glissée derrière lui, avait commencé de l'éplucher, lui arrachant d'abord son T.-shirt. Il se laissait faire, il collabora même en aidant le pantalon à glisser. Marielle le poussait vers le lit, pressée contre ses reins qu'elle enveloppait de sa peau douce. Il tomba entre les bras et les jambes de Catherine. Marielle lui caressait et lui baisait les fesses et les cuisses. Catherine poussait des soupirs de plaisir. Tous deux se délectaient du contact de leur peau. Il avait souhaité que son corps refusât sa participation, mais celui-ci la fournissait avec une ardeur aveugle. Par un acte de la volonté, Gonzague essaya de résister à Marielle qui s'employait à le pousser dans son amie. Mais Catherine intervint brusquement pour attirer son amant en elle. Elle accomplit ce geste avec la violence d'un être qui se poignarde et poussa même un cri. Une élan forcené emporta le jeune homme. Aux Indes un vieil Anglais lui avait dit que le désir transformait le saint en loup.

Peu à peu Catherine avait glissé sur le côté en l'entraînant avec elle, de sorte que tous deux étaient allongés sur le côté. Par instants, les mains de Marielle apparaissaient, sautant du corps de Gonzague à celui de Catherine, son visage même s'interposa entre les leurs, sa bouche se mêla à leurs bouches.

Le lit gémit sous une pression nouvelle que Gonzague, qui avait fermé les yeux, attribua d'abord à un déplacement de Marielle. Puis il entendit le cri aigu que poussa Catherine. Celle-ci sans reprendre son souffle, pressa contre elle Gonzague en implorant :

— Toi aussi, fort, fort !

Quand le genou d'un homme heurta le genou de Gonzague, déjà celui-ci savait qu'il n'était plus seul à posséder Catherine. Haletante et ruisselante, elle poussait des exclamations et des ovations comme il en échappe des stades où la foule alternativement s'indigne et s'enthousiasme. Les coups que portaient les deux hommes s'accordaient. En ouvrant les yeux, Gonzague reconnut Marc.

Planté au milieu de la chambre, Gonzague se rhabilla avec une promptitude égarée, comme si son salut en avait dépendu. Il tournait le dos, mais les mouvements de ces trois chairs embrassées se reflétaient dans la périphérie de son regard et il ne pouvait s'empêcher d'entendre des plaintes où les trois voix se mêlaient, des mots surtout qui le poursuivirent jusque sur le palier.

Au tabac, il acheta deux petits cigares, puis s'assit à une table contre la vitre. Il se releva pour acheter une pipe.

— Une pipe bon marché, n'importe laquelle.

S'étant rassis, il cassa l'un des cigares et entreprit de l'effriter dans le fourneau de la pipe. Il procédait minutieusement, avec lenteur, en donnant le même cérémonial à ses gestes que lorsqu'il préparait une cigarette de hachich. De temps en temps, par la vitre, il dardait un regard qui atteignait l'immeuble d'en face.

De ses doigts montaient des odeurs ; celle de la térébenthine signalait un bonheur studieux où l'espoir était une certitude, celle du parfum qu'il avait acheté un peu essoufflé trahissait une attente plus fébrile, plus fiévreuse et celle qui provenait du corps de Catherine puait le désastre, un désastre ambigu où le merveilleux se muait en infernal. Mais, enlacées, les trois odeurs prenaient une signification simple. Elles frappaient de dérision tout ce que Gonzague avait bien pu penser, comme les gestes où il cherchait à s'absorber. Dès la première bouffée qu'il tira, l'odeur et la saveur du présent immédiat telles que les composaient le vernis trop neuf de la pipe, l'âcreté doucereuse du tabac, le mirent en garde contre l'avenir. Par avenir, il entendait les heures prochaines.

— Tu fumes la pipe maintenant ? dit Jonathan.

— Si tu la veux...

— Je ne fume jamais la pipe, moi.

— Mets-la à la poubelle. Les poubelles, il n'y a que ça de vrai.

— Culotte-la avant de parler.

— Il faut du temps.

— Tu as le temps.

— J'ai le temps, ça oui, je l'ai, mais je n'ai rien à mettre dedans !

— Bon. Je te sers un rosé ?

Dans la rue, le jour était lent à s'éteindre comme le temps l'était à couler, obligeant Gonzague à demeurer près de la rive infecte, dans les eaux sales, à savourer sa nausée. Il se rappela que son père, s'étant mis dans la tête que Médéric, leur vieux chien, lapait ses aliments au lieu de les savourer, avait ficelé un bout de viande qu'il faisait remonter par le gosier de Médéric pour que le malheureux eût le loisir d'en apprécier le goût. Le chien, qu'il fallait tenir pendant cette épreuve, ouvrait largement des yeux étonnés, puis les fermait de désespoir ou de résignation.

Le verre de rosé sonna sur la table quand Jonathan le posa et Gonzague leva les yeux.

— Un cadre supérieur, sa nana et une copine avertie, dit-il doucement, c'est du bon cinéma porno.

Il s'était dressé, son bras heurta le verre qui se brisa sur le carrelage. Jonathan glissa une main dans son torchon et se baissa pour ramasser les débris. Puis il contourna le comptoir derrière lequel il prit une petite pelle et un balai. En se retournant, il vit que Gonzague, sa pipe à la main, se tenait dans l'encadrement de la porte.

Gonzague contemplait, comme une apparition, les trois êtres qui, de l'autre côté de la chaussée, devant la porte de l'immeuble, semblaient scruter le ciel. Catherine portait sa longue robe orange alors que Marielle s'agitait dans une petite robe. Toutes deux parlaient à Marc qui les dominait, indolent. Le bonheur des autres, quand on les hait, est pénible à imaginer parce qu'on se l'exagère.

— Et ils osent se montrer à la lumière du jour !

Il avait parlé comme si Jonathan eût encore été auprès de lui pour recevoir ses confidences et invoqué le jour comme si la nuit, déjà, n'imbibait pas la rue. Puis, sans bouger, il avait regardé disparaître les trois silhouettes. De temps en temps, un client entrait dans le café ou en partait, Gonzague s'effaçait, puis reprenait sa situation immobile.

Il s'était brusquement décidé à courir. Quand il les aperçut de nouveau, ils s'engageaient sur le pont de la Tournelle. La nuit était plus profonde et plus claire à cause des ors qui traînaient dans le ciel, au couchant. Un bateau-mouche s'avança, rendu invisible par la lumière aveuglante qu'il répandait, réduit à la majesté rectiligne de son mouvement et au tumulte éblouissant de son sillage. Il arrosait d'argent les rives où surgissaient puis s'allongeaient en vacillant des façades festonnées de feuillages.

Il marchait à quelques pas derrière eux, incapable de savoir ce qu'il dirait ou ferait si, se retournant, l'un d'eux découvrait sa présence.

— C'est la première fois que je dînerai à *La Tour d'Argent !* dit Marielle.

— Et moi aussi ! chantonna Catherine. C'est une vraie fête !

— Moi, j'y ai été invité deux ou trois fois.

— C'est très cher ?

Marc lança d'une voix gaie :

— J'ai un billet de cinq cents francs que Catherine avait essayé d'incendier.

— Catherine, tu flambes les billets maintenant ?

— Quand je ne les mérite pas.

Tous trois parlaient en regardant, sur la rive adverse, le fronton de lumière multicolore dominer l'immeuble vers lequel le pont semblait se diriger. En regardant bien, on voyait se déplacer des silhouettes sombres sur la clarté chaude de ce restaurant suspendu au ciel.

— Le billet ne suffira pas, affirma Marc avec élan, mais je ferai un chèque.

— Tu sais, coupa Marielle joyeuse, ton oncle Saint-Presse m'a assuré que d'ici peu, toi et moi, nous pourrions faire des notes de représentation.

— Alors, on retournera souvent à *La Tour d'Argent !*

Catherine avait poussé cette exclamation avec une allégresse enfantine. Gonzague s'arrêta net, étonné d'avoir à sa disposition tant de dégoût pour une voix qu'il aimait tant. Il sut qu'il fumerait toute la nuit et que bientôt ni Catherine ni la peinture ne lui importeraient plus.

Le chasseur de *La Tour d'Argent* s'effaça et tous trois entrèrent. Gonzague les regardait entrer avec attention pour bien imprimer leur image et pouvoir la rappeler dans quelques heures, en sourire d'abord, puis en rire follement. Catherine entra la première, effectuant une grande enjambée qui déploya la robe comme une voile ; Marielle la suivait à petits pas pressés et Marc fermait la marche, les mains dans les poches de sa veste, les pouces sortis, une cigarette non allumée dans la bouche.

ACHEVÉ D'IMPRIMER
LE 12 JUILLET 1979
SUR LES PRESSES DE
L'IMPRIMERIE HÉRISSEY
A ÉVREUX (EURE)

Imprimé en France.
N° d'Imprimeur : 24125
N° d'Éditeur : 3922
Dépôt légal : 3e trimestre 1979
ISBN 2-245-00367-5.

LA BOURGEOISE.